Herbert Girardet
John Seymour

SAUVONS LA PLANÈTE

Préface
Nicolas Hulot

Hachette

Adaptation française et mise à jour de Nicolas Le François
Traduction de Monique Lebailly et Olivier Le Goff
Mise en couleur des illustrations: Gismonde Curiace
Titre original: *Blueprint for a green planet*
A Dorling Kindersley Book
Copyright © 1987, by Dorling Kindersley Limited, London
Text Copyright © 1987, by John Seymour et Herbert Girardet
Copyright © 1990, Hachette

SOMMAIRE

PRÉFACE

De temps en temps, j'ai la chance d'arriver par avion au-dessus de certaines grandes cités. De là-haut, quand on approche, la première chose que l'on remarque, c'est une sorte de halo de pollution, un «brouillard photo-chimique», qui drape toutes les grandes villes. On sait maintenant avec certitude que ce phénomène a des conséquences sur tous les organismes, et pas seulement sur l'Homme. Car, rien de vivant ne peut s'épanouir dans l'oxyde de carbone, le peroxyde d'azote, le plomb ou l'anhydride sulfureux... Quand la densité du halo de pollution atteint de telles proportions, personne ne doit demeurer passif ou indifférent.

Je ne suis pas un scientifique, mais s'il y a quelque chose que je peux entreprendre, à mon échelle individuelle, c'est de sensibiliser le public sur l'importance du respect de la Nature. Parce que l'un des problèmes les plus urgents est d'informer, pour modifier les habitudes et bouleverser les comportements. Bien sûr, il est plus difficile de changer les attitudes des adultes, mais ce n'est pas peine perdue que de vouloir faire prendre conscience aux plus jeunes et aux enfants qu'ils sont en quelque sorte les sentinelles de la Nature de demain.

Contrairement aux données alarmistes qui sont présentées çà et là, je ne pense pas que la situation de la planète ait atteint un point de non-retour, et contrairement à ce que l'on dit parfois du progrès ou de la technologie, l'un et l'autre sont loin de n'avoir produit que de mauvaises choses. Toutefois, je crois qu'il est maintenant grand temps, dans les réflexions comme dans les actions, de prendre en compte la notion de respect de la Nature et de l'environnement. Le respect de la Nature, c'est le respect de nos enfants.
Personne, actuellement, n'est capable de dire si notre planète court à la catastrophe ou pas. Aucun scientifique ne peut savoir, à l'heure actuelle, ce que deviendront ces déchets que l'on enfouit sous terre ou que l'on noie en mer. Mais il est sûr que si certains pays s'en débarrassent avec une telle promptitude, c'est que leurs responsables sont conscients de leur nocivité et inquiets. Toute société qui se dit civilisée doit se prendre en charge, s'assumer, et non pas chercher à se débarrasser de ses problèmes en les repassant à son voisin. Car l'hypocrisie n'est alors pas loin !

Quand j'apprends que la moitié de la pollution générale est d'origine domestique, je suis convaincu que le problème de l'environnement n'est pas uniquement celui des industriels et des chefs d'État, mais aussi — et surtout — de chaque homme en particulier.

Il faut se rendre compte que tout entre dans un équilibre à la fois précieux et fragile et que chaque mauvais geste se paie, à un moment ou à un autre, dans la chaîne écologique. Quand on détruit un maillon, on le ressent forcément ailleurs.

À la base, il existe un problème d'éducation : comment faire prendre conscience aux gens que leurs gestes, même les plus banals, peuvent avoir des conséquences, parfois graves, sur l'environnement ? Ainsi, peut-on continuer à laisser n'importe quoi derrière soi à l'issue d'une ballade ou d'un pique-nique ? Peut-on tout «balancer» à la mer ? N'y a-t-il aucun risque à répandre sur le sol et à diffuser dans l'atmosphère des produits dont on ne connaît pas les effets ?
Prenons un exemple, celui de l'automobile... Quand scientifiques et chercheurs trouvent des solutions au problème qu'elle pose pour être en harmonie avec la Nature, il est du devoir des chefs d'État, des industriels ET des conducteurs, de tout faire pour que les solutions proposées soient mises en application ; au conducteur, par exemple, de s'adapter à l'essence sans plomb : cela est un véritable geste d'engagement !

La terre est belle. Elle est source de plaisir et d'harmonie dans tous les sens du terme : au sens écologique, bien sûr, mais aussi au sens intellectuel, comme aux sens psychologique et physique. Mais elle est une source fragile. La détruire ou la blesser en revient à détruire ou blesser l'Homme. Il est donc important — si ce n'est essentiel — de protéger la terre, si l'on souhaite que, demain, la vie ressemble à la vie et non à la survie. C'est l'objectif que se sont fixé les auteurs de cet ouvrage.

Mon but est le même. Dans le cadre de la fondation Ushuaïa que j'anime, j'essaie de faire passer cette information prioritaire : la Nature est l'incarnation du Beau. Il nous appartient que ne survienne jamais le jour où l'Homme ne pourra plus s'y ressourcer : il deviendrait laid lui-même.

Alors, comme cet ouvrage vous y invite, faites le tour des questions auxquelles vous pouvez apporter des réponses et... agissez !

Nicolas Hulot

AVANT-PROPOS

Notre planète est mise à rude épreuve. Les déserts gagnent du terrain. Les forêts sont détruites à une cadence alarmante. Les lacs, les rivières et les océans sont souillés et pollués. On est en train de gâter jusqu'à l'air que nous sommes obligés de respirer. Et pour l'air, comme pour la maladie, il n'y a pas de frontières.

Il est facile d'ignorer tout cela lorsque l'on vit en Europe septentrionale, encore verte, ou dans les régions les plus tempérées de l'Amérique du Nord. Mais les peuples qui habitent la plus grande partie de notre planète, s'ils ont des yeux pour voir, en sont terriblement conscients.

Un certains nombre d'ouvrages, publiés des deux côtés de l'Atlantique, ont attiré l'attention sur ces dangers et tenté de nous avertir de ce qui se passait. Mais aucun d'entre eux n'a dit ce que l'on *pouvait faire* face aux maux qui affligent notre monde. Il était certes nécessaire de crier «casse-cou!». Il fallait de toute urgence nous dire, à tous: «Écoutez, cette planète est notre seul lieu de vie, à nous et aux générations à venir! C'est nous qui allons payer les pots cassés!» Cependant, répéter sans cesse qu'une catastrophe est imminente risque de nous mener à un certain fatalisme. Nous avons ainsi l'impression que la détérioration de notre Terre est inévitable et qu'aucun d'entre nous, en tant qu'individu, ne peut rien faire pour y échapper. Nous nous sentons impuissants ...

Inverser le processus

Les auteurs de cet ouvrage ont passé ces deux dernières années à voyager en Europe, en Amérique, en Asie et en Afrique, afin de tourner une série de films pour la BBC. Ce qu'ils ont constaté n'était guère réjouissant : ils ont vu, entre autres, le déboisement, la pollution, et la désertification du sol, ce sol dont nous tirons notre subsistance.

Mais au lieu d'en rester profondément déprimés, ils ont abouti à une conclusion positive : il existe des moyens d'action pour lutter contre cette « fatalité », que chacun d'entre nous peut mettre en œuvre. Nous ne sommes pas impuissants.

Nous avons reçu en partage la faculté de prévoir et l'instinct de conservation — et ce dernier joue non seulement pour nous, mais pour nos enfants et les enfants de nos enfants. Si chaque individu prend simplement conscience du danger et fait ce qu'il peut pour l'éviter, nous pourrons continuer à habiter cette planète !

L'action individuelle compte

Un individu peut n'avoir aucun pouvoir sur les pensées ou les actions des autres, mais il devrait pouvoir contrôler les siennes propres. Chacun d'entre nous peut (et doit) essayer d'influencer son entourage afin d'empêcher la dégradation de notre environnement. Nous sommes entièrement maîtres de nos actes et possédons notre libre arbitre. Nous *sommes* responsables. Nous avons des yeux et des oreilles pour apprendre ce qui se passe, une intelligence et une intuition qui nous permettent de saisir la signification de ces informations, puis de porter un jugement. Nous avons la capacité d'agir — de sauver ou de détruire, d'abîmer ou de bien gérer et de mettre en valeur notre milieu. Si nous ne faisons rien, nous n'aurons aucune excuse.

Il y a heureusement de plus en plus de raisons d'espérer. Partout, dans tous les pays, des hommes et des femmes prennent conscience de ce qui se passe et se rassemblent, déterminés à changer les choses. Nous voudrions, grâce à cet ouvrage, inciter des milliers d'autres personnes à suivre cette voie. Pour cela, nous avons tenté de démontrer ce qui nuit ou non à notre planète dans les comportements individuels et ce qui peut l'améliorer. Nous avons essayé d'indiquer, dans les limites de nos connaissances et de notre expérience, ce que chacun de nous peut faire en ce domaine.

Le prix d'une Terre en bonne santé

Nous vivons une époque où, plus que jamais, *le prix des choses* revêt une importance considérable. Les sciences économiques, si tant est que l'économie soit une science, dirigent le monde. Ce qui nous amène à nous demander quel est le prix à payer pour améliorer notre environnement.

Pour que le monde survive, il va falloir réviser notre système économique. Le docteur Fritz Schumacher a sous-titré son livre *Small is beautiful*: «Une économie où l'on tiendrait compte des gens.» Peut-être faudrait-il maintenant écrire un livre qui s'appelerait: «Une économie où l'on tiendrait compte du monde»; cela ne sert en effet à rien d'économiser de l'argent, si nous détruisons le milieu dans lequel nous vivons.

Actuellement, nous ne sommes pas obligés de renoncer à notre confort, à notre standing et à nos loisirs, si durement gagnés. Nous pouvons encore mener une vie agréable sans polluer notre planète ni la réduire à un désert. En général, les moyens prônés pour protéger l'environnement sont aussi économiquement valables. On n'a pas besoin de dévaster les forêts pour obtenir du bois d'œuvre. Avec une bonne gestion, on peut avoir les deux. Et il en est de même pour toutes les activités économiques.

Aussi, cet ouvrage ne parle-t-il pas d'apocalypse, mais d'*espoir*. Son but n'est pas d'expliquer ce que le gouvernement devrait faire, ce que la société devrait faire, ce que les autres nations devraient faire, mais ce que *nous* devons faire. Chacun d'entre nous.

BIEN GÉRER SA MAISON À L'ÈRE DU GASPILLAGE

Plan d'action
Combattre la pollution
La défense de l'environnement commence chez soi
Notre argent est un moyen de pression
Six préceptes pour vivre en harmonie avec la planète

La plupart des habitants des pays industrialisés sont maintenant conscients de ce que nous demandons trop à notre planète et devons restreindre nos exigences. Nous ressentons un malaise à l'idée que nous sommes tous embarqués sur un bateau qui prend l'eau et nous voudrions bien agir, chacun à notre échelle.

Or, nous sommes nombreux à capituler devant deux objections qui, semble-t-il, nous dispensent d'intervenir. Nous pensons tout d'abord que l'ère actuelle de l'abondance durera au moins tant que nous serons vivants. Nous savons tous que nos réserves en pétrole s'épuiseront d'ici une quarantaine d'années, mais nous avons du mal à imaginer que cela puisse se produire de notre vivant. La seconde objection consiste à dire que l'action que nous pourrions mener individuellement est une goutte d'eau dans l'océan quand on songe que la Terre est peuplée de cinq milliards cinq cents millions d'habitants, selon les dernières estimations.

Ne nous attardons pas sur ces objections : elles ne servent qu'à justifier une attitude de défaitisme qu'aucune morale ne saurait défendre. D'ailleurs, même en faisant abstraction de toute considération éthique, il serait vain de chercher des arguments qui pourraient justifier ce laxisme. Pour vivre vraiment heureux, il nous faut restreindre notre demande en produits non renouvelables et cesser d'entraîner sciemment la planète vers une catastrophe inéluctable. Rien que pour cette raison — si nous n'en trouvons pas de plus altruiste —, nous devons nous efforcer de ne pas participer à la destruction de la Terre qui est notre seul abri.

LE DÉSÉQUILIBRE DE LA PLANÈTE

La levure de bière est un champignon qui vit et prolifère en consommant du sucre et en rejetant de l'alcool, jusqu'à ce qu'il soit empoisonné par ses propres déchets et finisse par mourir. En effet, lorsque la teneur de la bière en alcool atteint un certain seuil, la plus grande partie de la levure meurt (le reste subsistant sous une forme latente) et la fermentation dans la cuve cesse faute d'une quantité suffisante de levure.

L'humanité fonctionne aujourd'hui à peu près selon le même mécanisme : l'industrie ne peut exister qu'en consommant des hydrocarbures (pétrole, charbon et gaz naturel) et en rejetant du dioxyde de carbone. La teneur de ce gaz dans l'atmosphère a augmenté dans des proportions dramatiques depuis l'invention de la locomotive et le rythme de pollution va croissant. Heureusement, les végétaux, et particulièrement les arbres, compensent ce processus en consommant du dioxyde de carbone et en rejetant de l'oxygène. Grâce à eux, la vie sur la Terre est possible ; encore faut-il maintenant que ces végétaux soient en nombre suffisant.

Or, l'homme commet aujourd'hui deux crimes contre la nature : d'abord, il libère l'énorme quantité de carbone accumulée dans les végétaux depuis plusieurs centaines de millions d'années, puisque la combustion du charbon produit du dioxyde de carbone. Ensuite, il détruit à un rythme terrifiant les forêts qui sont les agents de purification de l'atmosphère les plus actifs. Cinq cents kilomètres carrés de forêt sont définitivement anéantis chaque jour, par le feu ou l'abattage. La moitié de ce bois est brûlé, ce qui augmente encore la teneur en dioxyde de carbone de l'atmosphère. Si nous continuons ainsi, il est certain que nous subirons un jour un sort analogue à celui de la levure dans la cuve.

LE PROBLÈME DE LA POLLUTION

Si la levure ne dispose que d'un seul moyen pour s'autodétruire, l'humanité s'est en revanche constitué une très grande variété de menaces à court ou moyen terme.

La menace à court terme la plus inquiétante est liée à la façon dont nous exploitons la terre. De très grandes quantités de produits toxiques sont inoculés tous les ans dans le sol : la terre perd sa « substance », selon l'expression des exploitants agricoles. Pour continuer à exploiter des sols épuisés, nous n'avons plus que la ressource de répandre toujours plus d'engrais artificiels. Il faut cinq siècles à la roche pour fournir deux centimètres de terre, et nous la détruisons mille fois plus vite dans presque toutes les régions où les terres sont arables. L'érosion s'effectue à un rythme de plus en plus soutenu et incontrôlé : nous courons à la catastrophe si nous n'y remédions pas.

Notre planète est l'objet d'un empoisonnement constant, et peut-être irréversible, dû au travail des agriculteurs, des sylviculteurs et des horticulteurs qui succombent à la pression de l'industrie chimique et à son matraquage publicitaire. Malgré ces dégâts, l'industrie chimique continue à se développer et à écouler ses produits. C'est le secteur d'activité qui dispose du lobby le plus puissant dans tous les pays industrialisés et qui échappe à tout contrôle. Ou peut-être faudrait-il dire, au contraire, qu'il est parfaitement contrôlé ! Nous avons tous entendu parler de Bhopal en Inde, où il y eu deux mille cinq cents morts, et de catastrophes du même ordre, mais nous sommes moins nombreux à connaître les quantités de poison que, sous toutes les formes possibles — solide, liquide ou gazeuse — déversent sur nous les multinationales de la chimie.

Pour noircir encore ce tableau, mentionnons les pluies acides causées par les fumées toxiques que produisent les centrales thermiques, les usines, les automobiles et même nos propres foyers. Naguère, on a beaucoup discuté pour déterminer le mécanisme exact de dégradation des forêts. Cela permettait d'aborder le problème des pluies acides sans prendre de mesures concrètes. Aujourd'hui, il faut agir, et vite, sinon aucune forêt ne sera épargnée, pas même dans le grand Nord canadien. Si vous avez vu les forêts d'Allemagne de l'Ouest, d'Europe de l'Est ou des Alpes, vous savez que les pluies acides sont une réalité. À continuer à ce rythme, il suffira de quelques décennies pour qu'il ne reste presque plus d'arbres sur terre.

Les pluies acides contaminent également l'eau des lacs et des cours d'eau. Cela peut laisser indifférents ceux pour qui le poisson n'est pas une nourriture de base. Mais, outre le fait que la dégradation de la nature se retourne toujours contre nous, pouvons-nous envisager de condamner nos enfants à vivre dans un

L'héritage de la société de consommation
Dans les pays industrialisés, la pollution de l'air et de l'eau (ci-contre) a rendu d'immenses étendues impropres à l'exploitation agricole ou forestière. À côté de la pollution visible des ordures et des fumées, il existe aussi un danger bien plus grand, celui que représentent les produits chimiques modernes.

Une victime de la pollution
Chaque année, les marées noires engluent des millions d'oiseaux de mer, comme ce guillemot (ci-dessous). Quelques-uns sont recueillis et sauvés, mais la majorité d'entre eux succombe.

grand dépotoir ? Certainement pas. C'est pourtant ce que notre planète risque de devenir rapidement.

LE SORT DE LA PLANÈTE EST ENTRE NOS MAINS

Si nous le voulions vraiment, nous pourrions cesser ces agressions sans qu'il nous en coûte trop. On pourrait, par exemple, freiner les pluies acides en adaptant des filtres aux cheminées d'usines et des catalyseurs aux pots d'échappement des véhicules... Les solutions existent, qui peuvent concilier les impératifs de la productivité et la sauvegarde des équilibres naturels.

Nos dirigeants pourraient probablement enrayer cette évolution dangereuse et inquiétante par l'élaboration de lois et de mesures fiscales appropriées. Pourtant, ils ne le feront pas de leur propre chef.

Les gouvernements des pays démocratiques sont généralement élus pour des mandats relativement courts ; ils se risquent donc rarement à prendre des mesures dont les effets se feront sentir à long terme mais qui risquent de leur faire perdre des électeurs à court terme. C'est souvent la perspective de leur réélection qui dicte leurs actions.

À l'appui de cette affirmation, citons l'exemple du gouvernement irlandais, qui a refusé d'imposer la pose de filtres sur les cheminées de l'énorme centrale thermique prévue à Money-Point. L'argument avancé était que ces filtres augmenteraient le prix de l'électricité. Aucun parti au pouvoir n'aurait bien sûr pris le risque d'une mesure grevant immédiatement le prix de l'électricité, même pour que, un demi-siècle plus tard, les lacs et les forêts d'Angleterre et de Scandinavie ne soient pas pollués. La R.F.A., seul gouvernement démocratique à avoir pris des mesures pour combattre vraiment la pollution, ne l'a fait que sous la pression acharnée de l'opinion publique que soutenaient activement les mouvements écologiques. Et même dans ce contexte, ce gouvernement n'a pris ces mesures que contraint et forcé.

Quant aux pays totalitaires, ils sont dans une situation pire encore. Les Soviétiques ont bien diffusé quelques photographies et reportages sur la catastrophe de Tchernobyl. Mais que disent-ils des autres catastrophes, telles l'érosion des sols des régions céréalières ou, plus à l'Est, la terrible salinisation des sols ? Que sait-on des effets de la pollution causée par l'industrie lourde en U.R.S.S., en Pologne, en Tchécoslovaquie ? Pas grand-chose. Les dirigeants de ces pays sont tranquilles : d'abord, il n'existe encore guère chez eux de mouvements revendicatifs, du moins dans ce domaine ; ensuite, ils savent bien que la population, mécontente de la pénurie chronique, ne remettra jamais en cause les modes actuels de production au bénéfice d'un bien-être futur.

À l'Ouest comme à l'Est, les gouvernements n'agiront donc que sous la pression. Nous pouvons — nous devons — agir en ce sens, en soutenant l'action des partis politiques disposant du meilleur programme pour l'environnement, et celle des groupes de pression qui agissent auprès des hommes politiques. Écrivons à nos politiciens locaux, exprimons notre indignation devant les dégâts causés dans notre région, dans notre pays ou à l'étranger. Mais la chose la plus importante que nous puissions faire, c'est d'avoir un mode de vie qui préserve notre planète et ne la dégrade pas.

NOTRE ARGENT EST UNE ARME

En tant qu'individu, notre influence à court terme n'est pas énorme. En revanche, nous possédons une force incontournable, c'est celle de notre pouvoir d'achat. Selon une expression anglo-saxonne, « la main qui rythme le berceau tient le monde ». On pourrait tout aussi bien dire que « la main qui tient les cordons de la bourse dirige le monde ». Chacun d'entre nous, dans la mesure où il consomme, peut agir sur le cours des choses. En achetant des produits qui ont créé ou créeront une pollution, quelle qu'elle soit, nous sommes nous-mêmes des pollueurs. En revanche, en boycottant ces produits, nous manifestons notre refus de participer à la destruction de la planète. Lorsqu'un nombre suffisant d'entre nous adoptera cette attitude, la destruction cessera tout naturellement.

Le bon usage de ce « pouvoir du porte-monnaie » nécessite une certaine discipline intellectuelle : il faut en effet combattre le réflexe qui consiste à penser que cela ne servira à rien. Nous avons parfois l'impression que presque tout ce que nous achetons est facteur de pollution.

Pour combattre cet état d'esprit, informons-nous. Les produits sans danger existent ; les comportements sains existent, bien plus souvent qu'on ne le croit. Ne désespérons pas. Nous ne deviendrons pas parfaits d'un coup de baguette magique.

UN PLAN EN QUATRE POINTS

Analysons chacune de nos actions selon quatre critères :

- Les conséquences sur l'environnement sont-elles bonnes, néfastes ou neutres ?
- S'il s'agit d'une action positive, comment en favoriser et en élargir la portée ?
- S'il s'agit d'une action néfaste, comment l'éviter ?
- Si nous ne pouvons pas éviter de polluer, comment faire pour polluer moins ?

La plupart du temps, il nous en coûtera peu de renoncer à un comportement nuisible. Par exemple, avons-nous vraiment besoin d'utiliser la moitié d'un grand flacon de liquide vaisselle détergent pour laver quelques assiettes ? Bien sûr que non. En nous en passant, nous éviterons de polluer les rivières, d'empoisonner les poissons... et d'ingérer un peu du détergent que nous aurons laissé sur les couverts. Nous pouvons utiliser quatre fois moins de liquide pour un résultat identique, sans compter qu'il existe aujourd'hui sur le marché des produits inoffensifs et dégradables. En achetant ces derniers, on fait jouer le pouvoir du porte-monnaie sans grand effort.

Il y a aussi des circonstances où nous nous sentons

LA POLLUTION : CONSTAT ET ORIGINES

Notre planète se compose de trois éléments qui sont la terre, l'eau et l'air. Aucun de ceux-ci n'échappe à la pollution que l'humanité génère jour après jour. Si nous ne changeons pas notre mode de vie, nous risquons de provoquer des dégâts irréparables.

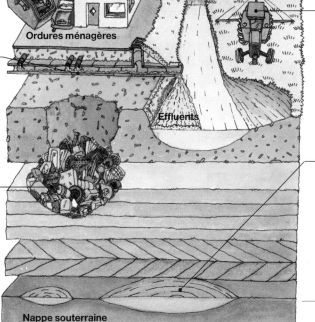

POLLUTION DUE A LA PRODUCTION D'ÉNERGIE
Nos besoins en énergie augmentent et leur satisfaction entraîne une pollution très importante. L'énergie tirée des carburants fossiles (pétrole, charbon, gaz naturel) endommage notre atmosphère. L'énergie nucléaire, quant à elle, constitue une menace à la fois pour l'air, l'eau et la terre.

POLLUTION PAR L'INDUSTRIE
La fabrication de la plupart des articles domestiques entraîne la libération de substances chimiques toxiques dans l'atmosphère. C'est particulièrement le cas pour les objets en matières plastiques.

POLLUTION DE L'EAU
L'eau est polluée par les industriels, mais aussi par les particuliers. En se retrouvant dans l'eau, les produits dangereux contamineront des zones très vastes et très éloignées.

POLLUTION DES SOLS
Les déchets industriels et ménagers polluent le sol, des produits chimiques risquent de s'infiltrer dans les nappes souterraines qui sont exploitées pour la distribution d'eau.

PLUIES ACIDES
Ce phénomène relativement nouveau est une conséquence de la pollution atmosphérique. Les émanations toxiques provenant des automobiles, des usines et des centrales énergétiques, mélangées à l'air humide, provoquent des pluies qui peuvent faire mourir les arbres.

POLLUTION DUE AUX MOYENS DE TRANSPORT
La plupart des moyens de transport font appel aux énergies fossiles. Celles-ci constituent un très important facteur de pollution qui, au cours des vingt dernières années, s'est considérablement aggravé.

PRODUITS CHIMIQUES POUR L'AGRICULTURE
Le secteur agro-alimentaire fait massivement appel aux produits chimiques. Ceux-ci peuvent se retrouver dans notre assiette ou dans le système de distribution d'eau.

CONTAMINATION DES NAPPES SOUTERRAINES
La plus grande partie de l'eau douce se trouve dans des nappes souterraines qui sont, lentement mais sûrement, contaminées par les produits chimiques qui s'infiltrent dans le sol.

Usine

Centrale thermique

Arbres malades

Ordures ménagères

Effluents

Nappe souterraine

« obligés » de faire quelque chose dont nous connaissons les conséquences néfastes. En fait, nous sommes tous obnubilés par le maintien de notre niveau de vie, mesuré bien souvent à l'aune de celui du voisin. Bientôt, à ce rythme, il faudra à la première ménagère venue une Rolls Royce pour aller acheter son pain.

AGISSEZ

Quatre règles d'or pour préserver l'environnement

- **Mesurez toutes les conséquences de vos actes**
  Il est très rare que nous fassions quelque chose qui n'ait aucune incidence sur le milieu naturel. En fait, la plupart de nos actions quotidiennes ont des répercussions, soit favorables, soit néfastes. Avant d'agir, faites donc votre choix, et le bon choix.

- **Soutenez les actions positives**
  Si quelque chose apporte une amélioration à l'environnement, il faut à tout prix le faire savoir : les petits ruisseaux feront les grandes rivières.

- **Évitez toutes les attitudes qui détériorent l'environnement**
  Évitez résolument de jeter en grandes quantités, de gaspiller l'eau ou d'utiliser des pesticides. Ce genre de comportements néfastes pour l'environnement peut être facilement abandonné sans que notre qualité de vie en soit modifiée de façon notable.

- **Restreignez-vous**
  Il est presque impossible d'éviter complètement certaines actions néfastes pour l'environnement, comme le fait de conduire une voiture, surtout si vous habitez en zone rurale. Dans ce cas, efforcez-vous de réduire la pollution que vous créez.

Pourquoi ne pas plutôt repenser toute cette notion de « standing » ? Au fond, notre niveau de vie se trouverait amélioré si nous possédions moins de choses, et si nous choisissions les articles indispensables parmi des objets simples et fabriqués près de chez nous, par des artisans qui travaillent des matières naturelles.

SIX PRÉCEPTES POUR BIEN GÉRER SA MAISON

Notre objectif est de passer en revue la vie domestique sous tous ses aspects, de définir quelle est son influence sur le monde extérieur et de montrer comment nous pouvons réduire cette influence. Il serait utopique de vouloir dresser une liste exhaustive des problèmes et de leurs remèdes. En revanche, il existe certains principes généraux d'« écologie domestique » qu'il est bon de mettre en pratique.

LA POLLUTION PAR LES PARTICULIERS : EXEMPLE TYPE

Les grands complexes industriels rejettent des résidus chimiques dans l'eau, l'air et la terre ; mais ils sont loin d'être les seuls responsables de la pollution : en continuant à acheter des produits qui sont des facteurs de pollution, chacun de nous est responsable à titre personnel.

Centrale électrique

LA POLLUTION PAR L'AUTOMOBILE
L'automobile est un produit à la fois très polluant et très répandu, qui consomme des ressources précieuses et limitées tout en empoisonnant l'atmosphère. De plus, les cimetières de voitures contribuent à enlaidir le paysage.

LES BESOINS EN COMBUSTIBLE

Gaz d'échappement

LES PRODUITS CHIMIQUES DE JARDINAGE
Pour lutter contre les parasites qui les obsèdent, la plupart des jardiniers ne jurent que par les produits chimiques. Non seulement ceux-ci polluent l'eau et les aliments, mais ils bouleversent aussi la faune. Les dommages causés à une espèce se répercutent toujours sur une autre.

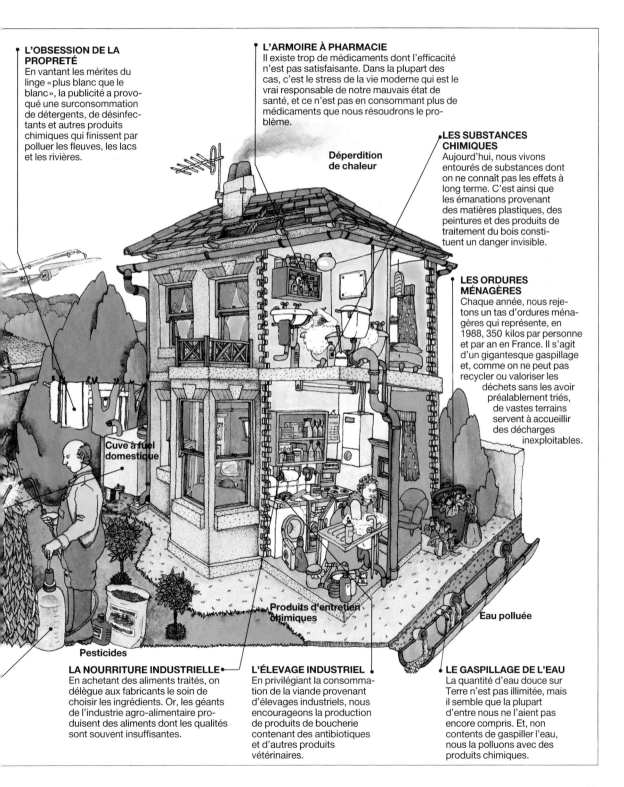

L'OBSESSION DE LA PROPRETÉ
En vantant les mérites du linge «plus blanc que le blanc», la publicité a provoqué une surconsommation de détergents, de désinfectants et autres produits chimiques qui finissent par polluer les fleuves, les lacs et les rivières.

L'ARMOIRE À PHARMACIE
Il existe trop de médicaments dont l'efficacité n'est pas satisfaisante. Dans la plupart des cas, c'est le stress de la vie moderne qui est le vrai responsable de notre mauvais état de santé, et ce n'est pas en consommant plus de médicaments que nous résoudrons le problème.

Déperdition de chaleur

LES SUBSTANCES CHIMIQUES
Aujourd'hui, nous vivons entourés de substances dont on ne connaît pas les effets à long terme. C'est ainsi que les émanations provenant des matières plastiques, des peintures et des produits de traitement du bois constituent un danger invisible.

LES ORDURES MÉNAGÈRES
Chaque année, nous rejetons un tas d'ordures ménagères qui représente, en 1988, 350 kilos par personne et par an en France. Il s'agit d'un gigantesque gaspillage et, comme on ne peut pas recycler ou valoriser les déchets sans les avoir préalablement triés, de vastes terrains servent à accueillir des décharges inexploitables.

Cuve à fuel domestique

Produits d'entretien chimiques

Eau polluée

Pesticides

LA NOURRITURE INDUSTRIELLE
En achetant des aliments traités, on délègue aux fabricants le soin de choisir les ingrédients. Or, les géants de l'industrie agro-alimentaire produisent des aliments dont les qualités sont souvent insuffisantes.

L'ÉLEVAGE INDUSTRIEL
En privilégiant la consommation de la viande provenant d'élevages industriels, nous encourageons la production de produits de boucherie contenant des antibiotiques et d'autres produits vétérinaires.

LE GASPILLAGE DE L'EAU
La quantité d'eau douce sur Terre n'est pas illimitée, mais il semble que la plupart d'entre nous ne l'aient pas encore compris. Et, non contents de gaspiller l'eau, nous la polluons avec des produits chimiques.

• PRÉCEPTE 1 : LA RESPONSABILITÉ

Chacun doit accepter d'assumer complètement les conséquences de ce qu'il fait ou ne fait pas. L'ignorance ne doit rien excuser, nous devons avoir à cœur de tout savoir sur les produits que nous utilisons : le contexte de leur production, le problème de leur élimination. Bannissons le «on». C'est nous qui sommes responsables, et personne d'autre.

• PRÉCEPTE 2 : L'ÉCONOMIE LOCALE

Attachons-nous à trouver sur place ce dont nous avons besoin et à utiliser les produits locaux. Le mythe des «économies d'échelles» a fait voler en éclats les économies locales. De gigantesques camions traversent les Alpes pour approvisionner la Normandie en pommes d'Italie. Or, la Normandie est l'une des meilleures régions de production de pommes de qualité. Dans le même ordre d'idée, ce sont des camions encore plus gros qui livrent en région parisienne des tomates espagnoles. L'Île de France ne peut-elle pas produire des tomates tout aussi bonnes ? Autre exemple, le beurre breton est produit dans l'ouest de la France ; il est acheminé par camion dans toutes les régions, d'où partiront des camions de beurre local qui iront approvisionner d'autres départements, Bretagne comprise.

Dans la mesure du possible, achetons les produits locaux, même s'ils coûtent plus cher : leur prix finira par baisser et ils seront de meilleure qualité lorsque nous serons suffisamment nombreux à les réclamer. Que chaque région produise tout ce qu'elle est en mesure de produire : cela réduira le gaspillage de nos ressources, le bruit et la pollution dus au transport des marchandises par voie routière. Il suffit d'emprunter une autoroute pour constater qu'il y circule beaucoup trop de camions et que c'est du gaspillage. Utilisons largement notre pouvoir de consommateurs pour faire cesser cette situation aberrante.

• PRÉCEPTE 3 : LA SIMPLICITÉ

Les produits simples sont souvent moins polluants et moins nocifs que les produits sophistiqués. Il y a bien sûr des exceptions : une chaudière bien hermétique consomme moins qu'un poêle ouvert. Mais, d'une manière générale, la sophistication se traduit par un gaspillage stupide, témoins les conditionnements excessifs qui envahissent les rayons dans tous les supermarchés.

AGISSEZ

Six principes d'«écologie domestique»

Les six principes proposés ci-dessous permettront à chacun d'entre nous de réduire les atteintes que nous portons à l'environnement dans notre vie de tous les jours. Il ne s'agit pas d'un règlement, mais plutôt d'une sorte de pense-bête qui nous permettra de distinguer les actions bénéfiques pour l'environnement de celles qui ont des conséquences néfastes.

- **Assumez vos responsabilités**
  Il est indispensable que chacun d'entre nous mesure les conséquences de ses actes quotidiens. C'est par une analyse préalable et systématique que nous arriverons à préserver l'environnement.

- **Préférez les produits régionaux**
  Lorsque les sites de production et les lieux de consommation sont très éloignés les uns des autres, on constate une augmentation de la pollution, ainsi que de la consommation d'énergie et de produits chimiques. Le régionalisme consiste à donner la priorité aux produits locaux afin d'éviter le gaspillage.

- **Préférez les choses simples**
  La sophistication entraîne une augmentation du gaspillage, de la consommation d'énergie et de la pollution. Le principe de simplicité consiste à préférer des produits bruts à ceux qui sont inutilement sophistiqués.

- **Évitez la spécialisation**
  Le respect de l'environnement passe par la multiplicité des ressources, ce qui permet de réduire la pollution et le gaspillage tout en assurant une vie plus saine.

- **Évitez la violence**
  L'agression physique et chimique que nous faisons subir à l'environnement se retourne toujours contre nous. Le principe de non-violence consiste à bannir toute action violente contre le milieu physique (sol, air, eau...) et les êtres vivants.

- **Soyez modéré**
  Notre environnement souffre principalement des effets de la surconsommation qu'engendre notre vie moderne. Il est indispensable que notre consommation n'excède pas nos besoins.

• PRÉCEPTE 4 : LA DIVERSITÉ

Les détracteurs de l'écologie ont beau jeu de détruire les arguments des partisans des énergies douces. Il est facile de dire que ce ne sont pas quelques moulins qui seront capables de répondre aux besoins en énergie d'un pays industrialisé, de même que ne pourront y répondre la collecte de l'eau de pluie, les énergies marémotrice, solaire ou géothermique, une meilleure isolation des maisons, la modération de nos besoins, la récupération de la chaleur dégagée par les usines et les centrales thermiques, les échangeurs de chaleur ou la combustion des déchets. Prises isolément, ces sources d'énergie ne soutiennent effectivement pas la comparaison avec l'énergie nucléaire, le charbon ou le pétrole, dont d'ailleurs les gisements s'épuisent partout. Mais conjuguées, toutes ces ressources représenteraient une autre solution, et une solution plus propre. Malheureusement, les décideurs en la matière sont des spécialistes qui, bien souvent, ne connaissent que leur petit domaine dont ils voudraient faire la panacée. La diversité leur semble inutile. C'est partout un élément clef pour réduire la pollution et la dégradation du milieu, que cela concerne l'énergie, l'alimentation ou l'exploitation agricole. Tous les œufs dans le même panier, c'est dangereux et destructeur.

● PRÉCEPTE 5 : LA NON-AGRESSION

Nous n'avons absolument pas le droit de produire quelque chose si cela implique une souffrance inutile pour une autre espèce vivante. Si nous sommes brutaux à l'égard de la nature, ne nous étonnons pas d'être à notre tour agressés. Tout cela ne signifie pas qu'il nous faut brider notre nature omnivore et renoncer à la viande, au poisson ou aux laitages. Mais cela veut dire que nous devons éviter que la production des aliments, des cosmétiques ou des médicaments implique la cruauté envers les animaux ou la détérioration de la biosphère.

Le ver pardonne à la charrue, disait William Blake ; mais il ne pardonne pas que l'on empoisonne la terre, cette terre où il vit, dont nous venons tous et dont, en fin de compte, nous dépendons tous.

● PRÉCEPTE 6 : LA MODÉRATION

Vivre modérément n'est pas synonyme de vivre tristement ; cela veut dire qu'il ne nous faut utiliser que ce dont nous avons vraiment besoin. Pour illustrer ce principe, parlons du chauffage. Ne chauffons-nous pas trop nos habitations ? Nos bureaux ne ressemblent-ils pas à des saunas dans lesquels nous ne sommes à l'aise qu'en bras de chemise ? Nous avons

La manie du gigantisme
Les énormes centrales thermiques qui provoquent tant de pollution dans les pays industrialisés témoignent de l'absurdité du gigantisme. Elles produisent d'énormes quantités d'énergie, mais en gaspillent aussi beaucoup. Par exemple, l'eau de refroidissement s'échappe sous forme de vapeur et provoque un bouleversement thermique. Ce gaspillage de chaleur ne sert à personne et renchérit le coût de l'électricité. Des sources d'énergie diversifiées, plus petites et plus nombreuses, seraient plus efficaces.

ainsi fortement tendance à organiser un confort superflu, de même que nous mangeons trop sucré et trop gras. Ce besoin de surconsommation pouvait se concevoir lorsqu'il s'agissait de survivre dans une période d'austérité forcée. Ce n'est plus le cas aujourd'hui où nous vivons dans une surabondance de chaleur, de confort et de nourriture. Apprenons à nous restreindre et à modérer nos exigences.

Enfin, et c'est peut-être le plus important, le principe de modération consiste aussi à garder le sens de la mesure. Aucun de nous n'est parfait. Il peut donc nous arriver de prendre notre voiture pour aller à deux pas de chez nous, en oubliant ainsi les principes de modération et de simplicité... Nul n'est parfait! Mais nous pouvons et nous devons prendre conscience de tout cela. Et tenter d'y remédier à notre niveau, tout en sachant que cette action individuelle, pour peu spectaculaire qu'elle soit, reste significative.

L'EAU : NATURELLE OU TRAITÉE ?

**Halte à la surconsommation
Comment économiser l'eau chez soi
Le retour des déchets à la terre
Comment lutter contre la pollution de l'eau domestique
Les nitrates : une bombe à désamorcer
Les pollueurs doivent payer**

Notre planète se caractérise par la présence d'eau en grandes quantités : les terres émergées ne représentent en effet qu'environ le quart de la surface du globe. Vue de l'espace, la Terre apparaît bleue et blanche, à cause respectivement des mers et de la vapeur d'eau. L'eau est à la base de toute forme de vie.

En tant que créatures terrestres, c'est l'eau douce qui nous intéresse ; or, celle-ci ne représente qu'environ 3 % du volume total d'eau. La transformation de l'eau de mer en eau douce obéit à un cycle, comme presque toutes les lois de la nature. Le soleil provoque l'évaporation d'eau de mer qui perd son sel. Les vents poussent alors les nuages vers l'intérieur des terres ; ces nuages donnent la pluie, nécessaire à la croissance des végétaux, à l'homme et aux animaux. Ensuite, cette eau retourne à la mer.

L'homme, comme tous les autres animaux terrestres, perturbe ce cycle : il capte l'eau douce, l'utilise en la polluant presque systématiquement, puis la rejette. Et les besoins de l'homme en eau augmentent d'année en année. Dans la plupart des régions tempérées, l'eau est abondante et l'on trouve même parfois qu'il y pleut trop. Mais notre demande excessive en eau menace aujourd'hui nos réserves. Ainsi, dans le Massif Central, sur le cours de la Truyère près du viaduc de Galabit, a-t-on sacrifié beaucoup de vallées — et, avec elles, les villages, les églises et les cimetières — au profit de barrages construits pour satisfaire les besoins apparemment insatiables des citadins français.

Le prix à payer pour cette surabondance est bien élevé, tant sur le plan financier qu'écologique. La plus grande partie de cette eau est traitée par de coûteux procédés de filtrage, de stockage et de javellisation. Aujourd'hui, la caractéristique — hélas familière — de l'eau qu'on prétend purifiée et que boivent les citadins, est son âcre goût de chlore que n'auraient pas supporté leurs ancêtres.

En France, 1 % seulement de l'eau potable distribuée est bu.

LE PRIX DE LA SURCONSOMMATION

Le gaspillage de l'eau n'a pas pour seules contreparties le coût de sa purification et la disparition de terres fertiles et de forêts.

À l'exception des régions à très forte pluviométrie, nous avons partout entamé notre capital d'eau au lieu de vivre sur le produit de ce capital ; en comptabilité, on sait ce que cela veut dire. Ainsi, Monet peignit dans la deuxième moitié du XIXᵉ siècle des toiles célèbres qui avaient pour thème la Seine à Argenteuil. Or, à

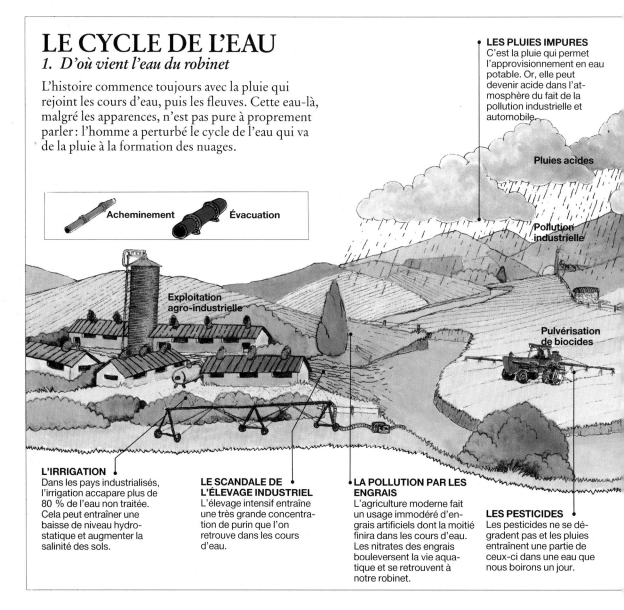

LE CYCLE DE L'EAU
1. D'où vient l'eau du robinet

L'histoire commence toujours avec la pluie qui rejoint les cours d'eau, puis les fleuves. Cette eau-là, malgré les apparences, n'est pas pure à proprement parler : l'homme a perturbé le cycle de l'eau qui va de la pluie à la formation des nuages.

Acheminement   Évacuation

Exploitation agro-industrielle

LES PLUIES IMPURES
C'est la pluie qui permet l'approvisionnement en eau potable. Or, elle peut devenir acide dans l'atmosphère du fait de la pollution industrielle et automobile.

Pluies acides

Pollution industrielle

Pulvérisation de biocides

L'IRRIGATION
Dans les pays industrialisés, l'irrigation accapare plus de 80 % de l'eau non traitée. Cela peut entraîner une baisse de niveau hydrostatique et augmenter la salinité des sols.

LE SCANDALE DE L'ÉLEVAGE INDUSTRIEL
L'élevage intensif entraîne une très grande concentration de purin que l'on retrouve dans les cours d'eau.

LA POLLUTION PAR LES ENGRAIS
L'agriculture moderne fait un usage immodéré d'engrais artificiels dont la moitié finira dans les cours d'eau. Les nitrates des engrais bouleversent la vie aquatique et se retrouvent à notre robinet.

LES PESTICIDES
Les pesticides ne se dégradent pas et les pluies entraînent une partie de ceux-ci dans une eau que nous boirons un jour.

force d'utiliser l'eau de la Seine pour l'industrie, la première nappe phréatique située sous Paris est inutilisable. L'eau de la Seine qui envahit le cinquième sous-sol du parking du ministère de l'Environnement à Paris et qui doit être pompée dégage une odeur nauséabonde !

Mais, parlons de ces nappes souterraines dont les puits de forage extraient l'eau : elles non plus ne sont pas inépuisables. Partout dans le monde, elles diminuent du fait de la surconsommation d'eau. Dans

quarante ans environ, on aura épuisé la célèbre nappe d'Ogallala qui alimente les régions les plus sèches des grandes plaines de l'Ouest américain et qui remonte au pléistocène. Il faudra des milliers d'années pour qu'elle se reconstitue. Autre exemple, le Colorado n'est plus un fleuve : malgré un débit imposant, toute son eau est captée avant qu'il n'atteigne l'océan.

Avec cette baisse du niveau hydrostatique, les puits se tarissent et la faune en subit alors les conséquences. C'est ce qui se passe aujourd'hui en Floride où les ma-

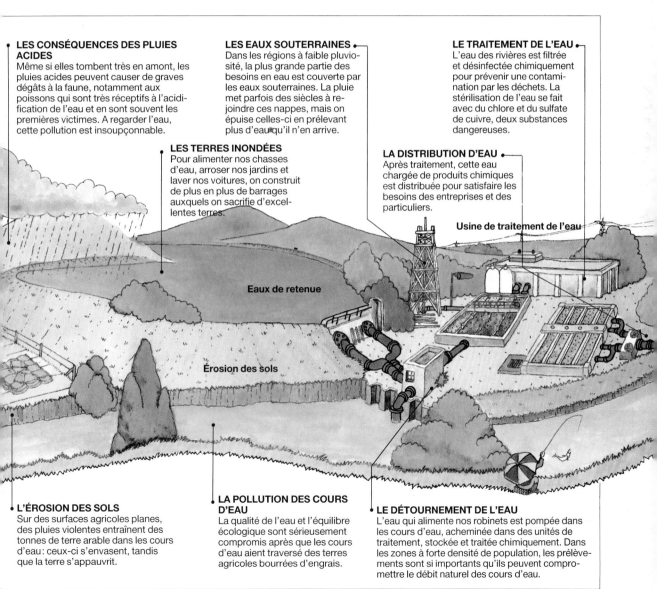

LES CONSÉQUENCES DES PLUIES ACIDES
Même si elles tombent très en amont, les pluies acides peuvent causer de graves dégâts à la faune, notamment aux poissons qui sont très réceptifs à l'acidification de l'eau et en sont souvent les premières victimes. A regarder l'eau, cette pollution est insoupçonnable.

LES EAUX SOUTERRAINES
Dans les régions à faible pluviosité, la plus grande partie des besoins en eau est couverte par les eaux souterraines. La pluie met parfois des siècles à rejoindre ces nappes, mais on épuise celles-ci en prélevant plus d'eau qu'il n'en arrive.

LE TRAITEMENT DE L'EAU
L'eau des rivières est filtrée et désinfectée chimiquement pour prévenir une contamination par les déchets. La stérilisation de l'eau se fait avec du chlore et du sulfate de cuivre, deux substances dangereuses.

LES TERRES INONDÉES
Pour alimenter nos chasses d'eau, arroser nos jardins et laver nos voitures, on construit de plus en plus de barrages auxquels on sacrifie d'excellentes terres.

LA DISTRIBUTION D'EAU
Après traitement, cette eau chargée de produits chimiques est distribuée pour satisfaire les besoins des entreprises et des particuliers.

Usine de traitement de l'eau

Eaux de retenue

Érosion des sols

L'ÉROSION DES SOLS
Sur des surfaces agricoles planes, des pluies violentes entraînent des tonnes de terre arable dans les cours d'eau : ceux-ci s'envasent, tandis que la terre s'appauvrit.

LA POLLUTION DES COURS D'EAU
La qualité de l'eau et l'équilibre écologique sont sérieusement compromis après que les cours d'eau aient traversé des terres agricoles bourrées d'engrais.

LE DÉTOURNEMENT DE L'EAU
L'eau qui alimente nos robinets est pompée dans les cours d'eau, acheminée dans des unités de traitement, stockée et traitée chimiquement. Dans les zones à forte densité de population, les prélèvements sont si importants qu'ils peuvent compromettre le débit naturel des cours d'eau.

gnifiques marécages sont victimes de l'augmentation rapide de la population.

Dans certains cas, l'acheminement artificiel de l'eau permet de disposer d'un volume nettement plus important que ce qu'aurait fourni le seul approvisionnement naturel. Par exemple, en Californie, un aqueduc de plusieurs centaines de kilomètres fournit 17,5 milliards de mètres cubes d'eau aux zones urbaines de Los Angeles et de San Diego ainsi qu'aux cultures de la vallée de San Joaquin. Pour cela, il faut pomper l'eau

à six cents mètres de profondeur et la détourner vers le sud alors qu'elle irait naturellement vers le nord ; toutes ces opérations consomment autant d'électricité qu'une ville de moyenne importance. Or, une bonne quantité de cette eau est purement et simplement gaspillée. Les installations de distribution sont généralement moins imposantes que celles qui existent en Californie, mais elles n'en acheminent pas moins d'énormes quantités d'eau.

Ce n'est que par les effluents rejetés dans les rivières

LE CYCLE DE L'EAU
2. Comment l'eau est utilisée et polluée

Une fois que notre eau a été traitée, elle peut être distribuée. En fait, la quantité d'eau que nous utilisons pour cuire nos repas et pour boire est infime par rapport à la consommation totale des particuliers et des industriels, et la presque totalité de cette eau sera polluée avant d'être évacuée.

LE SAVIEZ-VOUS ?
Les usines sont de très gros consommateurs d'eau. À titre d'exemple, la fabrication d'une voiture peut demander jusqu'à 500 000 litres d'eau dans les différentes opérations de lavage, de refroidissement et de transformation.

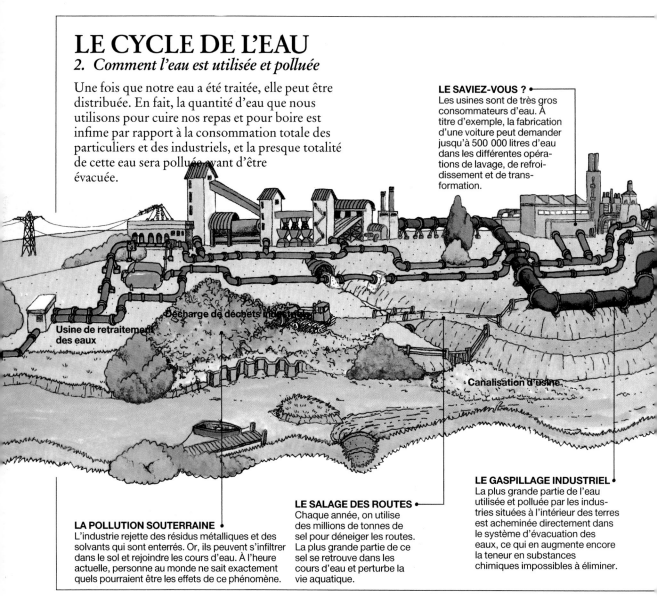

Usine de retraitement des eaux

Décharge de déchets industriels

Canalisation d'usine

LA POLLUTION SOUTERRAINE
L'industrie rejette des résidus métalliques et des solvants qui sont enterrés. Or, ils peuvent s'infiltrer dans le sol et rejoindre les cours d'eau. À l'heure actuelle, personne au monde ne sait exactement quels pourraient être les effets de ce phénomène.

LE SALAGE DES ROUTES
Chaque année, on utilise des millions de tonnes de sel pour déneiger les routes. La plus grande partie de ce sel se retrouve dans les cours d'eau et perturbe la vie aquatique.

LE GASPILLAGE INDUSTRIEL
La plus grande partie de l'eau utilisée et polluée par les industries situées à l'intérieur des terres est acheminée directement dans le système d'évacuation des eaux, ce qui en augmente encore la teneur en substances chimiques impossibles à éliminer.

qui arrosent les zones urbaines que l'on peut compenser la baisse de niveau due aux besoins en eau des pays industrialisés. Le résultat est que, dans les régions à forte densité de population, les effluents sont retraités de multiples fois pour fournir de l'eau potable.

SOYONS PLUS RAISONNABLES

Les hommes étant ce qu'ils sont, c'est l'incitation financière qui serait le moyen le plus efficace pour nous amener à utiliser l'eau de façon rationnelle. Pour cela,

il faudrait que la conception elle-même de la distribution de l'eau soit modifiée.

Le problème est le suivant: chaque jour, nous consommons entre 250 et 500 litres d'eau chez nous, partagés entre la salle de bains, la cuisine et les toilettes. Nous ne parlons même pas ici des quantités bien plus importantes qu'utilise l'industrie à notre intention. Dans nos pays, 27 % de l'eau de distribution est purement et simplement perdue à cause de fuites de canalisations ou de robinets. L'industrie automo-

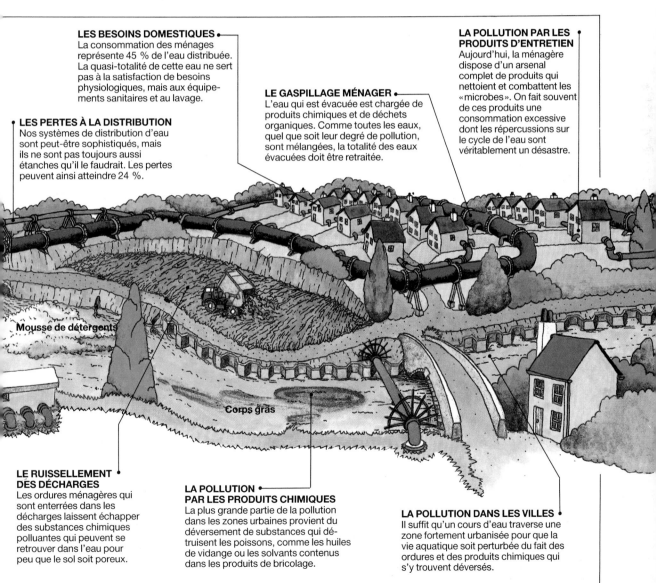

LES BESOINS DOMESTIQUES
La consommation des ménages représente 45 % de l'eau distribuée. La quasi-totalité de cette eau ne sert pas à la satisfaction de besoins physiologiques, mais aux équipements sanitaires et au lavage.

LE GASPILLAGE MÉNAGER
L'eau qui est évacuée est chargée de produits chimiques et de déchets organiques. Comme toutes les eaux, quel que soit leur degré de pollution, sont mélangées, la totalité des eaux évacuées doit être retraitée.

LA POLLUTION PAR LES PRODUITS D'ENTRETIEN
Aujourd'hui, la ménagère dispose d'un arsenal complet de produits qui nettoient et combattent les «microbes». On fait souvent de ces produits une consommation excessive dont les répercussions sur le cycle de l'eau sont véritablement un désastre.

LES PERTES À LA DISTRIBUTION
Nos systèmes de distribution d'eau sont peut-être sophistiqués, mais ils ne sont pas toujours aussi étanches qu'il le faudrait. Les pertes peuvent ainsi atteindre 24 %.

Mousse de détergents

Corps gras

LE RUISSELLEMENT DES DÉCHARGES
Les ordures ménagères qui sont enterrées dans les décharges laissent échapper des substances chimiques polluantes qui peuvent se retrouver dans l'eau pour peu que le sol soit poreux.

LA POLLUTION PAR LES PRODUITS CHIMIQUES
La plus grande partie de la pollution dans les zones urbaines provient du déversement de substances qui détruisent les poissons, comme les huiles de vidange ou les solvants contenus dans les produits de bricolage.

LA POLLUTION DANS LES VILLES
Il suffit qu'un cours d'eau traverse une zone fortement urbanisée pour que la vie aquatique soit perturbée du fait des ordures et des produits chimiques qui s'y trouvent déversés.

bile exige elle aussi beaucoup d'eau et il s'en consomme encore plus pour que, dans nos jardins, notre herbe soit plus verte que celle de notre voisin.

Pour toute cette consommation d'eau, seule une petite partie, environ cent litres, doit absolument être potable. Elle correspond à nos besoins pour la toilette, la cuisine et pour boire. Nos chasses d'eau, nos voitures et nos gazons n'ont pas besoin d'eau potable.

C'est pourtant ce qui arrive presque partout aujourd'hui. Et l'utilisation de cette eau chargée de dé-

sinfectant peut se révéler nuisible, comme par exemple pour l'arrosage des jardins, car l'eau naturelle convient mieux à la plupart des plantes. La solution serait un double système d'alimentation, avec une double canalisation et une double arrivée d'eau.

Bien évidemment, ce système est impossible à installer individuellement, mais nous pouvons tous ensemble faire savoir haut et fort que c'est ce que nous voulons. Ce procédé peut nous sembler très onéreux, mais, en fait, le surcoût en canalisations s'amortit très

LE CYCLE DE L'EAU
3. Ce que deviennent les eaux évacuées

Après avoir bien pollué l'eau, nous l'évacuons. Mais, s'il est facile d'ouvrir une bonde d'évier ou d'actionner une chasse d'eau, la suite des événements est autrement plus complexe. À mesure que les eaux usées se rapprochent de la mer, terminus du voyage, les substances qui peuvent constituer un danger retournent à la terre.

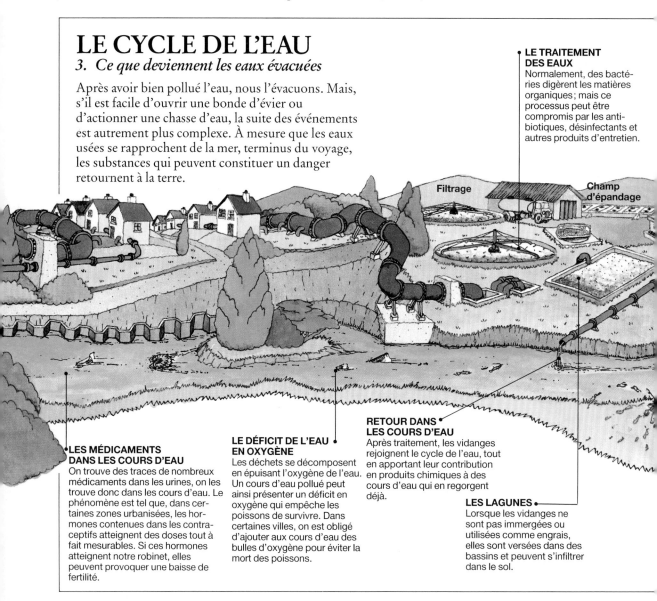

LE TRAITEMENT DES EAUX
Normalement, des bactéries digèrent les matières organiques ; mais ce processus peut être compromis par les antibiotiques, désinfectants et autres produits d'entretien.

Filtrage

Champ d'épandage

LES MÉDICAMENTS DANS LES COURS D'EAU
On trouve des traces de nombreux médicaments dans les urines, on les trouve donc dans les cours d'eau. Le phénomène est tel que, dans certaines zones urbanisées, les hormones contenues dans les contraceptifs atteignent des doses tout à fait mesurables. Si ces hormones atteignent notre robinet, elles peuvent provoquer une baisse de fertilité.

LE DÉFICIT DE L'EAU EN OXYGÈNE
Les déchets se décomposent en épuisant l'oxygène de l'eau. Un cours d'eau pollué peut ainsi présenter un déficit en oxygène qui empêche les poissons de survivre. Dans certaines villes, on est obligé d'ajouter aux cours d'eau des bulles d'oxygène pour éviter la mort des poissons.

RETOUR DANS LES COURS D'EAU
Après traitement, les vidanges rejoignent le cycle de l'eau, tout en apportant leur contribution en produits chimiques à des cours d'eau qui en regorgent déjà.

LES LAGUNES
Lorsque les vidanges ne sont pas immergées ou utilisées comme engrais, elles sont versées dans des bassins et peuvent s'infiltrer dans le sol.

rapidement. Tous les pays dans lesquels les canalisations en fonte ont été posées il y a un siècle ou plus sont confrontés aujourd'hui au problème de la rouille et doivent remplacer leurs canalisations. Pourquoi ne pas installer à cette occasion un double système d'alimentation : d'une part l'eau à boire, d'autre part l'eau non potable ?

On s'aperçoit à la lecture du tableau de la page 26, que mis à part les États-Unis qui restent le plus gros demandeur aussi bien en consommation totale jour-nalière qu'en équivalent par habitant, certains pays consomment beaucoup plus que d'autres. C'est notamment le cas pour l'Australie, les Pays-Bas, la Belgique ou la Finlande. Les Anglais confirment que les îliens sont des gens économes en eau douce, tandis que les Suisses enlèvent sans discussion possible la palme de la plus faible utilisation avec seulement 290 litres par habitant et par jour.

Il serait plus judicieux d'avoir un robinet spécial qui fournirait la petite quantité d'eau potable dont chaque

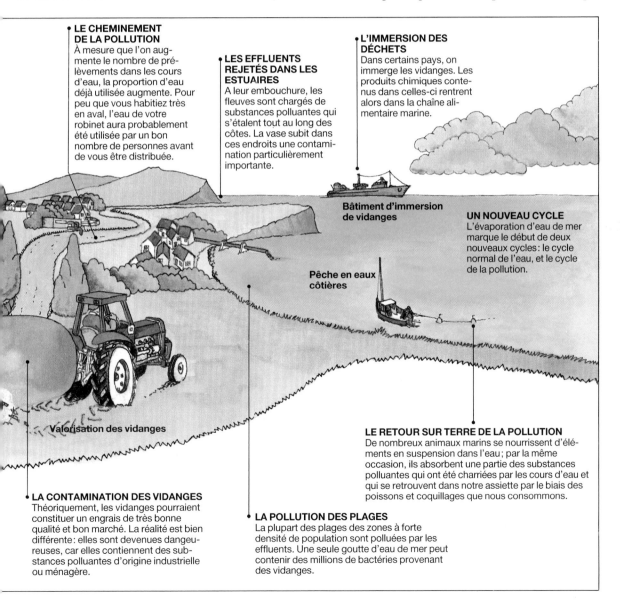

LE CHEMINEMENT DE LA POLLUTION
À mesure que l'on augmente le nombre de prélèvements dans les cours d'eau, la proportion d'eau déjà utilisée augmente. Pour peu que vous habitiez très en aval, l'eau de votre robinet aura probablement été utilisée par un bon nombre de personnes avant de vous être distribuée.

LES EFFLUENTS REJETÉS DANS LES ESTUAIRES
A leur embouchure, les fleuves sont chargés de substances polluantes qui s'étalent tout au long des côtes. La vase subit dans ces endroits une contamination particulièrement importante.

L'IMMERSION DES DÉCHETS
Dans certains pays, on immerge les vidanges. Les produits chimiques contenus dans celles-ci rentrent alors dans la chaîne alimentaire marine.

Bâtiment d'immersion de vidanges

UN NOUVEAU CYCLE
L'évaporation d'eau de mer marque le début de deux nouveaux cycles : le cycle normal de l'eau, et le cycle de la pollution.

Pêche en eaux côtières

Valorisation des vidanges

LE RETOUR SUR TERRE DE LA POLLUTION
De nombreux animaux marins se nourrissent d'éléments en suspension dans l'eau ; par la même occasion, ils absorbent une partie des substances polluantes qui ont été charriées par les cours d'eau et qui se retrouvent dans notre assiette par le biais des poissons et coquillages que nous consommons.

LA CONTAMINATION DES VIDANGES
Théoriquement, les vidanges pourraient constituer un engrais de très bonne qualité et bon marché. La réalité est bien différente : elles sont devenues dangereuses, car elles contiennent des substances polluantes d'origine industrielle ou ménagère.

LA POLLUTION DES PLAGES
La plupart des plages des zones à forte densité de population sont polluées par les effluents. Une seule goutte d'eau de mer peut contenir des millions de bactéries provenant des vidanges.

LE PALMARÈS DE LA SOIF

Ce tableau répertorie les quantités d'eau quotidiennement distraites du cycle naturel de l'eau par dix-sept pays considérés comme gros consommateurs, pour une année type (1985). Il indique également la quantité d'eau par habitant que cela représente. Les chiffres mentionnés s'entendent toutes utilisations confondues (industrielles, agricoles et domestiques). Pour l'année 1988 : en France, on a consommé 4 milliards 200 millions de m³ d'eau, soit 115 millions de litres par jour ou 2090 litres par habitant.

	Consommation totale/jour (millions de litres)	Équivalent par habitant (litres)
U.S.A.	1 440 000	6 320
Canada	100 000	4 130
Australie	50 000	3 320
Pays-Bas	39 000	2 730
Italie	150 000	2 690
Espagne	100 000	2 650
Japon	290 000	2 530
Belgique	25 000	2 510
Finlande	11 000	2 120
R.F.A.	115 000	1 870
France	78 000	1 370
Norvège	5 000	1 340
Suède	11 000	1 310
Nouvelle-Zélande	3 000	1 050
Grande-Bretagne	36 000	700
Danemark	3 000	650
Suisse	2 000	290

foyer a besoin, et pour le surplus des canalisations de plus grande section destinées à satisfaire toutes les autres utilisations. En guise d'incitation à une réduction de la consommation d'eau, il faudrait jouer à la fois sur l'intérêt personnel et la défense de l'environnement en installant des compteurs indiquant la consommation de chaque type d'eau.

Avec un tel système, on pourrait aller puiser très profondément l'eau à boire, là où elle est la plus pure, ou la prélever dans une étendue d'eau qui serait parfaitement filtrée mais à laquelle on n'ajouterait pas de chlore. L'eau serait alors meilleure, au palais comme pour notre santé. L'eau destinée à l'industrie, à notre voiture ou à l'arrosage du jardin, n'a pas besoin d'un traitement sophistiqué et coûteux.

LE PROBLÈME DE L'EAU EN BOUTEILLES

Actuellement, l'eau que la plupart des citadins tirent à leur robinet est massivement traitée et n'a pas toujours très bon goût. Il n'est donc pas étonnant qu'un nombre croissant de personnes adoptent la solution coûteuse de l'eau minérale en bouteilles. Cette eau provient généralement de sources souterraines ou glaciaires et est donc d'une pureté exceptionnelle. Bien meilleure que l'eau javellisée du robinet, elle apporte un bénéfice substantiel aux exploitants des sources. Les Français ont ainsi dépensé en 1987 sept milliards de francs en eaux minérales. Cependant, si l'eau en bouteille est un palliatif à la mauvaise qualité de l'eau du robinet, elle implique gaspillage et pollution. Le transport de cette eau constitue à lui seul un terrible

LE SAVIEZ-VOUS ?

Une très grosse partie de la consommation d'eau sert à la fabrication de produits qui nous sont destinés. Le dessin ci-contre illustre la quantité d'eau nécessaire pour vous fournir un produit pendant un an. Les chiffres indiqués représentent une moyenne ; il est bien évident que le fanatique des boissons gazeuses ou des journaux de toutes sortes ne se reconnaîtra pas...

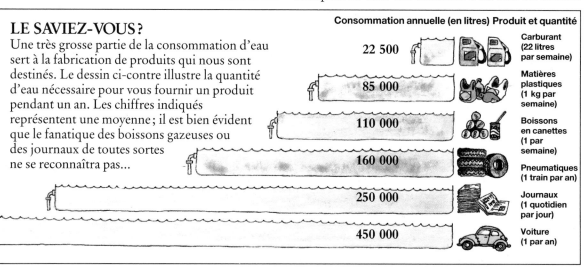

Consommation annuelle (en litres) Produit et quantité

22 500 — Carburant (22 litres par semaine)

85 000 — Matières plastiques (1 kg par semaine)

110 000 — Boissons en canettes (1 par semaine)

160 000 — Pneumatiques (1 train par an)

250 000 — Journaux (1 quotidien par jour)

450 000 — Voiture (1 par an)

gaspillage, en carburant et en conditionnement.

Nous pourrions, bien entendu, considérer l'eau en bouteille comme un luxe. Mais le problème est qu'aujourd'hui il s'agit bien souvent d'une nécessité, qui a créé une demande légitime de la part du public. La solution, efficace mais coûteuse, consisterait à adapter des dispositifs filtrants à nos robinets ou à nos réservoirs. L'autre possibilité, bien moins onéreuse, serait d'améliorer le système de distribution d'eau.

COMMENT ÉCONOMISER L'EAU CHEZ SOI

En 1977, à l'occasion d'une sécheresse particulièrement accentuée, les Californiens avaient accroché dans leurs toilettes des écritaux dont les recommandations, à défaut d'être élégantes, n'en étaient pas moins percutantes :

« Si c'est marron, envoyez-le par le fond,
Si c'est doré, laissez-le reposer »

Ils avaient parfaitement raison : dans la plupart des pays, les toilettes consomment le quart de l'eau qui est utilisée pour les besoins domestiques. Chez nous, en actionnant une chasse d'eau, on transforme instantanément en eau sale entre neuf et onze litres d'eau propre.

Vous pouvez parfaitement, et sans sacrifier quoi que ce soit de votre standing, réduire votre consommation d'eau traitée, en particulier dans les toilettes. En installant un simple système à double débit, les Américains divisent par deux la consommation de leurs chasses d'eau. Si, de surcroît, on considère les capacités respectives des différentes installations possibles — aux U.S.A., vingt litres pour une chasse d'eau standard, treize litres pour une chasse d'eau moins grande, quatre litres pour un simple arrosage et deux litres pour une chasse d'eau pneumatique —, on voit que l'on peut économiser 90 % d'eau par ce seul dispositif.

Par ailleurs, chacun connaît probablement la différence de consommation entre un bain et une douche : un bain moyen contient assez d'eau (150 litres) pour prendre une douche pendant un quart d'heure. Rappelons que l'on consomme 60 litres d'eau pour une douche dont le robinet est ouvert en permanence, alors que cette consommation est réduite à 15 litres si le robinet est fermé pendant le temps du savonage.

Les appareils électro-ménagers peuvent, eux aussi, se révéler de grands consommateurs d'eau notamment les lave-vaisselle (quatre-vingts litres) et les lave-linge (cent vingt litres). Utilisez-les lorsqu'ils sont pleins ou servez-vous du programme économique, ce qui réduira la consommation de détergents et la pollution qui s'ensuit.

Autre solution, la citerne à eau, qui devrait retrouver sa place dans chaque maison. Sans doute l'acidité actuelle de l'atmosphère (Cf. page 144) fait-elle que l'eau de pluie n'a plus la pureté de jadis, mais cela ne nous empêche pas de la recueillir. Sans aller jusqu'à la boire, nous pouvons parfaitement l'utiliser pour laver notre voiture ou pour arroser notre jardin. À cet égard, les pays industrialisés disposent de toits collectifs qui représentent une surface gigantesque. Dans la plupart des très grandes villes, environ 10 % du sol sont occupés par des bâtiments. Si les toits de ces villes étaient équipés de citernes et non de gouttières, on pourrait recueillir d'énormes quantités d'eau.

Le fait d'économiser ici ou là quelques litres d'eau peut vous sembler vain, surtout si vous habitez une région à forte pluviosité. Mais n'oubliez pas que l'eau de pluie et l'eau traitée sont de nature différente : notre robinet nous dispense un liquide chargé d'un chlore au goût désagréable et qui peut être nocif. Moins nous l'utiliserons et moins nous nous exposerons à ce risque.

Un nouveau procédé de traitement de l'eau, unique au monde, va être mis en place dans l'usine d'Ivry qui fournit 15 % de la consommation des Parisiens. C'est un traitement en cinq phases : un prétraitement chimique à faible dose pour fixer la majeure partie des polluants, une filtration sur une couche de sable fin, un traitement à l'ozone, une filtration sur charbon actif et une faible chloration finale afin de garantir la qualité de l'eau durant son transport.

LE PARCOURS DES EAUX USÉES

Qu'arrive-t-il à l'eau une fois que nous l'avons salie ? Nous avons vu que, pour un quart, elle passait par la chasse d'eau. Les trois-quarts restants, après avoir cheminé par divers tuyaux et canalisations, terminent leur course dans les égouts. Là, une petite partie profite de mauvais jointages pour s'échapper. Le reste passe dans les bacs de décantation d'une station d'épuration. Là, on extrait les déchets solides ; on traite le liquide, puis, par pompe, on le rejette dans la rivière la plus proche à l'aval de la-

LES DESTINATIONS DE L'EAU

Le dessin ci-dessous indique ce à quoi nous utilisons l'eau et précise les postes sur lesquels on peut réaliser des économies. On voit que c'est la salle de bains qui consomme le plus. Les toilettes viennent juste après. Ces deux postes représentent à eux seuls la moitié de notre consommation.

Salles de bains	**Toilettes**	**Lessive**	**Vaisselle**	**Cuisine et boisson**	**Extérieur**
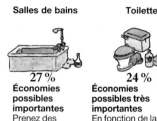					
27 %	**24 %**	**17 %**	**14 %**	**10 %**	**8 %**
Économies possibles importantes	**Économies possibles très importantes**	**Économies possibles plutôt faibles**	**Économies possibles assez faibles**	**Économies possibles très faibles**	**Économies possibles très importantes**
Prenez des douches plutôt que des bains.	En fonction de la contenance de la chasse d'eau.	Ne faites fonctionner les machines qu'à plein.	Ne faites fonctionner les machines qu'à plein.	Il s'agit de besoins vitaux.	Ils s'agit plus d'un agrément que d'un besoin.

quelle il sera probablement puisé et réutilisé. Quant aux déchets solides, qui restent assez dangereux même après une opération de séchage, ils sont ensuite amassés dans une décharge ou, de plus en plus souvent, retraités. La solution de l'élimination par incinération s'est révélée coûteuse ; c'est pourquoi, à chaque fois que cela est possible, on choisit d'acheminer les déchets à la mer. Ainsi, par exemple, les déchets de l'Angleterre et du Pays de Galles connaissent-ils le sort suivant : 20 % vont dans la mer, 40 % dans des décharges, et 40 % servent d'engrais. En France, les proportions ne sont pas les mêmes. On ne rejette aucun déchet en mer — 25 % vont dans des décharges, 50 % servent d'engrais et 25 % sont incinérés.

Venons-en maintenant à une question capitale pour les jeunes générations, sinon pour nous tous. Le sol renferme des engrais naturels — nitrates, phosphates, potasse — dont les réserves sont tout à fait limitées. Or, nous le verrons dans le prochain chapitre, les Occidentaux ont, en moins d'un siècle, complètement épuisé le guano, un engrais naturel produit pendant des dizaines de milliers d'années par les oiseaux marins, qu'ils ont tout simplement rejeté à la mer, le rendant ainsi irrécupérable. Comme l'homme a pratiquement détruit les poissons dont se nourrissaient les oiseaux, le guano n'existe pratiquement plus.

Or, ces dépôts contenaient des nitrates, des phosphates et de la potasse que nous pourrions exploiter aujourd'hui pour faire pousser des plantes ! Car pour peu qu'on les gère bien, les engrais peuvent parfois être recyclés plusieurs fois. Malheureusement, ils ont été répandus sur le sol, utilisés pour des cultures qui ont été consommées, et tous les éléments nutritifs non absorbés par l'homme ont été perdus.

AGISSEZ

Économisez l'eau en toute simplicité

- **Choisissez bien vos appareils**
  Selon le type de lave-linge ou de lave-vaisselle que vous choisirez, votre consommation d'eau variera énormément.

- **Consacrez moins d'eau au lavage de votre voiture**
  Le lavage de nos voitures représente une part non négligeable de notre consommation d'eau ; d'un autre côté, la carrosserie d'une voiture sale s'abîme. Vous devez pouvoir trouver le juste milieu : ne soyez ni négligent ni maniaque.

- **Recyclez l'eau de vaisselle**
  En général, elle n'est pas nocive pour la végétation. Vous économiserez ainsi de l'eau, ce qui est particulièrement intéressant en été.

Les filons du siècle dernier sont épuisés. Pourtant, on a découvert depuis de vastes gisements de phosphate rocheux (il s'agit la plupart du temps de restes fossilisés d'organismes vivants) avec de la potasse (provenant de l'assèchement des mers il y a plusieurs ères). Or, nous rejetons à la mer presque toutes ces substances, à l'exception du pétrole et du gaz naturel. Bien sûr nous brûlons beaucoup de pétrole et de gaz naturel, mais une bonne partie sert aussi à la production d'engrais artificiels. Et ce don du ciel, toute cette richesse, se retrouve dans les égoûts, les rivières et enfin la mer, irrémédiablement perdu pour l'humanité.

Il se trouve aujourd'hui un fort courant de protestation contre cette situation, de la part de personnes qui mesurent l'étendue du désastre. Aujourd'hui, le métabolisme de notre planète est linéaire. Ainsi par exemple, le phosphate est extrait des mines d'Afrique du Nord et acheminé jusqu'aux exploitations agricoles d'Europe ou d'Amérique du Nord ; là, il fertilise le sol une seule fois, puis les égoûts le déversent à jamais dans la mer. En Adriatique, certaines algues se sont ainsi mises à croître de façon exponentielle à cause du rejet par le Pô de déchets du traitement de la bauxite appelés «boues rouges». Le phosphate et le nitrate contenus dans ces boues ont favorisé le développement anarchique des algues brunes.

Notre métabolisme devrait, au contraire, être cyclique et non linéaire, comme il l'était avant l'invention des W.C. : à l'époque, les phosphates contenus naturellement dans tous les sols étaient lentement libérés, soigneusement compostés, puis ils retour-

naient à la terre, permettant ainsi au cycle de recommencer.

POURQUOI LES DÉCHETS FINISSENT-ILS DANS L'EAU ?

Lorsque nous nous élevons contre l'existence de ce dépotoir marin, nous nous heurtons au témoignage irrécusable des scientifiques chargés du problème de nos déchets, dont on ne peut mettre en doute ni l'honnêteté, ni le dévouement. Leurs arguments sont les suivants.

Tout d'abord, il serait dangereux de laisser sous forme de décharge terrestre la majorité des déchets, car ils contiennent des substances hautement toxiques comme des métaux lourds, par exemple le mercure, le plomb ou le cadmium. Le cadmium provient la plupart du temps des opérations de traitement de la tôle contre la rouille ou sert à l'obtention de matières plastiques de couleur orange ou jaune. Quant à la présence de plomb, c'est la consommation d'essence qui en est le principal responsable.

Le second argument, de loin le plus fort, est qu'après le traitement indispensable il reste dans les déchets trop peu de nitrates, de phosphates ou de potasse pour que ce reliquat ait une quelconque importance.

Ainsi, l'Angleterre et le Pays de Galles produisent

Le traitement des eaux usées
Ce traitement exige beaucoup d'argent, d'espace et de temps. Dans les pays industrialisés, on veut à tout prix se débarrasser du contenu des égoûts. Alors qu'on pourrait fertiliser le sol avec les engrais naturels qui s'y trouvent, on préfère tout rejeter dans la mer.

environ 1 million de tonnes de boues séchées. Ce chiffre se montait en France à 600 000 tonnes en 1987. En utilisant celles-ci, on ne couvrirait que 4,5 % des besoins en nitrates et en phosphates et à peine 1 % des besoins en potasse. Ces faibles rendements ne justifient pas que l'on risque des maladies provoquées par des organismes pathogènes ayant résisté au traitement des ordures. De plus, le coût qu'impliquerait l'élimination des multiples poisons contenus dans ces déchets est élevé.

Seule une faible proportion des nitrates contenus dans les engrais artificiels se retrouve dans les égouts : la plante en utilise un peu, mais la plus grande partie, du fait de l'arrosage, va dans la terre et pollue ainsi l'eau. En revanche, les phosphates et la potasse connaissent un sort différent : soit ils sont utilisés par la plante, soit une réaction chimique les fixe à d'autres éléments du sol et ils seront utilisés à nouveau. 5 % seulement se retrouvent dans les égouts, le reste disparaît apparemment.

Où va donc toute cette quantité de phosphates et de potasse qu'on ne retrouve pas dans les boues, comme on aurait pu s'y attendre ? Étant très solubles, ces substances ne se déposent pas et rejoignent les cours d'eau puis la mer. Les chiffres que nous donnent les ingénieurs hydrauliciens ne concernent que les vidanges et sont donc erronnés, car la quantité de substances nutritives contenues dans les vidanges est infime par rapport à la quantité qui se dissout et disparaît.

On a posé aux ingénieurs le mauvais problème : on leur a demandé de « se débarrasser des déchets ». Il aurait fallu leur demander de « récupérer au profit de l'agriculture les éléments précieux qu'on trouve dans les égouts », autrement dit de rétablir le cycle sol-plante-animal-homme-sol. Au lieu d'un cycle, nous avons aujourd'hui un système linéaire : mines de potasse-sol-plante-animal-homme-W.C.-mer. Pour pouvoir nous passer des mines, il faut que nous rétablissions le cycle.

LE RETOUR DES DÉCHETS À LA TERRE

Pour réaliser ce retour à la terre, il faudrait installer un nouveau système d'égouts, avec un double système d'évacuation des déchets qui laisserait à part les excréments humains.

Par bonheur, les égouts des pays les plus précocement industrialisés sont « en bout de course » et de-vront bientôt être remplacés. C'est le moment de faire pression pour obtenir l'installation d'un dispositif entièrement nouveau.

La Suède utilise, depuis 1959, une méthode d'évacuation qui a depuis été adoptée par d'autres pays. Cette méthode consiste à acheminer les déchets par voie pneumatique, et non plus aquatique, et à séparer les déchets en « eau noire » et « eau grise », comme disent les Suédois. L'eau grise est constituée par toutes les eaux usées domestiques qui ne sont pas des vidanges. Elle est acheminée dans des canalisations spéciales jusqu'au lieu de retraitement, purifiée puis rejetée dans une rivière. L'eau noire, quant à elle, est constituée essentiellement par les vidanges et c'est elle qui contient les éléments nutritifs. Sa quantité est nettement inférieure à celle de l'eau grise. Après un traitement facile et peu sophistiqué, cette eau noire est épandue sur le sol.

Le meilleur traitement que pourraient subir ces vidanges est incontestablement leur utilisation pour la production de méthane. Le procédé en est tout simple : on place les matières organiques dans une cuve où l'on a fait le vide et qui contient des bactéries anaérobies (qui vivent sans air). En digérant, ces bactéries produisent du méthane que l'on prélève et utilise après les avoir épurées. Il s'agit de gaz naturel. Sa production laisse dans la cuve une matière stérile et parfaitement saine qui constitue un excellent engrais. Cette matière, mélangée avec une substance organique de basse catégorie comme la paille, les déchets organiques urbains ou autres, fournit un excellent compost.

L'azote contenu dans les vidanges, qui n'est pas perdu, permet aux bactéries de décomposer ces déchets organiques. Aujourd'hui, la plupart des pays occidentaux brûlent d'énormes quantités de paille, alors qu'on pourrait utiliser celle-ci pour faire un compost parfaitement sain et d'odeur agréable, qui de surcroît constituerait un merveilleux fumier à épandre sur le sol.

En Chine, pratiquement chaque village dispose d'une unité de production de méthane qui fournit gratuitement l'éclairage, le chauffage et un engrais de bonne qualité. En somme, chacun bénéficie harmonieusement des bienfaits de ce que nos ingénieurs appelleraient un « rebut ». L'attitude des pays occidentaux a bouleversé le cycle de l'eau et a suscité trois problèmes : la fertilisation des sols, la prévention de la

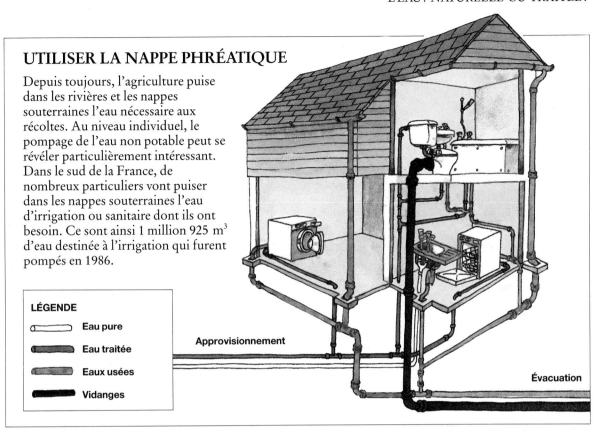

UTILISER LA NAPPE PHRÉATIQUE

Depuis toujours, l'agriculture puise dans les rivières et les nappes souterraines l'eau nécessaire aux récoltes. Au niveau individuel, le pompage de l'eau non potable peut se révéler particulièrement intéressant. Dans le sud de la France, de nombreux particuliers vont puiser dans les nappes souterraines l'eau d'irrigation ou sanitaire dont ils ont besoin. Ce sont ainsi 1 million 925 m³ d'eau destinée à l'irrigation qui furent pompés en 1986.

LÉGENDE

Eau pure

Eau traitée

Eaux usées

Vidanges

Approvisionnement

Évacuation

---

pollution de l'eau et l'élimination des déchets. En extrayant de la Terre les éléments nutritifs et en les rejetant à la mer après une seule utilisation, nous nous rendons coupables de vol au détriment des générations futures.

COMMENT ÉVITER DE POLLUER L'EAU CHEZ SOI

L'un des principaux obstacles au recyclage des effluents vient du fait que ceux-ci contiennent souvent des poisons. La plupart des gens ont entendu parler des problèmes que posent les effluents d'origine industrielle, mais bien peu sont conscients que la pollution de l'eau ne vient pas seulement des usines : la première ménagère venue peut, elle aussi, contribuer à polluer ou à empoisonner le cycle de l'eau. C'est donc chez soi que commence l'action.

Alors que nous nous sommes donnés tant de mal pour éliminer toute substance polluante de l'eau de notre robinet, nous nous empressons de la polluer à nouveau dès qu'elle arrive chez nous. Seule une petite partie de cette eau, 5 % peut-être, échappe à

l'altération chimique que provoquent les détergents, l'eau de Javel et les poudres à récurer.

Jusque dans les années 30, la seule substance que contenait l'eau de vaisselle était le savon, un produit assez peu nocif qui ne compromettait pas la vie aquatique. Depuis, le savon a été détrôné par toute une batterie de puissantes substances synthétiques qu'on trouve communément dans les détergents liquides pour vaisselle, les poudres à laver, les bains moussants, les shampooings et les cosmétiques. Quelques gouttes de détergent liquide dans l'eau de vaisselle contribuent à aggraver l'un des problèmes les plus aigus qui affectent le cycle de l'eau : l'eutrophisation, autrement dit la surabondance de nourriture chimique dans l'eau. Parler de nourriture pour désigner les détergents peut paraître bizarre, mais il se trouve qu'ils contiennent souvent des phosphates qui favorisent la croissance des végétaux. C'est ainsi que l'on assiste à une prolifération d'algues si la teneur en phosphates de l'eau atteint un seuil trop élevé. Lorsque l'eau de vaisselle, chargée en phosphates, passe la bonde de l'évier et pénètre dans les canalisations, les algues se précipitent sur cette nourriture abondante. Le résultat de ce processus est l'eutrophisation, l'eau se transformant en un liquide qui s'apparente à de la purée de pois, pour ce qui est de la consistance et de la couleur.

Cela peut nous paraître bénin, mais le phénomène a de nombreux effets secondaires sur certains organismes marins. La vie aquatique n'est possible que s'il y a de l'oxygène. Or, dans une eau eutrophe, les algues accaparent une telle quantité d'oxygène qu'il n'en reste plus suffisamment pour les autres espèces. Les poissons et les autres animaux aquatiques commencent alors à suffoquer. Les algues, quant à elles, continuent à proliférer, puis à se décomposer, pouvant ainsi finalement transformer l'eau en un bouillon encrassé et sans vie.

Il n'y a absolument aucune raison pour que se perpétue ce phénomène, car il existe des détergents efficaces qui ne contiennent pas de phosphates. En l'occurrence, l'exemple nous vient de Suisse qui a interdit complètement tous les détergents contenant du phosphate après que les habitants se sont alarmés des conséquences de l'eutrophisation des lacs. Un exemple à suivre... Ainsi, en France, les marques *Le Chat* et *Saint-Marc* ont été parmi les premières à lancer courant 1988 des lessives sans phosphates.

LA POLLUTION PAR LES SOLVANTS

Une autre source de pollution ménagère est constituée par l'utilisation de solvants et de différents produits à base de pétrole. Il n'y a en effet rien de tel qu'une pellicule d'hydrocarbures, graisse à la surface de l'eau, pour empêcher les échanges entre l'air et l'eau et détruire flore et faune. On estime que les trois quarts de la pollution marine par les hydrocarbures viennent de la terre; l'industrie en est bien sûr largement responsable, mais le particulier qui verse dans l'égout un pot à moitié plein de peinture vernie fait preuve lui aussi d'une coupable et terrible négligence. En aucun cas, il ne faut se débarrasser ainsi de la peinture, du White spirit et des autres huiles et solvants. La meilleure solution consiste à les confier à des services spécialisés qui existent dans la plupart des agglomérations.

Mentionnons ici aussi la pollution par les pesticides, herbicides, insecticides, etc., (Cf. chapitre 9). Si vous tenez absolument à les utiliser dans votre

LA POLLUTION : DE L'EAU COMMENCE CHEZ SOI

La pollution de l'eau n'est pas imputable uniquement à la légèreté des industriels. Chacun de nous est, peu ou prou, responsable d'une autre forme de pollution, provoquée cette fois par l'usage inconsidéré que nous faisons des détergents, désinfectants, poudres à récurer...

LE LAVE-LINGE •
La plupart des poudres pour machines contiennent des phosphates agents de pollution. Certaines d'entre elles, de moins en moins nombreuses heureusement, créent des problèmes du fait de leur pouvoir moussant. D'une manière générale, les doses recommandées sont excessives.

LE JARDIN
Les produits de jardinage pénètrent dans le cycle de l'eau par les mares et les cours d'eau. Les herbicides et les pesticides peuvent détruire la faune aquatique, tandis que les engrais artificiels entraînent la prolifération d'algues.

LA BOUCHE D'ÉGOUT •
C'est l'endroit qui recueille les produits les plus dangereux. En y jetant les produits chimiques de bricolage, on est sûr d'empoisonner directement le cycle de l'eau.

L'ÉVIER
Les produits pour vaisselle sont souvent la cause de pollutions graves par les phosphates. Les poudres à récurer, quant à elles, contiennent des agents désinfectants qui détruisent les bactéries utiles.

LES TOILETTES
La plupart des produits versés dans les toilettes sont à base de désinfectants et de naphtaline. Autrement dit, ces «rafraîchisseurs» endommagent les bactéries qui interviennent dans le traitement des vidanges.

LA DOUCHE ET LA BAIGNOIRE
Étant principalement composé de corps gras d'origine végétale, le savon ne perturbe généralement pas le cycle de l'eau. En revanche, certains shampooings contiennent beaucoup de phosphates qui sont facteurs d'eutrophisation de l'eau.

AGISSEZ

Comment diminuer la pollution de l'eau

- **Détergents liquides**
  Le principal danger des détergents liquides provient des phosphates qu'ils contiennent. Choisissez des produits sans phosphates ou en contenant peu. Réduisez votre consommation.
- **Poudres à laver**
  Si vous avez un lave-linge, réduisez vos doses de poudre. N'oubliez pas que les fabricants poussent à la consommation en recommandant des doses excessives.
- **Désinfectants et poudres à récurer**
  Pour ces produits aussi se pose le problème du dosage. En laissant agir pendant longtemps un désinfectant très dilué, on obtient le même résultat que si on utilise un produit pur durant quelques minutes.
- **Les rafraîchisseurs d'eau**
  À proscrire absolument. Ils ne «rafraîchissent» absolument pas l'eau; au contraire, ils contiennent des parfums et couleurs synthétiques qui la polluent.
- **Les pesticides dans le jardin**
  Vous éviterez de contaminer l'eau si vous n'utilisez que des produits naturels et si vous pratiquez le jardinage biologique.
- **Les produits chimiques pour le bricolage**
  Ne les évacuez en aucun cas par un évier ou une canalisation. Utilisez, pour la pose des papiers peints, une colle cellulosique qui peut être compostée. Quant aux autres produits, si vous voulez vous en débarrasser, adressez-vous aux autorités locales qui vous indiqueront où les déposer.
- **Les produits de nettoyage et d'entretien de la voiture**
  Prenez les mêmes précautions que pour les produits de bricolage: ne rejetez jamais à l'égout les huiles de vidange, les liquides de batteries ou les produits de nettoyage et de lustrage.

LA VOITURE
Les détergents et polishes pour voitures, ainsi que l'huile de vidange, représentent un danger potentiel pour la vie aquatique, particulièrement si ces produits sont évacués par les égouts.

LE LAVE-VAISSELLE
Les produits destinés aux lave-vaisselle sont généralement caustiques. Ils représentent donc un danger pour la santé et une forte concentration de ces produits peut, en outre, détruire les bactéries intervenant dans le traitement des eaux d'égouts.

jardin, veillez à le faire loin des cours d'eau et des égouts.

LES NITRATES, UNE BOMBE À DÉSAMORCER

Cela fait longtemps déjà que l'eau de notre robinet contient les bons vieux poisons que sont par exemple l'arsenic, le plomb ou le cadmium. Les chimistes hydrobiologistes savent comment les déceler. Ils savent aussi, plus ou moins, comment les éliminer, ou en éliminer la plus grande partie. Or, les résidus que produisent les méthodes modernes d'agriculture sont d'une nature tout à fait différente. Les hydrobiologistes sont particulièrement préoccupés par les biocides contenus dans les eaux usées (Cf. p. 45) : une fois que ces produits sont dans l'eau, il est en effet presque impossible de les déceler et de les extraire. Mais notre eau est menacée par d'autres produits utilisés dans l'agriculture et qui peuvent se révéler encore plus dangereux que les biocides : il s'agit de la bombe à retardement que constituent les nitrates.

Les nitrates sont un des principaux composants des engrais artificiels, ceux-là même qu'on emploie pour compenser le gaspillage de nos égouts. Utilisés sur des cultures, les nitrates serviront en partie à nourrir la plante, mais celle-ci ne pourra jamais les absorber complètement. Or, ils sont très solubles et pénètrent le sol à la première pluie ou au premier arrosage. La moitié des nitrates utilisés se trouve ainsi « filtrée ».

Des recherches récentes ont mis en évidence que ces nitrates mettaient entre vingt et quarante ans à atteindre la profondeur des puits de forage d'eau. C'est le sursis qui nous est accordé avant qu'ils se retrouvent dans l'eau du robinet. Il n'y a pas plus de quarante ans que les agriculteurs en font un usage excessif, et l'utilisation massive n'a commencé que dans les années 60 et 70. Autrement dit, nous n'avons pas encore eu l'occasion de mesurer pleinement leurs effets.

L'industrie chimique, dont les ressources financières sont inépuisables, a consacré des sommes astronomiques à essayer de prouver que les nitrates n'étaient pas dangereux.

Malgré cela, la vérité fait partout son chemin, lentement mais sûrement : en fortes concentrations, les nitrates constituent réellement une menace pour notre santé. Ainsi, peuvent-ils perturber l'irrigation du cerveau des nouveau-nés, provoquant le syndrome de « l'enfant bleu ». D'autre part, ils peuvent être cancéri-

L'irrigation
On irrigue les terres naturellement arides grâce à des canaux (ci-dessus) ou à des dispositifs d'arrosage (ci-dessous). Mais cette eau d'irrigation entraîne avec elle la plus grande partie des engrais artificiels contenus dans la terre, ce qui provoque une pollution par les nitrates du système de distribution d'eau.

gènes à terme, car ils se transforment en nitrosamines qu'on soupçonne d'être corrélés avec le cancer de l'estomac.

LA LUTTE CONTRE LES NITRATES ET LEURS DANGERS

Les actions menées pour se protéger de ces nitrates sont généralement inappropriées. C'est ainsi qu'en Allemagne, par exemple, un grand nombre de villages sont ravitaillés par des camions-citernes car l'eau du robinet est dangereuse. On a aussi entamé un vaste programme d'installation de canalisations destinées à acheminer dans les campagnes l'eau des montagnes.

Mais, dans le même temps, on continue toujours à utiliser les nitrates.

En France, les données des inventaires font apparaître une dégradation progressive de la qualité des cours d'eau pour ce qui concerne leur teneur en nitrates, comme le montre le tableau ci-après:

Pourcentage des points de mesure où la teneur des nitrates est:		
	inférieure à 10 mg/l	supérieure à 50 mg/l
année 1971	77,2	0,2
année 1976	67,2	0,3
année 1981	48,4	0,5

(source: Inventaires nationaux de la qualité des eaux superficielles du ministère de l'Environnement)

Les plus touchées sont les rivières qui s'écoulent dans les régions Nord-Picardie, Bretagne, Poitou-Charentes et le Bassin parisien. En revanche, même si les teneurs relevées sont faiblement croissantes, les rivières du Massif Central, des Vosges et de nombreux départements alpins et du Sud-Est restent peu chargées en nitrates.

À l'évidence, il faut que nous exigions tous l'arrêt de l'utilisation des nitrates. Le problème est que l'on se heurte à des intérêts puissants et à des attitudes conservatrices. Les nitrates ne sont absolument pas indispensables, l'agriculture s'en est d'ailleurs parfaitement bien passée pendant des siècles. Mais il s'est

La pollution canalisée
Si les égouts ne contenaient que des matières organiques, leur contenu ne représenterait aucun danger après décomposition. Malheureusement, ils sont chargés du contenu des effluents industriels.

instauré aujourd'hui, un cercle vicieux que personne ne souhaite rompre: l'industrie chimique incite les agriculteurs à utiliser de plus en plus d'engrais, ce qui a pour conséquence d'appauvrir le sol auquel, pour maintenir les rendements, on administre encore plus d'engrais...

Or il se trouve, aujourd'hui comme jadis, des agriculteurs qui réussissent à faire pousser de magnifiques cultures sans engrais artificiels. Que quelqu'un ait faim est inacceptable, mais qu'on empoisonne l'eau l'est tout autant. Ne serait-ce que pour préserver la qualité de l'eau, disons NON aux nitrates et essayons de convaincre les agriculteurs que la chimie n'est pas la seule solution pour augmenter le rendement.

LE «CLOAQUE» DE L'INDUSTRIE

On connaît depuis longtemps la race des trouble-fête. On pourrait aujourd'hui inventer le terme de «trouble-vie». Ils sont en effet légion, ceux qui transformeraient notre planète en un enfer si on les laissait faire. La catastrophe de Tchernobyl en est une bonne illustration. Les industries des pays développés font de notre planète une gigantesque poubelle et n'épargnent ni l'air, ni la terre, ni l'eau.

Nous aurons beau agir chez nous et persuader les agriculteurs de ne plus utiliser de nitrates, il n'en restera pas moins la pollution de l'eau par l'industrie. Certains industriels considèrent que les eaux sont le moyen le plus économique de se débarrasser des déchets, et cela continue malgré les réglementations qu'ont édictées les différents pays. Les effluents industriels détériorent les procédés de traitement des eaux; ces derniers font en effet intervenir des bactéries qui sont détruites par certains déchets.

Dans tous les pays industrialisés, l'opinion publique s'inquiète de cette situation, et pour cause: une bonne partie de ces déchets se retrouve dans l'eau du robinet. Ainsi, en France, dans le seul bassin Loire-Bretagne, quarante des cinq mille points de captage d'eau souterraine ont-ils été fermés en 1988 pour cause de pollution chimique passagère.

Dans le cycle de l'eau, on constate la présence croissante de métaux lourds (plomb, mercure ou cadmium) ou de produits de synthèse comme les oxydes métalliques et les résidus de l'industrie pharmaceutique. Pour l'instant, personne ne sait quels seront à long terme les effets de ces substances. Il est possible que, sans que nous souffrions nous-mêmes d'épidémies, nous emmagasinions des substances toxiques qui auront sur notre postérité des conséquences désastreuses.

La pollution de l'eau par l'industrie et l'agriculture atteint des chiffres astronomiques. Ainsi, trouve-t-on des solvants dans certains cours d'eau d'Alsace, du cadmium dans le Lot, ainsi que des traces de plomb, de mercure et d'arsenic. Mais si ces pollutions sont ponctuelles, aucun de ces produits n'atteint sa destination finale sans avoir laissé des traces dans l'eau de notre robinet ce qui, étant donné leur toxicité, ne laisse pas d'être inquiétant.

En Suisse, une affaire récente illustre parfaitement la désinvolture et l'imprudence avec lesquelles bon nombre d'entreprises traitent l'eau. Une entreprise de produits pharmaceutiques, Sandoz, possédait une énorme unité de production près du Rhin à Bâle. Elle déversa accidentellement des déchets chimiques dans le fleuve à la suite de l'explosion et de l'incendie d'un réacteur contenant quatre mille litres d'alcools gras et plusieurs milliers de litres d'oxyde d'éthylène. Le bilan s'éleva à neuf blessés légers; les dégâts sur l'environnement furent estimés à dix millions de francs suisses.

Le 8 juin 1988, un accident de production survint dans l'usine Pratex, située à Auzonor, en Touraine. Cet accident provoqua une explosion et un violent incendie. Les eaux utilisées pour combattre celui-ci entraînèrent avec elles de grandes quantités de produits chimiques dans la Brenne proche, qui alimentait en grande partie la ville de Tours et ses environs en eau potable. Cette région fut privée d'eau pendant huit jours, tandis que vingt tonnes de poissons périssaient dans la rivière. Le coût total des dommages fut estimé à 49 millions de francs.

Il s'agit là de deux accidents. Mais la pollution des eaux s'observe dans tous les pays du monde. Des experts ont ainsi constaté que le Rhin, dont on avait cependant atténué la pollution, contenait en quantités non négligeables des substances dangereuses : phénol, hexachlorocyclohexane, hexachlorobenzole, pentachlorophénol, fluor, mercure, nickel, zinc, cuivre, chrome, plomb, manganèse, arsenic, phosphates, ammoniaque et nitrates.

Au vu de ce cocktail, ne nous étonnons pas qu'on ait du mal à trouver aujourd'hui des sirènes dans le Rhin...

LE PRIX DE LA POLLUTION

Si nous continuons à ce rythme, il reste peu de temps avant que notre planète soit irrémédiablement contaminée. De nombreuses entreprises considèrent que le rejet de déchets dans l'eau est un droit. Or, rien ne justifie cette pollution délibérée et celui qui s'en rend coupable doit réparation. Le pollueur sera le payeur, telle devrait être la règle. L'arrêt de la pollution volontaire de l'eau est une nécessité urgente qui devrait être soutenue par des mesures gouvernementales. Il existe des moyens parfaitement efficaces, à défaut d'être bon marché, de dépolluer les effluents. Ainsi, des cuves de stockage et des agents absorbants permettraient-ils de supprimer la plus grande partie des substances polluantes ; par ailleurs, certaines bactéries pourraient être utilisées pour concentrer des métaux tels que le plomb, le cuivre et le cadmium afin d'en faciliter l'extraction. Dans la plupart des cas, il suffirait d'une incitation financière ou juridique pour que la modification des installations soit réalisée.

LA MER DOIT RESTER LA MER

Pour nos aînés, l'océan était le symbole de la pureté. Son immensité faisait qu'on le croyait à l'abri de la pollution et de la dégradation par l'homme. Or, en vingt ans, nous avons dû réviser ce préjugé. Lorsque Thor Heyerdahl traversa l'Atlantique à bord d'un radeau en papyrus, le « Kontiki », il fut effaré par la quantité de déchets qu'il trouva au beau milieu de l'océan. On a trouvé du DDT, un produit interdit, dans la graisse des pingouins de l'Antarctique (celui-ci avait traversé le monde par la voie de la chaîne alimentaire marine), et on a décelé des traces de radioactivité provenant de la centrale de Sellafield (Grande-Bretagne) jusque sur les côtes du Groenland.

Ce sont les eaux qui baignent les côtes et les estuaires qui sont les plus polluées, puis les eaux peu profondes des plateaux continentaux. Le plein océan, lui, est encore capable d'absorber la plus grosse partie de nos abus. Notons cependant l'arrêt des rejets de déchets radioactifs au beau milieu de l'Atlantique. Les générations futures feront les frais de notre inconscience passée, mais le fait est réconfortant. Saluons ici le sens de la responsabilité des marins à qui l'on doit ce résultat, puisqu'ils ont refusé de continuer à procéder à l'immersion de ces déchets. Mais, hélas, la dégradation des eaux des côtes et des estuaires se poursuit de plus belle.

Des mers partiellement fermées comme la mer Baltique, la Méditerranée, la mer du Nord et la mer du Japon ont déjà été polluées sans vergogne par le rejet de tous les déchets dont nous voulions nous débarrasser.

AGISSEZ

La protection des côtes et des estuaires

- **Restez vigilant**
  La pollution des eaux côtières est très souvent due à des déversements interdits. L'eau est notre propriété commune : en dénonçant fermement les abus, vous empêcherez qu'ils ne se perpétuent.

- **Boycottez les produits polluants**
  La fabrication d'un certain nombre de produits domestiques, notamment certaines peintures et objets en matières plastiques, peut polluer l'eau dans des proportions très importantes. La situation est légalisée puisque des seuils de pollution sont autorisés, mais elle devrait disparaître complètement et nous pouvons y contribuer par le boycott.

- **Ne polluez pas au large**
  Si vous avez un bateau, respectez le milieu marin et ne jetez pas vos déchets à la mer. La protection de la vie marine est un impératif.

- **Intéressez-vous aux systèmes d'évacuation**
  Si, dans votre région, les eaux usées sont rejetées à la mer, faites savoir aux autorités compétentes que d'autres solutions seraient nettement préférables ; il suffit de les étudier.

- **Évitez d'utiliser des peintures spéciales de protection**
  Il s'agit de peintures toxiques qui empêchent les coquillages de se fixer sur les coques de bateaux. Elles détruisent aussi les coquillages environnants. Carénez plutôt une fois par an.

- **Attention au plastique**
  Le plastique transparent est invisible sous l'eau et particulièrement dangereux pour la faune aquatique. Les lignes de pêche ou les «agrip-col» destinés au conditionnement groupé de canettes peuvent étrangler les oiseaux ou les phoques (voir page 86). Si vous voyez traîner des objets en cette matière, prenez la peine de les ramasser.

Les estuaires constituent, ou plutôt constituaient, les sites les plus intéressants et les plus beaux du monde. Ils sont, mi-terre, mi-mer, rafraîchis et renouvelés par la marée et l'atmosphère. Ils abritent une flore et une faune qui ont des capacités étonnantes à vivre dans un environnement très difficile. Indépendamment des considérations d'ordre esthétique, les eaux des estuaires — comme celles des deltas —

peuvent être des endroits très rentables. Il faut en effet un temps où les bancs de sardines au large du delta du Nil pouvaient assurer les besoins en protéines de toute la population d'Égypte. Depuis, le barrage d'Assouan a débarrassé le Nil des alluvions dans lesquels les sardines puisaient leur subsistance. De grands bras de mer, comme la baie de Chesapeake aux U.S.A., sont en train de mourir à grande vitesse à cause des engrais dont abusent les agriculteurs. Les «crabes à carapace molle» y sont en voie de disparition, comme d'ailleurs tous les poissons.

Ce sinistre scénario se reproduit partout. Ainsi, en France, la rivière Brenne était biologiquement morte, après l'accident de l'usine Pratex ; la rivière Euran ne vaut guère mieux... Cet affluent de la Loire n'est plus que l'égout de Saint-Étienne.

On parle souvent de la Terre en disant «notre monde», alors que c'est aussi celui de millions d'espèces, grandes ou petites, qui ont tout autant que nous le droit de vivre, sur terre ou dans l'eau. C'est l'homme qui est responsable de ces dégâts, et il en va de notre responsabilité collective et individuelle de veiller à ce que cesse ce gâchis.

La pollution dans l'eau
Cet émissaire (ci-dessus) déverse des matières polluantes dans une eau peu profonde, ce qui détruit la vie aquatique.

UNE AGRICULTURE POUR DEMAIN

Sauver la terre de l'érosion
L'agriculture « biologique »
Revenir à la polyculture
Employer moins de produits chimiques
Se passer d'engrais artificiels
L'élevage à la ferme

Si, il y a cinquante ans, on avait demandé à un fermier ce qu'il produisait, il aurait probablement répondu « un peu de tout ». C'est-à-dire du blé, de l'orge, peut-être des haricots, des pommes de terre, des vaches, des cochons, des chèvres, des moutons (si la superficie de ses terres le lui permettait), des canards, des oies, et presque sûrement des poules, parce que leur élevage n'entraînait pour ainsi dire aucun frais. L'exploitation agricole moyenne d'avant-guerre était une entreprise polyvalente et ceux qui y travaillaient avaient de multiples connaissances.

Ce type de ferme est vite devenu archaïque. Les agriculteurs d'aujourd'hui sont des spécialistes, des techniciens qui se limitent à l'exploitation d'une ou deux espèces végétales ou animales. Mais ils le font avec tant d'acharnement que leur production dépasse nos besoins et finit parfois en monstrueux surplus de blé ou de viande.

Certains considèrent cela comme un progrès. Mais l'agriculture industrielle prépare de tristes lendemains à nos enfants. Il est vrai que l'on produit des aliments en très grande quantité, mais cela ne peut pas durer éternellement et va ruiner le sol. Si les agriculteurs d'aujourd'hui produisent des céréales et de la viande à bas prix, ils le font chèrement payer à la terre qu'ils travaillent. Au mieux, l'agriculture actuelle est une entreprise en déficit chronique, au pire, c'est le facteur d'un désastre écologique.

L'ÉROSION DE LA TERRE ARABLE

C'est la menace la plus grave qui pèse actuellement sur notre planète. Et c'est aussi celle dont on parle le moins, probablement parce qu'il s'agit d'un processus graduel qui n'a rien de spectaculaire. L'agriculture mondiale perd sa précieuse couche de terre arable au rythme de 25 milliards de tonnes par an, c'est-à-dire 7 % du sol par décennie. Sans elle, notre planète serait « aussi stérile que la Lune ».

Depuis plusieurs dizaines d'années, les récoltes céréalières ne cessent d'augmenter pour maintenir une productivité élevée. Les contraintes économiques imposent un minimum de main-d'œuvre. D'où d'énormes frais dus à la mécanisation et aux achats d'engrais chimiques, et des effets secondaires désastreux.

Dans des conditions normales, l'érosion est largement compensée par la formation d'une nouvelle couche due à la désagrégation de la roche. Mais les agriculteurs d'aujourd'hui travaillent la terre si brutalement qu'elle est emportée par le vent ou par les eaux plus vite que le nouveau sol, qui devrait la remplacer, n'est créé. Dans le Bassin parisien, ce sont quinze tonnes de terre arable par hectare qui disparaissent chaque année. En Champagne, quatre tonnes de terre arable par hectare glissent le long des coteaux où sont plantées les vignes. Il faut replanter de l'herbe pour limiter les dégâts ou cultiver perpendiculairement à la pente.

La terre arable de la moitié est des grandes plaines du nord de l'Amérique est entraînée par le Mississippi jusque dans l'océan, tandis qu'une grande partie de celle, plus sèche, de l'ouest, a déjà été emportée par le vent durant les terribles années trente du *dust bowl* (bol de poussière). On craint fort que le reste ne suive bientôt le même chemin.

En Europe, la situation n'est pas aussi mauvaise, mais les avertissements ne manquent pas. Tout le long des côtes, les estuaires aux eaux brunes déversent de la bonne terre dans la mer, et anéantissent avec elle des siècles de culture traditionnelle.

QUE FAIRE CONTRE L'ÉROSION DU SOL ?

Nous qui vivons dans les villes, que pouvons-nous faire pour mettre fin à cela ? La réponse est simple.

Il n'y a pas très longtemps, nos ancêtres devaient peiner pendant des heures pour gagner leur pain quotidien. Ils lui accordaient une grande valeur et ne le

UNE EXPLOITATION AGRICOLE INDUSTRIELLE
En quoi l'agriculture moderne nuit à la terre

L'agriculture industrielle fait peu de cas de la judicieuse utilisation des ressources, principe qui gérait autrefois le travail de la terre. Aujourd'hui, seule compte la productivité — un rendement élevé pour des profits élevés. Mais en évaluant ceux-ci, on oublie deux facteurs importants : les effets sur le sol et sur les aliments produits.

L'ALIMENTATION DES ANIMAUX EST IMPORTÉE
Beaucoup d'élevages importent des aliments pour leur bétail, de pays qui en auraient plus besoin qu'eux.

LES ENGRAIS
On obtient un rendement élevé en épandant de grandes quantités d'engrais artificiels au lieu d'entretenir la fertilité naturelle du sol.

Champ érodé

L'INFILTRATION DES NITRATES
Environ la moitié du nitrate des engrais artificiels, dissous par la pluie, s'infiltre dans le sol et contamine les cours d'eau.

L'ÉROSION DU SOL
En cas de labours profonds et répétés, de fortes pluies peuvent emporter la couche arable et laisser le sol stérile.

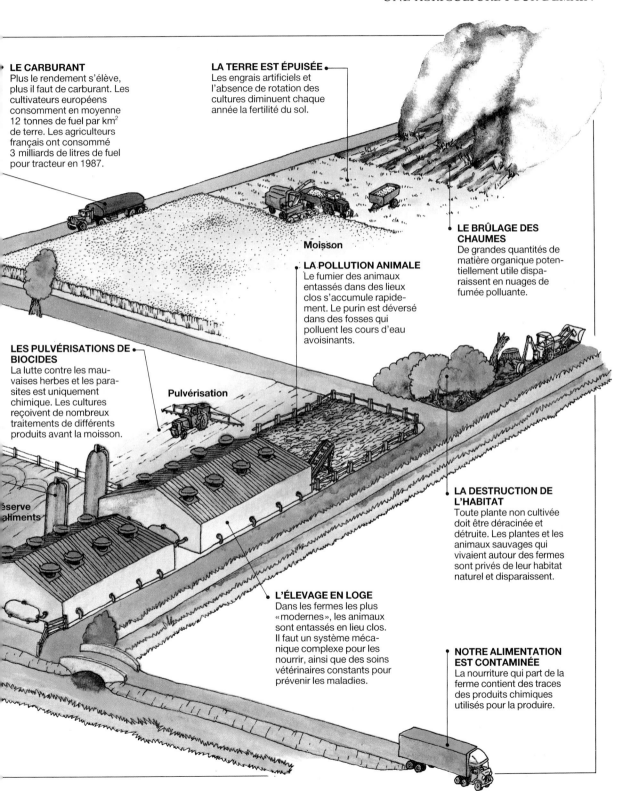

LE CARBURANT
Plus le rendement s'élève, plus il faut de carburant. Les cultivateurs européens consomment en moyenne 12 tonnes de fuel par km² de terre. Les agriculteurs français ont consommé 3 milliards de litres de fuel pour tracteur en 1987.

LA TERRE EST ÉPUISÉE
Les engrais artificiels et l'absence de rotation des cultures diminuent chaque année la fertilité du sol.

LE BRÛLAGE DES CHAUMES
De grandes quantités de matière organique potentiellement utile disparaissent en nuages de fumée polluante.

Moisson

LA POLLUTION ANIMALE
Le fumier des animaux entassés dans des lieux clos s'accumule rapidement. Le purin est déversé dans des fosses qui polluent les cours d'eau avoisinants.

LES PULVÉRISATIONS DE BIOCIDES
La lutte contre les mauvaises herbes et les parasites est uniquement chimique. Les cultures reçoivent de nombreux traitements de différents produits avant la moisson.

Pulvérisation

Réserve aliments

LA DESTRUCTION DE L'HABITAT
Toute plante non cultivée doit être déracinée et détruite. Les plantes et les animaux sauvages qui vivaient autour des fermes sont privés de leur habitat naturel et disparaissent.

L'ÉLEVAGE EN LOGE
Dans les fermes les plus «modernes», les animaux sont entassés en lieu clos. Il faut un système mécanique complexe pour les nourrir, ainsi que des soins vétérinaires constants pour prévenir les maladies.

NOTRE ALIMENTATION EST CONTAMINÉE
La nourriture qui part de la ferme contient des traces des produits chimiques utilisés pour la produire.

41

jetaient jamais. Maintenant, l'employé de bureau peut, non en quelques heures mais en quelques minutes, gagner assez pour pourvoir à son alimentation quotidienne, aussi la nourriture est-elle traitée comme une ressource «jetable». Nous la gaspillons sans vergogne et, chaque année, d'énormes quantités de céréales, de fruits et de légumes parfaitement sains sont délibérément détruits pour obéir aux «impératifs du marché». Il n'est pas étonnant que nos agriculteurs en viennent à traiter leur terre comme si, elle aussi, était «jetable».

Pour mettre fin à cette prodigalité et à ses effets sur le sol, il faudrait accorder plus de valeur à des denrées alimentaires produites avec un peu plus de respect pour la terre. C'est-à-dire faire passer pour une fois la qualité avant la quantité et utiliser des procédés agricoles totalement différents.

L'AGRICULTURE «BIOLOGIQUE»

C'est un mode d'agriculture qui ne traite pas la terre comme une matière première inépuisable. Il y a peu d'érosion sur ce type d'exploitation, parce que le cultivateur biologique opère en autosubsistance. Au lieu d'acheter de grosses quantités de produits chimiques et d'utiliser constamment des machines, il se sert des ressources naturelles du sol et recycle tous ses éléments nutritifs.

L'agriculture biologique ne fonctionne que sur une terre riche en humus qui, de ce fait, ne s'érode pas. L'humus est formé de matière organique d'origine végétale ou animale, décomposée ou en décomposition. Il assure la cohésion des particules du sol, ce qui les empêche d'être emportées par le vent ou les eaux de ruissellement. La terre arable des grandes plaines américaines a commencé à disparaître à partir du moment où la réserve d'humus, faite d'herbes mortes et de bouses de buffles accumulées depuis dix mille ans, a été totalement épuisée par une agriculture qui «consomme» au lieu de fonctionner en autosubsistance. Les agriculteurs n'ont pas essayé de remplacer ce qu'ils utilisaient. Une fois l'humus disparu, il n'est plus rien resté pour retenir le sol que le vent a emporté. D'où «le désert de poussière», qui est peut-être le plus grand cataclysme, avec les pluies acides, que l'humanité ait réussi à provoquer sur cette planète; c'est le résultat de la destruction galopante des couches fertiles et grasses qui «s'accrochaient» au sol.

COMMENT L'AGRICULTURE BIOLOGIQUE OPÈRE-T-ELLE?

C'est le fruit de l'expérience d'innombrables générations qui ont travaillé la terre. Dès l'origine, les cultivateurs ont appris deux choses. D'abord, l'importance de la diversité. S'ils font pousser une seule

Danger — l'érosion progresse
L'érosion peut aussi être provoquée par une trop grande densité des troupeaux. Une parcelle donnée ne peut nourrir qu'un certain nombre de têtes de bétail. Si on dépasse ce nombre, les bêtes détruisent les plantes qu'elles broutent. La couverture végétale qui protège le sol disparaît; celui-ci devient instable. Et l'érosion commence.

céréale sur la même parcelle tous les ans, les insectes nuisibles, friands de cette plante, prolifèrent sur leur aliment favori devenu abondant et le dévorent. Le cheptel aussi est malade s'il n'est composé que d'une seule espèce trop concentrée (comme dans les élevages actuels). Cela favorise l'installation des parasites ; les organismes qui causent les maladies deviennent trop nombreux pour que les animaux puissent se défendre. Sans médicaments, les bêtes infectées périraient.

Aussi, la première leçon fut-elle : « À trop troubler l'équilibre naturel, on s'attire des ennuis. » Les agriculteurs ont appris à alterner les cultures, à ne jamais faire pousser une seule espèce de plante annuelle pendant plusieurs années sur la même parcelle. Ils ont aussi compris qu'ils avaient intérêt à mélanger les souches animales, car l'une peut ingérer sans dommage les parasites évacués par l'autre. Par exemple, si un mouton avale les œufs de vers rejetés par un cheval, ceux-ci mourront.

Les agriculteurs savaient également qu'il était essentiel de maintenir le sol en bon état. Il ne suffit pas d'élever plusieurs sortes d'animaux ou de cultiver différentes espèces végétales si la terre est appauvrie. Autrefois, les cultivateurs veillaient à l'enrichir en matières organiques. Tous les résidus de plantes y retournaient après avoir été transformés en compost par le fumier qu'on y mêlait. Avec le système du « champ ouvert » ou « openfield » qui fut utilisé en Europe pendant quinze siècles sans provoquer trop d'érosion, on faisait paître les animaux sur les champs moissonnés et l'on épandait sur la terre les excréments des bêtes élevées en basse-cour ou en étable.

Les cultivateurs et les éleveurs biologiques utilisent nombre de ces techniques traditionnelles et évitent ainsi beaucoup des problèmes auxquels est confrontée l'agriculture industrielle. Grâce à l'assolement, aux engrais naturels, aux plantes qui bonifient le sol, et à l'absence de produits agro-chimiques, ils enrichissent constamment la terre. Ils se servent de machines agricoles, mais seulement lorsque c'est indispensable. Tout cela aboutit à un système de production plus naturel et moins coûteux.

LES DANGERS DE LA MONOCULTURE

À la fin du XIXe siècle, le phylloxéra, une maladie de la vigne, ravagea le vignoble français et en particulier le Bordelais. Les viticulteurs furent obligés d'arracher des milliers de pieds morts. Cette maladie prospéra parce que des régions entières utilisaient le même cépage. Le parasite, véhiculé par un insecte, disposait d'une nourriture presque illimitée. Après ce désastre, les viticulteurs ont replanté des pieds de vigne américains qui résistent au phylloxéra, comme le cabernet dans le Bordelais.

Cette histoire s'est répétée de nombreuses fois. Partout où les cultivateurs investissent dans une seule variété végétale ou animale, une maladie apparaît tôt ou tard, et s'étend parce qu'il n'y a pas de souches différentes pour enrayer sa progression.

Préserver et utiliser d'anciennes espèces, végétales ou animales, est d'une importance capitale. Actuellement, des douzaines de variétés de culture ou de bétail s'éteignent chaque année, uniquement parce qu'elles ne sont pas conformes aux « normes ». Les blés à pailles longues, les pommiers de haute tige, les poules métisses et les cochons tachetés ont disparu, remplacés par des espèces normalisées. Les produits que nous achetons sont de moins en moins variés. Les fruits calibrés en sont un parfait exemple.

AGISSEZ

Comment participer à la préservation des variétés rares

- **Achetez les variétés régionales**
  Si vous achetez les fruits et les légumes régionaux, ils ne seront pas remplacés par des produits industriels normalisés.
- **Utilisez une banque de graines ou de plantes**
  Des associations d'agriculture et de jardinage biologiques ont créé des banques de graines qui conservent les anciennes souches. Y adhérer vous permettra d'acquérir et d'échanger des semences rares et précieuses. (Adresses p. 185).
- **Consultez les sociétés pour la préservation des espèces animales**
  Un certain nombre d'associations protègent actuellement des espèces agricoles devenues rares (Adresses p. 185).

Il est extrêmement dangereux que notre alimentation ne repose que sur une poignée d'espèces végétales et animales. Mais ça l'est plus encore qu'elle ne dépende que d'une ou deux variétés de chaque espèce. Aussi faut-il conserver celles qui subsistent encore — et cela s'applique aussi bien au vieux pommier qui est au fond de votre jardin. C'est notre assurance génétique contre les espèces nuisibles et les maladies.

LA DÉPENDANCE AGROCHIMIQUE

Si l'érosion progressive des sols est la plus grande menace qui pèse sur la vie agraire de notre planète, l'importance sans cesse croissante de la chimie arrive largement en seconde position. Les défenseurs de cette industrie nous rappellent sans cesse que toute matière est constituée de produits chimiques. Déjà en 1846, la *Quaterly Review* de Londres déclarait que l'homme est fait de «vingt kilos de carbone et d'azote dilués dans cinq seaux et demi d'eau». Peut-être nous permettra-t-on, à nous qui ne sommes pas chimistes, de croire que Racine ou Molière étaient plus que cela ?

Il est évident qu'au sens le plus large du mot, toute matière *est* chimique : un agriculteur qui déverse du fumier sur sa terre lui apporte autant de produits chimiques que s'il pulvérisait de l'acide trichlorophénoxyacétique. Mais il y a une différence entre les substances que l'on trouve à l'état naturel et celles qui sont produites par l'industrie.

Sur cette planète, toute créature, animale ou végétale, a évolué par sélection naturelle pour vivre dans un certain environnement chimique. Les organismes terrestres sont faits pour vivre dans une atmosphère composée massivement d'oxygène et d'azote, avec un moindre pourcentage de gaz carbonique et des traces de gaz rares. Et non pas pour faire face aux quantités toujours croissantes de produits chimiques synthétiques que l'on répand sur eux.

Les produits agrochimiques se divisent en deux grandes catégories : les biocides et les engrais. Un biocide est une substance qui détruit des organismes vivants : en principe (mais pas toujours) les nuisibles qui diminuent le rendement des cultures. Les engrais sont des substances nutritives chimiques qui permettent aux plantes de pousser sur un sol médiocrement tenu. Ces deux catégories de produits sont actuellement utilisées en quantités énormes.

LES EFFETS SECONDAIRES DES BIOCIDES

Le savoir-faire des chimistes modernes s'est exercé à créer des produits qui tuent certaines formes de vie sans détruire complètement les autres. Ce n'est pas une tâche aisée. Les laboratoires agro-pharmaceutiques sont capables de produire des milliers de substances chimiques, mais que l'une d'elles ait un effet mortel sur des espèces nuisibles spécifiques, en épargnant les autres organismes vivants, cela n'arrive que rarement.

Il est extrêmement difficile d'estimer l'effet qu'aura un biocide. On s'aperçoit rapidement, par exemple, qu'une substance chimique tue les pucerons, mais c'est beaucoup plus long et plus astreignant de déterminer ce qu'elle fera aux oiseaux qui les mangeront ou aux petits de ces oiseaux, ou encore aux animaux qui se nourriront de ceux-ci. Plantes et animaux font partie de réseaux alimentaires très complexes et il est pratiquement impossible d'empoisonner un organisme sans que cela ne se répercute, tôt ou tard, sur les autres. La totalité des effets que produira une substance chimique ne peut être évaluée qu'au bout de plusieurs années — temps qui excède celui de tout test en laboratoire.

Il est déjà problématique de s'assurer que les biocides atteindront le but pour lequel ils ont été conçus. On peut créer un produit chimique qui s'attaque aux parasites du froment, le tester sur un champ de blé et obtenir des résultats apparemment satisfaisants. Mais il est impossible de reconstituer toutes les conditions dans lesquelles ce produit sera utilisé. On ne teste pas l'effet qu'il a lorsqu'on le pulvérise avec si peu de précautions qu'entraîné par le vent, il pénètre par les fenêtres dans les maisons du voisinage. On ne le pulvérise pas sur les voitures, les gens et les animaux qui passent à proximité; ni quand le temps n'est pas favorable. On ne moissonne pas le blé au mauvais moment afin de voir ce que cette substance fera aux gens qui le mangeront. Mais tout cela arrive chaque jour dans les exploitations agricoles et sur les terres qui les entourent.

Il y a d'innombrables exemples de biocides qui créent des ravages dans la chaîne naturelle du mangeur et du mangé. Le DDT (Dichloro-Diphényl Trichloréthane), par exemple, un insecticide organochloré qui fut, dans un premier temps, déclaré sans danger pour les autres espèces, a été interdit dans la plupart des pays au début des années 70 (bien que certains d'entre eux continuent à en fabriquer pour l'exportation). Le DDT est un merveilleux tueur d'insectes. Mais il détruit aussi les oiseaux en réduisant l'épaisseur de la coquille des œufs qui se brisent durant l'incubation, stérilisent les adultes, voir les tuent par empoisonnement. Pire encore, ce produit a des effets toxiques sur les êtres humains — alors qu'on avait proclamé qu'il

L'EXPANSION SPECTACULAIRE DES BIOCIDES

L'un des secteurs les plus florissants de l'industrie chimique depuis vingt ans est celui des biocides et des poisons agronomiques. Ce tableau montre la cible des biocides ainsi que leurs effets et leurs taux de production sur presque deux décennies.

Les trois types de biocides décrits ici forment la majeure partie de ceux utilisés en agriculture. En France, pour l'année 1987, les fongicides ont représenté 50 000 tonnes, les insecticides 6 500 tonnes et les herbicides 33 000 tonnes.

LES FONGICIDES

Leur cible
Les champignons microscopiques qui s'attaquent fréquemment aux céréales et aux fruits en cours de croissance, ainsi qu'aux grains en silo : les mildious, les rouilles, les moisissures et les levures.

Leur composition
La plupart des fongicides comptent des composés à base de métaux tel que le cuivre, parfois le mercure, ou d'hydrocarbones du soufre.

Risques encourus
On pulvérise souvent des fongicides sur la partie des cultures destinée à être mangée. On trouve fréquemment sur les fruits et les légumes des traces qui s'accumulent dans le corps sans que l'on sache quelles conséquences cela entraîne.

CONSOMMATION MONDIALE
Elle a augmenté de presque vingt fois sur autant d'années.

(millions de tonnes)

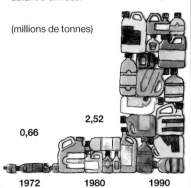

0,66	2,52	12,0
1972	1980	1990

LES INSECTICIDES

Leur cible
Les pucerons, les charançons et autres insectes nuisibles. On les pulvérise sur les céréales en train de pousser et, à moins grande échelle, sur les grains en silo. Ils tuent aussi les insectes prédateurs qui se nourrissent des parasites.

Leur composition
Les plus répandus sont des organophosphates et des hydrocarbones chlorés.

Risques encourus
Beaucoup d'insecticides se dégradent lentement et peuvent passer dans la nourriture, provoquant, par exemple, un mauvais fonctionnement du foie.

CONSOMMATION MONDIALE
Elle a augmenté de presque 17 fois en deux décennies.

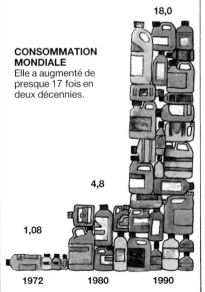

1,08	4,8	18,0
1972	1980	1990

LES HERBICIDES

Leur cible
Ils détruisent les plantes. Ils peuvent nettoyer totalement une parcelle ou avoir une action spécifique, par exemple, sur les dicotylédones des champs de céréales.

Leur composition
Les herbicides sont chimiquement très variés. Beaucoup d'entre eux sont des imitations toxiques de substances naturelles qui, une fois absorbées, tuent la plante en inhibant son métabolisme.

Risques encourus
Certains herbicides sont mortels si on les consomme accidentellement. D'autres peuvent causer des maladies non mortelles quand on les absorbe dans les aliments.

CONSOMMATION MONDIALE
Multipliée par 15 en vingt ans.

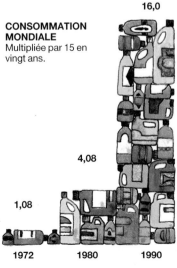

1,08	4,08	16,0
1972	1980	1990

était inoffensif. Des centaines de biocides ont connu la même histoire : leur utilisation est tout d'abord déclarée sans risque, on les produit donc, puis on les vend en grandes quantités, pour découvrir ensuite qu'ils sont dangereux.

L'ESCALADE DES BIOCIDES

Beaucoup de biocides sont systémiques — ils pénètrent dans les cellules d'une plante afin de la protéger des champignons ou des insectes. Ils y demeurent pendant des semaines ou des mois. Quand nous mangeons la plante, nous ne mourons pas — la quantité de poison est trop infime — mais cela ne nous fait aucun bien. Le processus d'empoisonnement se poursuit et une grande partie de la substance finit par arriver sur notre table. Personne ne sait encore ce que cet effet cumulatif peut produire à long terme.

De 1979 à 1988, l'utilisation des pesticides en France a considérablement augmenté, passant de 80 653 tonnes à 95 505 tonnes, qui comprennent insecticides, fongicides, herbicides et nématicides. Maintenant, aussi bien en Europe qu'en Amérique du Nord, on traite au moins six fois le blé avant la moisson. Certaines cultures, comme le coton ou le pois, subissent de plus nombreuses pulvérisations.

En dépit de cet arrosage de plus en plus important, les nuisibles prospèrent. Depuis 1960, le nombre d'espèces d'insectes potentiellement nuisibles, résistants aux pesticides, est passé de cent soixante à environ quatre cent cinquante. Dans certaines régions des États-Unis, on a permis aux agriculteurs de recourir à des insecticides interdits parce que le doryphore a acquis une résistance aux produits chimiques plus récents. De même, en dépit d'administrations constantes de fongicides, les maladies dues aux champignons ne cessent d'empirer. Les principales plantes alimentaires et les cultures de fibres textiles sont affligées de maladies dont on n'entendait pas parler il y a cinquante ans.

Pour lutter contre cet accroissement des espèces nuisibles, les industries chimiques et les conseillers agricoles en viennent toujours à la même solution : utiliser *encore plus* de produits chimiques. « Ne vous inquiétez pas, disent-ils. Si les organismes, causes de maladies, pullulent, nos chercheurs inventeront des mélanges encore plus virulents. Continuez à traiter. Si neuf applications de biocides par an ne suffisent pas à débarrasser votre blé des mauvaises herbes et des ma-

ladies, essayez-en dix ! » Et c'est, malheureusement, ce que font les cultivateurs.

UN VÉRITABLE ENGRENAGE

Il est évident que les industries chimiques sont directement intéressées à la progression des ventes de pesticides. Le conflit entre les intérêts privés et l'intérêt public fut admirablement illustré par les débats sur l'aldrine et la dieldrine, aux États-Unis, au début des années 70. On soupçonnait ces deux substances d'être cancérigènes. Cependant, lorsque l'*US Environmental Protection Agency* (l'équivalent de notre ministère de l'Environnement), nouvellement créée, présenta un projet d'interdiction, la Shell qui fabriquait les deux insecticides usa de tout son pouvoir pour contester cette mesure. L'aldrine et la dieldrine furent, à partir de 1962, sous le coup d'un rapport de la *Food and Drugs Administration* (F.D.A.) qui les associait au cancer, mais l'interdiction de l'aldrine ne prit effet en France qu'en octobre 1972 et seulement douze ans plus tard aux U.S.A.

En 1986, l'une des lois fédérales sur l'usage des pesticides aux U.S.A. fut amendée : tout nouveau produit était dorénavant soumis à un droit d'inscription de cent cinquante mille dollars. Cet argent devait servir à surveiller les tests d'innocuité des fabricants, mais il s'est révélé insuffisant face à la kyrielle de produits qui attendent leur autorisation.

L'industrie chimique est organisée à l'échelle planétaire. Il vous suffira d'acheter une revue agricole et de la feuilleter pour vous en apercevoir. Vous découvrirez que presque toute la publicité — en tout cas, la plus coûteuse — concerne l'industrie chimique. Parcourez attentivement les éditoriaux et notez combien d'articles critiquent ouvertement les produits chimiques. Très peu, sinon aucun. Comme une part substantielle du budget de la presse agricole peut provenir directement de cette industrie, le contraire serait vraiment étrange.

Aussi, en dépit des tragédies de Bhopal et de Seveso (deux fabriques de biocides), les usines de produits chimiques continuent à déverser leurs poisons sur notre planète.

RÉDUIRE L'EMPLOI DES BIOCIDES

Si nous empoisonnons le sol, nous courons de grands risques. La couche de terre arable, qui ne dépasse pas la profondeur d'un coup de bêche, est tout ce qui nous

UN CALENDRIER CHIMIQUE

Durant sa vie au champ, l'humble pois reçoit plus de traitements que beaucoup de gens n'en tirent des consultations médicales de toute une existence. Ceux qui cultivent cette plante suivent un programme rigoureux de pulvérisations préventives contre les mauvaises herbes et les nuisibles. Voici le nombre de produits chimiques appliqués à un pied de pois aux différents stades de sa vie. Avant d'être cueilli, il subit au moins dix traitements d'herbicides, d'insecticides et de fongicides.

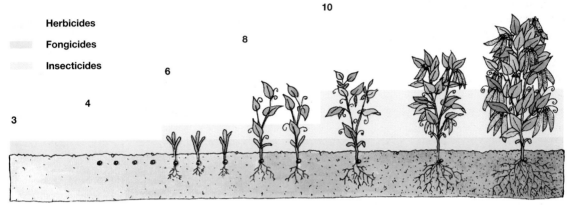

Herbicides

Fongicides

Insecticides

AVANT LA GERMINATION
Le sol est débarrassé des mauvaises herbes par deux herbicides différents. La graine elle-même est enrobée d'un fongicide pour prévenir le mildiou.

LA GERMINATION
Dès que la plante commence à pousser, on pulvérise un insecticide pour tuer les charançons. On met encore de l'herbicide pour contrôler les mauvaises herbes qui germent.

LA FLORAISON
Les pucerons, la teigne et le moucheron du pois nécessitent un certain nombre de doses supplémentaires d'insecticides différents. On pulvérise encore un herbicide.

LA FORMATION DES COSSES
On pulvérise régulièrement des insecticides contre les pucerons, les teignes et les moucherons sur les cosses en train de mûrir. À ce stade, jusqu'à dix traitements ont pu être appliqués.

sépare de la famine, aussi devrions-nous prendre grand soin de son bien-être chimique. Il importe de consommer moins de poisons agronomiques, dès aujourd'hui.

Il y a une chose que tout agriculteur peut faire sans craindre aucune diminution de ses rendements : abandonner les traitements «cosmétiques» et «programmés». Dans le premier cas, on se sert de biocides uniquement pour améliorer l'aspect d'un champ, en détruisant les herbes folles qui ne causent aucun dommage aux cultures. Les pulvérisations programmées sont effectuées à des moments fixés à l'avance, sans tenir compte de ce qui se passe sur le terrain. Ainsi, on pulvérise souvent des biocides pour parer à des menaces inexistantes.

La lutte biologique est un moyen mixte, très efficace, de débarrasser le sol des biocides. Elle contrôle les nuisibles des cultures et du cheptel, sans toutefois les détruire totalement, ce qui est impossible. Il suffit

AGISSEZ
Comment diminuer l'utilisation des biocides

- **Achetez des aliments cultivés biologiquement**
  Puisque les agriculteurs biologiques n'utilisent pas de biocides, on augmente la superficie des terres cultivées sans produits chimiques en consommant leurs produits (sur les aliments naturels voir p. 71).
- **Achetez des produits frais**
  Les produits chimiques sont surtout utilisés pour les aliments qui seront conditionnés et vendus loin de leur lieu d'origine. Il faut plus de temps pour cuisiner des produits frais, mais ils contiennent moins de biocides.
- **Bannissez tout biocide de chez vous**
  Si vous insistez pour que les agriculteurs en abandonnent l'usage, ne vous en servez pas non plus chez vous. Jardiner sans biocides réduira d'autant la fabrication de ces poisons.

de faire preuve d'intelligence et de bon sens. Les biologistes étudient un problème en profondeur puis imaginent ce qu'il faut faire pour limiter les dégâts causés par tel ou tel nuisible : encourager les prédateurs (ceux qui se nourrissent de ce nuisible, par exemple), alterner les cultures, modifier les dates des semis ou des repiquages et, si les autres moyens échouent, pratiquer des pulvérisations très limitées et bien ciblées.

Une lutte biologique efficace a été récemment menée en France contre le pyrale, un insecte parasite qui détruit le maïs. On a favorisé le développement de la trichogrannas maïdis, une guêpe qui pond dans les œufs des pyrales, empêchant ainsi la maladie de s'étendre.

La lutte biologique associe différentes mesures. Au lieu de dépendre d'un seul remède, elle attaque le problème sur plusieurs fronts. Elle ne s'attaque pas à un seul nuisible, mais rend la vie dure à tous ; et son action est plus durable que celle d'un biocide.

La seconde méthode, l'agriculture biologique, rejette complètement l'utilisation des biocides. Le cultivateur accepte que les nuisibles prélèvent leur part de sa récolte, mais limitent celle-ci en alternant les cultures et en désherbant. Le sol ne reçoit aucun produit chimique de synthèse. Pour reconvertir une terre, il faut attendre plusieurs années avant qu'elle soit réellement « propre ».

LE FLUX DES ENGRAIS ARTIFICIELS

La révolution industrielle s'est nourrie de charbon, mais aussi de guano chilien.

Au XIXe siècle, on découvrit de vastes dépôts de guano (accumulation d'excréments d'oiseaux au cours des millénaires) sur les rivages déserts d'Amérique du Sud et d'Afrique du Sud-Ouest. C'est un engrais naturel riche en azote et en phosphore, deux éléments indispensables à la croissance des plantes. Pendant un demi-siècle, une puissante flotte de bateaux à voiles le transporta, par le Cap Horn, jusqu'en Europe et en Amérique du Nord où on l'épandait sur les terres, ce qui en augmenta énormément le rendement. Mais le guano finit par s'épuiser et les agriculteurs durent chercher des substituts à cette merveilleuse substance.

Bien que les trois quarts de l'atmosphère de la Terre soient constitués d'azote, les plantes sont incapables de l'utiliser à l'état pur. Elles l'assimilent sous forme de nitrates, dans lesquels l'azote est « fixé » par l'oxygène. Les bactéries sont les seuls organismes capables d'effectuer cette opération.

Ces bactéries qui fixent l'azote vivent dans le sol et dans les racines des plantes de la famille des pois (également les haricots, la luzerne, le trèfle, les lupins, etc.). Les nodules des racines de ces légumineuses contiennent des colonies de bactéries qui fixent l'azote. Dans le sol, les bactéries à l'état libre et celles qui vivent dans les nodules des racines des légumineuses approvisionnent constamment en nitrates les plantes qui y poussent. Mais elles ne le fabriquent pas toujours assez vite pour les cultivateurs d'aujourd'hui. Aussi, croyant faire mieux que la nature, ils achètent des nitrates fixés artificiellement, sous forme d'engrais industriels.

UN CAS DE RENDEMENTS DÉCROISSANTS

Le sac d'engrais est devenu le symbole de l'agriculture d'aujourd'hui. La production d'engrais azoté s'effectue surtout en faisant passer de l'air et de l'hydrogène sur un catalyseur. L'hydrogène est presque toujours tiré du gaz naturel, aussi ce procédé est-il fort coûteux sur le plan énergétique.

Grâce aux engrais artificiels et aux variétés génétiquement améliorées, les cultivateurs, sans se soucier de bien gérer leur sol, peuvent obtenir des récoltes qui battent tous les records. En réalité, ils se contentent d'acheter l'énergie du carburant fossile et de la transformer en aliment. Ils recommencent, bien entendu, pour la récolte suivante.

En France, on consommait en 1985, 182 kilos d'engrais par hectare de terre cultivée, répartis en 75 kilos d'azote, 58 kilos de phosphate et 59 kilos de potasse.

Dans l'Illinois, on utilise quarante fois plus d'engrais qu'à la fin de la Seconde Guerre mondiale pour obtenir un peu moins du double de céréales ; encore faut-il savoir qu'une partie de cet excédent est due à l'amélioration des variétés de céréales, et non à l'efficacité des produits chimiques.

Ces chiffres ne sont pas particuliers à l'Illinois. En 1985, les cultivateurs d'Europe utilisèrent 24 milliards de tonnes d'engrais artificiels. Pour vous donner une idée de ce que cela représente, disons que les Hollandais, qui sont des pionniers dans ce domaine, déversent, chaque année, trois quarts de tonne d'engrais artificiel sur un hectare de terre.

COMMENT SE PASSER D'ENGRAIS ARTIFICIELS

Nos cultivateurs devront renoncer un jour aux engrais artificiels, aussi le plus tôt serait le mieux. L'agriculture industrielle dépend entièrement des réserves de gaz et de pétrole de la planète. Sans les engrais que produisent ces combustibles, les cultivateurs d'aujourd'hui ne pourraient pas obtenir la moindre récolte. Quand ces combustibles deviendront trop chers (ce qui arrivera lorsque presque tout le pétrole et le gaz auront été dilapidés), il n'y aura plus d'engrais artificiels.

Les économies réalisées grâce à l'utilisation des engrais artificiels ne sont pas solides. En fait, les agriculteurs du monde entier sont lourdement endettés. Ils doivent gagner assez d'argent, chaque année, pour payer les intérêts des prêts et des hypothèques, et la seule manière d'y arriver, c'est de continuer à déverser sur leurs terres des quantités de plus en plus grandes d'engrais afin de récolter le plus gros tonnage possible de céréales vendables. Ils ne peuvent pas se permettre de laisser au sol le temps de récupérer sa fertilité entre les récoltes. Ils n'ont pas la possibilité de payer la main-d'œuvre qui élèverait du bétail à la ferme et qui transporterait et épandrait le fumier. Aussi s'endettent-ils encore, pour acheter de coûteuses machines et des engrais de plus en plus chers, indispensables pour engranger les récoltes qui paieront l'intérêt des prêts.

Selon le ministère de l'Agriculture, près de soixante-huit mille cultivateurs français sont en situation d'insolvabilité technique: si les banques réclamaient le paiement de l'hypothèque, ils devraient vendre leur exploitation. C'est d'ailleurs ce que certains d'entre eux font actuellement...

Que se passe-t-il lorsqu'un cultivateur renonce aux

Des récoltes qui battent tous les records... mais à quel prix!
Cette remorque pleine de grains (ci-dessus), livrée par un cultivateur industriel, a consommé un dixième de son poids en engrais artificiels.

Une agriculture consommatrice d'énergie
L'énorme quantité de carburant brûlée par les machines agricoles (à gauche) coûte cher à l'agriculture intensive, grande consommatrice d'énergie.

engrais artificiels et devient «biologique»? C'est la question que nous avons posée aux responsables d'une exploitation agricole expérimentale de Nagele, aux Pays-Bas. Les récoltes de céréales sont un peu moins abondantes que dans une ferme «normale», mais les frais s'avèrent aussi moins élevés, nous a-t-on répondu. Une enquête sur les fermes biologiques suisses a montré que leur revenu net était le même que celui de leurs homologues industriels.

Une fois la période de transition terminée — elle peut prendre quatre ou cinq ans —, les cultivateurs découvrent que leurs bénéfices augmentent. Leur rendement à l'hectare diminue certainement (de 10 à 20 %), mais comme ils ont cessé de dépenser des sommes astronomiques en produits chimiques, ils gagnent plus d'argent. Le prix des produits chimiques, qui ne cesse d'augmenter, jouera de plus en plus en faveur du cultivateur biologique.

Mais est-ce qu'une chute de la production n'affectera pas le monde entier? Non, car si l'on récolte de 10 à 20 % de céréales en moins, une partie de cette réduction ne fera qu'éponger les stocks entassés à grand prix dans de monstrueux silos. Il est vrai qu'il y en aura moins à exporter, ou à distribuer aux pays qui en manquent. Mais donner d'énormes quantités de nourriture aux pays du tiers monde n'est pas une solution à long terme et cela finit par détruire leurs propres structures agricoles. Pas plus qu'exporter notre manière de cultiver. Il s'agit de trouver, pour chacune de ces régions, le mode d'exploitation des sols adapté à son climat et à ses traditions. L'aide des pays occidentaux serait, là, beaucoup plus précieuse.

En tout état de cause, il est absurde de contraindre les terres d'Amérique du Nord, d'Europe et d'Australie à produire plus de récoltes, au dépens du sol lui-même, s'il est impossible de maintenir ces hauts rendements.

OÙ EN EST L'ÉLEVAGE?

Le fait de manger de la viande n'est pas malsain en soi. Certains peuples de chasseurs, comme les Inuits ou les Esquimaux, ont un régime exclusivement carné, ce qui a fort étonné nos nutritionnistes. Mais il y a aussi plusieurs millions d'êtres humains totalement végétariens qui se portent très bien.

Cela nous prouve que les hommes s'adaptent à différents types de nourriture, et qu'on n'a pas tort, sur le

LA LOGIQUE DE L'AGRICULTURE BIOLOGIQUE

En cultivant la terre sans produits chimiques, en utilisant des moyens et des produits naturels, on obtient des récoltes qui ne sont pas contaminées par des substances dangereuses. La clef de l'agriculture biologique, c'est l'attention scrupuleuse qu'elle porte au bien-être du sol, un art méprisé par les exploitants industriels d'aujourd'hui.

AGISSEZ

Les principes de l'agriculture biologique

Les buts de l'agriculture biologique sont résumés dans les six critères présentés ci-dessous. Ils ont été établis par la Fédération internationale des Mouvements d'Agriculture biologique.

- **L'économie locale**
  Une exploitation biologique doit, autant que possible, fonctionner en circuit fermé à partir des ressources locales et non dépendre de matières premières venues de l'extérieur.

- **L'amélioration du sol**
  Au lieu d'épuiser la terre, le cultivateur biologique cherche à maintenir et à augmenter sa fertilité naturelle. Ce qui exclut l'emploi d'engrais artificiels qui n'améliorent pas le sol à long terme.

- **La diminution de la pollution**
  L'agriculteur biologique tente d'éviter toute forme de pollution pendant la culture et la moisson. Ce qui exclut l'emploi de biocides synthétiques qui polluent le sol, la vie sauvage et les aliments.

- **La qualité des produits**
  Tout en produisant de la nourriture en quantité, le cultivateur biologique accorde la priorité à la haute qualité nutritionnelle des produits de son exploitation.

- **L'énergie**
  Dans une exploitation biologique, on utilise au minimum les carburants fossiles comme l'essence.

- **La main d'œuvre**
  Le cultivateur biologique vise à fournir aux ouvriers agricoles un travail à la fois satisfaisant et bien rémunéré.

L'ANNÉE D'UN CHAMP «INDUSTRIEL»

Les rendements élevés de ce champ ne tiennent qu'aux applications répétées de produits chimiques sous forme d'engrais et de biocides. La vie naturelle du sol est si réduite qu'elle ne peut pas maintenir sa fertilité et que chaque récolte le laisse en plus mauvais état.

L'ANNÉE D'UN CHAMP BIOLOGIQUE

Dans un champ biologique, on ne met sur le sol que des matières naturelles, si bien qu'il reste riche et fertile. Il produit chaque année une bonne récolte sans apport chimique. Au lieu de s'appauvrir, il s'améliore à chaque cycle annuel de cultures.

PRINTEMPS

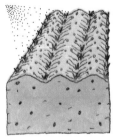 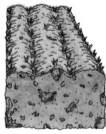

Au niveau du sol
Avant et pendant l'émergence des pousses, on détruit les mauvaises herbes avec des herbicides. On augmente artificiellement la vigueur de la plante avec un engrais en granules.

Dans le sol
Comme on ne lui a apporté aucune fumure l'année d'avant, le sol est tassé et manque de matières organiques.

Au niveau du sol
Quand les pousses apparaissent, on enlève les mauvaises herbes en sarclant, ce qui aère aussi le sol.

Dans le sol
Le sol est riche de matières organiques apportées par le compost ou le fumier de l'hiver précédent. Il est aéré et compte beaucoup de vers de terre.

ÉTÉ

 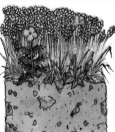

Au niveau du sol
Quand les épis se forment, on les traite régulièrement contre les insectes nuisibles. Toutes les mauvaises herbes ont été détruites par les herbicides.

Dans le sol
L'engrais, dont une partie seulement est utilisée par les plantes, est dissous par les pluies et s'enfonce dans la terre.

Au niveau du sol
À ce stade, la seule chose qui distingue ce champ de l'autre, ce sont les herbes folles qui y sont disséminées.

Dans le sol
L'azote, produit par la décomposition du compost et du fumier, est absorbé par la plante. Ses racines se déploient aisément dans la terre.

AUTOMNE

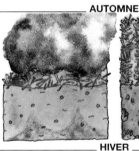 

Au niveau du sol
Après des pulvérisations répétées de biocides, on fait la moisson. On brûle souvent la paille, ce qui est un gaspillage de matière organique.

Dans le sol
L'engrais dissous, qui n'a pas été absorbé par les cultures, descend plus profondément dans la terre.

Au niveau du sol
Après la moisson, on laisse reposer la terre plusieurs mois avant de la labourer. Le champ se couvre de plantes sauvages, productrices d'azote.

Dans le sol
La décomposition du compost et du fumier continue à améliorer la fertilité du sol.

HIVER

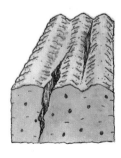 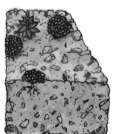

Au niveau du sol
La moisson effectuée, on laboure le chaume en même temps que la terre. On resème aussitôt le même genre de culture.

Dans le sol
Tout l'engrais emporté contamine le cycle de l'eau et le sol est en plus mauvais état qu'au début de l'année.

Au niveau du sol
On répand du compost et du fumier sur le champ. Une couche de végétation le protège de l'érosion jusqu'au labour.

Dans le sol
Durant les mois d'hiver, le processus de décomposition ralentit. La récolte n'a pas diminué la fertilité du sol.

Retour à la terre
Un cultivateur biologique photographié avec l'une de ses matières premières les plus prisées, le fumier. Les déjections des animaux et le compost végétal jouent un rôle important dans le cycle de la fertilité du sol. Les cultivateurs biologiques l'ont compris et veillent à n'en rien perdre. Dans l'agriculture industrielle, les déchets organiques posent un problème; on les jette et on les remplace par des engrais artificiels.

plan de notre santé, de manger de la viande. Ce qui est déconseillé, c'est de ne manger que de la viande provenant d'élevages industriels.

Comme la culture céréalière, l'élevage moderne est orienté vers la production intensive d'un choix limité de produits. Les éleveurs industriels concentrent leur activité sur les bovins, les porcs et les poulets. Ces animaux sont entassés dans des installations « rentables » où une alimentation monotone et une température constante concourent à les engraisser ou à les faire pondre le plus rapidement possible. Ils ne voient la campagne que par les trous d'aération du camion qui les emporte à l'abattoir.

La production intensive de veaux et de lait nous montre combien l'élevage industriel est devenu totalement artificiel. C'est un fait reconnu qu'il ne faut pas sevrer les veaux durant la semaine qui suit la naissance parce qu'ils ont besoin du colostrum présent dans le lait de leur mère. Mais comme l'éleveur d'aujourd'hui s'occupe de la production laitière et non de la santé des bovins, les veaux sont normalement sevrés dès la naissance et nourris avec du lait en poudre et des aliments artificiels; ils sont de surcroît enfermés. Comme les animaux sont en mauvaise santé, on leur administre des médicaments pour parer aux multiples infections auxquelles ils sont sujets. Bourrés d'antibiotiques et de calmants, soumis (dans les pays où

c'est encore légal) à des injections d'hormones de croissance, ils seront par la suite transférés dans des « parcs » à bœufs. Bien que ces installations soient de types très variés, elles contiennent souvent des centaines d'animaux entassés dans des enclos surpeuplés. Grâce à l'exiguïté des stalles et aux fils électrifiés qui passent au-dessus de leur dos, on est assuré qu'ils ne feront que manger et déféquer jusqu'à ce qu'ils soient prêts pour l'abattoir.

Aucun de ces animaux n'a jamais brouté d'herbe. Ils sont nourris d'ensilage et d'aliments concentrés. Ils n'ont pas connu l'amour maternel, ne savent pas ce que c'est que de courir et de gambader avec d'autres veaux, n'ont jamais senti le soleil sur leur dos, ni la pluie ou le froid en hiver. On ne leur a jamais permis de s'adonner aux comportements spécifiques de leur espèce.

C'est encore pire pour les porcs. Comme tous les omnivores, le cochon est un animal intelligent, doué d'une grande curiosité et capable d'affection. Le porc d'un élevage industriel est une créature pitoyable. Beaucoup souffrent de troubles circulatoires parce qu'on a réduit la dimension de leur cœur par la sélection (cet organe se vend mal). On doit leur donner des médicaments spécifiques ainsi que des tranquillisants pour diminuer leur stress — encore des produits chimiques qui passent dans notre nourriture.

COMMENT L'ÉLEVAGE INDUSTRIEL
NUIT-IL À LA TERRE ?

Si vous ne mangez que de la viande produite dans les élevages industriels, vous vous nourrissez mal. Un cochon, par exemple, ne transforme qu'un quart de ce qu'il mange en viande de porc. Le reste sert, entre autres, à maintenir la température interne, à entretenir la circulation et à fournir de l'énergie aux muscles. De même, il faut compter deux ans à deux ans et demi, et une énorme quantité de nourriture, pour transformer un veau en bœuf. Dans un élevage industriel, l'alimentation consiste essentiellement en foin et en ensilage, en fourrage vert (comme le maïs coupé, encore vert, à la machine et transporté jusqu'au lieu de l'élevage), en orge et autres céréales. Ou, pire encore, en aliments riches en protéines, importés des pays tropicaux qui en ont bien plus besoin que nous.

Il faut extraire toute cette nourriture du sol (d'où consommation d'essence ; un animal qui pâture le fait pour rien), ce qui diminue sa fertilité. Les substances nutritives ainsi récoltées sont remplacées, en agriculture industrielle, par les engrais artificiels, au prix d'une énorme consommation de carburant fossile. La terre reprend un peu vie et peut recommencer à produire de plus en plus de fourrage.

On se contente de jeter le fumier de tous les animaux enfermés. Dans les installations couvertes, il tombe souvent à travers le caillebotis sur lequel vivent les bêtes pour être entraîné à grand renfort d'eau dans des conduites souterraines qui aboutissent à d'énormes mares. Il y demeure et s'infiltre peu à peu dans le sol, polluant ainsi les cours d'eau.

Dans les installations ouvertes, on sort le fumier au bulldozer et on le stocke en énormes tas. On ne s'en sert jamais pour engraisser la terre ; cela coûterait beaucoup trop cher de le transporter. En théorie, tout le monde peut venir se servir à cette abondante réserve de fumure gratuite, mais ce n'est guère conseillé : les aliments donnés au cheptel rendent en effet le fumier inutilisable.

La structure de l'élevage industriel est linéaire plutôt que cyclique. Les engrais artificiels produits par le gaz naturel et les puits de pétrole sont transportés sur de longues distances avant d'être déversés sur le sol. On y fait pousser des céréales qui sont, elles aussi,

L'élevage pousse-boutons
L'automatisation règne dans l'élevage intensif. Ici, on engraisse le bétail (photo de gauche) en lui apportant à manger dans son enclos. Cette nourriture provient peut-être d'un autre continent. Les activités de l'exploitation sont dirigées à partir d'un tableau de commande informatisé (photo de droite). C'est un exemple de mauvaise utilisation de la technologie. Le bétail trouve à manger tout seul lorsqu'on lui en laisse la possibilité. Mais nous l'en empêchons et dépensons des sommes astronomiques pour lui apporter sa nourriture.

QUELLE EST LA PRODUCTIVITÉ DE L'ÉLEVAGE INDUSTRIEL ?

Garder les animaux enfermés, est-ce que cela rapporte vraiment plus ? Dans le cas des poules, la réponse est « pas beaucoup plus. » Voici six manières d'élever les poules pour leurs œufs, avec, pour chaque, le rendement moyen annuel par volaille. Plus le système est intensif, plus l'animal produit d'œufs. Mais l'augmentation est moins forte qu'on l'avait espéré : une poule en batterie ne pond que 35 œufs supplémentaires par an — 15 % de plus qu'une volaille de ferme. Pour obtenir ce surplus, le fermier doit faire de lourds investissements en bâtiments, équipement d'isothermie, machines et aliments industriels ; et courir un plus grand risque de maladies. En comparaison, la production d'œufs de ferme est très peu coûteuse car les poules se nourrissent d'aliments cultivés sur l'exploitation.

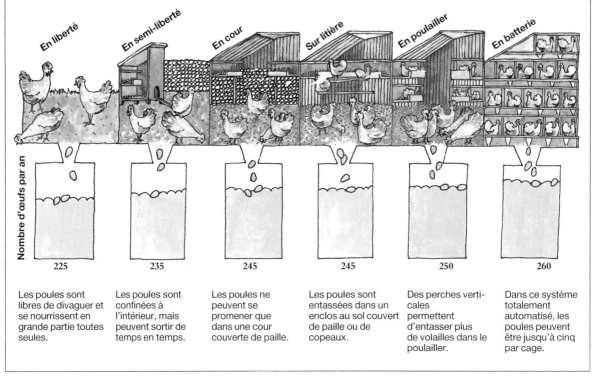

En liberté	En semi-liberté	En cour	Sur litière	En poulailler	En batterie
225	235	245	245	250	260
Les poules sont libres de divaguer et se nourrissent en grande partie toutes seules.	Les poules sont confinées à l'intérieur, mais peuvent sortir de temps en temps.	Les poules ne peuvent se promener que dans une cour couverte de paille.	Les poules sont entassées dans un enclos au sol couvert de paille ou de copeaux.	Des perches verticales permettent d'entasser plus de volailles dans le poulailler.	Dans ce système totalement automatisé, les poules peuvent être jusqu'à cinq par cage.

Nombre d'œufs par an

transportées jusqu'aux animaux enfermés. Elles sont mangées, puis évacuées par les bêtes pour finir en réserves inutilisées ou en mares polluantes. Le petit pourcentage de ces substances nutritives transformé en aliments ne retourne pas à la terre mais aboutit à la mer, sous forme d'eaux d'égouts.

Wendell Berry, écrivain et agriculteur américain, a bien résumé ce processus : « Nos agronomes ont pris une solution et l'ont habilement divisée en deux problèmes : fertiliser la terre et se débarrasser du fumier. Si les bêtes étaient élevées et engraissées dans les exploitations où pousse leur nourriture, il n'y aurait plus de problème. »

UNE ALTERNATIVE À L'ÉLEVAGE INDUSTRIEL

La seule justification que l'on puisse donner à l'élevage industriel, c'est qu'il coûte moins cher — on entend cet argument lorsqu'on met en cause ses procédés barbares. Mais il semble que l'agro-industrie ait mal fait ses comptes. Dans les élevages intensifs, le coût des installations, du transport des aliments et des soins vétérinaires sont si élevés que la productivité accrue est à peine payante. Le calcul est le même qu'avec les biocides et les engrais chimiques.

Enfermer les animaux ne rapporte donc pas autant qu'on l'espérait. Certains types d'élevage industriel peuvent revenir aussi cher que l'élevage à la ferme. D'autres peuvent être légèrement moins coûteux, mais la différence est souvent minime. On fait un peu plus de bénéfice en gardant les truies enchaînées toute leur vie dans des boxes, afin qu'elles ne puissent pas se retourner. On fait un peu plus de bénéfice en enlevant les porcelets à leur mère dès la naissance et en les élevant artificiellement. On fait un peu plus de bénéfice, enfin, en engraissant les cochons dans l'obscurité afin qu'ils ne se battent pas entre eux, par ennui, et en éclai-

rant uniquement pour les nourrir. Mais le jeu en vaut-il la chandelle ?

En Europe et en Amérique, certains fermiers ont décidé de replacer les animaux dans des conditions de vie un peu plus naturelles, estimant que c'était aussi bénéfique pour eux que pour le bétail. D'autres sont allés plus loin, en déclarant que l'élevage industriel était dangereux. La viande ainsi produite est souvent bourrée d'antibiotiques et d'autres médicaments qui n'ont pas totalement disparu avant qu'elle ne soit vendue. En refusant d'utiliser ces médicaments «infrathérapeutiques« (administrés quotidiennement sans diagnostic vétérinaire) et en remettant les animaux dehors, ces éleveurs produisent une viande plus saine.

Cette méthode d'élevage exige davantage de main-d'œuvre, mais le coût de l'équipement est minime, aussi peut-elle fonctionner à moindre prix. Les truies, par exemple, passent toute leur vie dehors, ou dorment dans de petits abris individuels, et nourrissent leurs petits, tandis que l'on garde les gorets à engraisser dans des porcheries chaudes, spacieuses et confortables. Une grande partie de leur alimentation ne coûte rien et les bêtes ne souffrent pas des maladies

Porcs de ferme

Ce sont des animaux qui ne coûtent pas cher et se contentent de peu (à droite). Il ne leur faut qu'un abri au sec, une litière et un peu de nourriture en plus de ce qu'ils récoltent seuls. On peut en élever beaucoup dans une installation comme celle-ci. Ils sont alors en bonne santé et très prolifiques.

Porcs industriels

Enfermés dans des caisses à claire-voie (à gauche), ils coûtent plus cher à élever. Ils grossissent plus vite que les premiers mais sont sujets aux maladies. L'installation montrée ici est relativement confortable : beaucoup de porcs industriels ne voient jamais la lumière du jour.

induites par le surpeuplement et le manque d'activité. Les bovins aussi exigent moins de soins vétérinaires et les poules trouvent, en picorant, une nourriture gratuite. Tous ces animaux améliorent la qualité du sol : ils produisent un fumier de qualité et les porcs retournent la terre, en échange de leur liberté.

Tout mangeur de viande est responsable des procédés traditionnels de l'élevage industriel. S'il soutenait les éleveurs traditionnels par le pouvoir de son porte-monnaie, l'élevage industriel et les sévices qui l'accompagnent disparaîtraient.

Il est vrai cependant qu'à moins d'avoir avec son boucher des relations privilégiées, il n'est guère évident de choisir sa viande en connaissance de cause. Les instances gouvernementales pourraient créer un label de qualité permettant de distinguer la viande « à l'ancienne » de la viande industrielle, comme cela se fait déjà pour les volailles avec le « Label rouge ».

AGISSEZ

Ce que l'on peut faire
pour combattre l'élevage industriel

- **Soyez vigilant**
  Les agriculteurs veillent à ce que la viande ou les œufs produits industriellement ne soient jamais présentés comme tels. C'est aux consommateurs de les identifier et de les éviter.

- **Guettez les étiquettes mensongères**
  Si vous voyez des aliments industriels sous une étiquette mensongère, portez plainte auprès de la Direction générale de la concurrence et de la répression des fraudes. Par exemple, on ne devrait pas vendre des œufs de batterie dans des boîtes représentant des poules en liberté.

- **Mangez moins de viande**
  Nous mangeons trop de viande. Si la consommation diminuait, les conditions dans lesquelles le cheptel est élevé s'amélioreraient et cela libérerait des terres.

- **Soutenez les éleveurs traditionnels**
  Les produits de l'élevage industriel sont moins chers. Si vous acceptiez de payer un peu plus pour une nourriture sans produits chimiques, cela encouragerait l'élevage naturel.

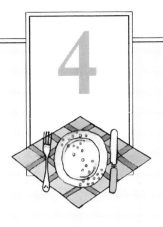

SE NOURRIR... À QUEL PRIX ?

**Une alimentation sans technologie
L'avantage des produits régionaux non conditionnés
Que faire pour ne pas consommer d'additifs ?
Les aliments complets
Le fast-food et les forêts
Tout commence dans notre cuisine**

Que cela nous plaise ou non, nous vivons à l'ère du supermarché. La visite hebdomadaire à l'une de ces cavernes de la consommation fait partie de la vie domestique de beaucoup d'entre nous. Le client moyen consacre plus de deux semaines ouvrables par an à pousser un caddie dans des allées illuminées et, à la fin de l'année, il aura acheté plusieurs tonnes de marchandises.

Qu'est-ce qui passe, chaque semaine, de ce caddie dans votre voiture ? Des aliments qui, avant d'arriver sur les rayons, ont été blanchis, colorés, stabilisés, aromatisés, emballés sous vide, scellés à chaud, enveloppés dans du plastique, mis en conserve, surgelés et, dans certains pays, irradiés. Pourquoi une telle quantité de nourriture finit-elle ainsi ? Pourquoi ne pou-

vons-nous pas acheter les aliments à leur état brut ?

Nous commencerons par le pain, puisque c'est probablement le premier aliment qui tomba aux mains de l'industrie alimentaire. L'Occident a vécu de pain pendant au moins dix mille ans. Durant les huit premiers millénaires, il est exclusivement fait avec le grain entier de froment (ou d'orge, ou de seigle), écrasé entre deux pierres. Mais vers 150 avant J.-C., les boulangers romains commencent à falsifier les ingrédients en tamisant la farine blanche au travers d'un tissu afin de n'avoir plus que l'endosperme (l'amidon du grain de céréale). Celui-ci, s'il garde presque toute la valeur énergétique du grain de blé, a perdu les protéines, les acides gras, les vitamines B et E, les quatre cinquièmes du cuivre et la presque totalité du manganèse, du zinc, du magnésium et des autres oligo-éléments essentiels à notre santé. L'attrait de ce «nouveau» pain est uniquement visuel, comme c'est le cas pour tous les aliments industriels. Les riches Romains l'adoptent parce qu'il *a l'air* pur et blanc. Après la chute de l'Empire, le monde occidental revient au pain complet (en fait, seule une minorité l'avait rejeté), et ce n'est qu'au XIe siècle que les riches, et seulement eux, recommencent à consommer de la farine blanche. Des tamis en poils servent à rejeter le son et le germe du blé.

Mais ce n'est qu'à partir de 1750, avec l'apparition, dans les moulins à vent et à eau, d'un appareil appelé «blutoir», que l'utilisation de la farine blanche se répand. Les riches et les nobles mangent du pain blanc, le peuple en veut aussi. Les boulangers commencent à ajouter de l'alun, de la chaux, de la craie, et même de la poudre d'os à la farine afin de rendre leurs pains plus blancs que blanc.

Le pain blanc et bon marché atteint son apogée en 1960, avec la généralisation du pain industriel. Dans

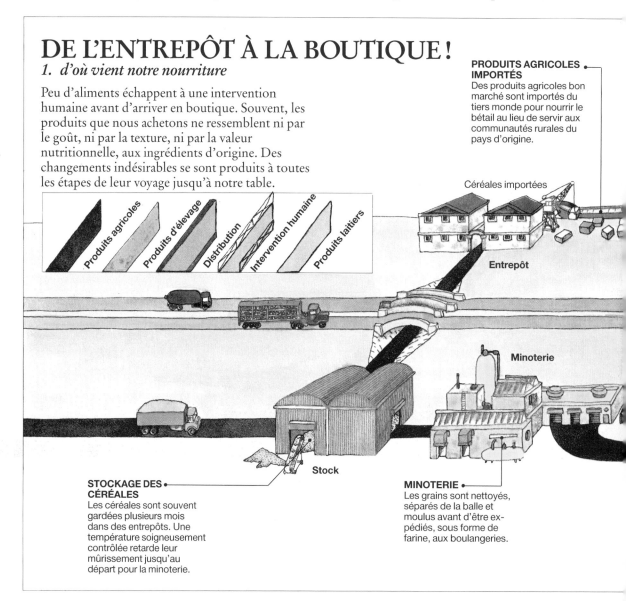

DE L'ENTREPÔT À LA BOUTIQUE !
1. d'où vient notre nourriture

Peu d'aliments échappent à une intervention humaine avant d'arriver en boutique. Souvent, les produits que nous achetons ne ressemblent ni par le goût, ni par la texture, ni par la valeur nutritionnelle, aux ingrédients d'origine. Des changements indésirables se sont produits à toutes les étapes de leur voyage jusqu'à notre table.

Produits agricoles · Produits d'élevage · Distribution · Intervention humaine · Produits laitiers

PRODUITS AGRICOLES IMPORTÉS
Des produits agricoles bon marché sont importés du tiers monde pour nourrir le bétail au lieu de servir aux communautés rurales du pays d'origine.

Céréales importées

Entrepôt

Minoterie

STOCKAGE DES CÉRÉALES
Les céréales sont souvent gardées plusieurs mois dans des entrepôts. Une température soigneusement contrôlée retarde leur mûrissement jusqu'au départ pour la minoterie.

Stock

MINOTERIE
Les grains sont nettoyés, séparés de la balle et moulus avant d'être expédiés, sous forme de farine, aux boulangeries.

beaucoup de pays, les boulangeries artisanales ferment leur porte. En Angleterre, par exemple, la panification passe aux mains de deux immenses entreprises qui fabriquent, chaque jour, des milliers de tonnes de pain blanc coupé en tranches et pré-emballé... C'est heureusement loin d'être le cas en France où la tradition en ce domaine reste très vivace et où toutes sortes de pains complets ou aux céréales retrouvent la faveur des consommateurs.

QUAND LA TECHNOLOGIE S'EMBALLE

Lorsqu'on lui demande de justifier ses méthodes, l'industrie alimentaire se plaît à employer des expressions comme «pratique», «choix», et «répondre à la demande du public». Mais la vérité, c'est que cela rapporte de l'argent. L'objectif des premières boulangeries industrielles n'était pas de faire un pain meilleur; c'était de diminuer le coût de la main d'œuvre et de fabriquer un pain très blanc, à la mie très aérée, qui contienne beaucoup d'eau et se garde longtemps.

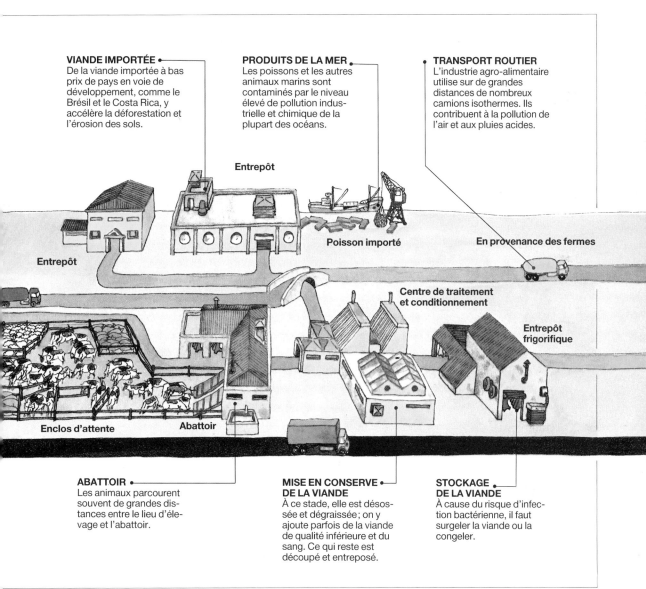

VIANDE IMPORTÉE
De la viande importée à bas prix de pays en voie de développement, comme le Brésil et le Costa Rica, y accélère la déforestation et l'érosion des sols.

PRODUITS DE LA MER
Les poissons et les autres animaux marins sont contaminés par le niveau élevé de pollution industrielle et chimique de la plupart des océans.

TRANSPORT ROUTIER
L'industrie agro-alimentaire utilise sur de grandes distances de nombreux camions isothermes. Ils contribuent à la pollution de l'air et aux pluies acides.

Entrepôt

Entrepôt

Poisson importé

En provenance des fermes

Centre de traitement et conditionnement

Entrepôt frigorifique

Enclos d'attente

Abattoir

ABATTOIR
Les animaux parcourent souvent de grandes distances entre le lieu d'élevage et l'abattoir.

MISE EN CONSERVE DE LA VIANDE
À ce stade, elle est désossée et dégraissée; on y ajoute parfois de la viande de qualité inférieure et du sang. Ce qui reste est découpé et entreposé.

STOCKAGE DE LA VIANDE
À cause du risque d'infection bactérienne, il faut surgeler la viande ou la congeler.

La fabrication du pain blanc montre bien comment l'industrie alimentaire peut ôter à un produit naturel sa valeur nutritive propre. Dès 1825, les médecins commencent à mettre en question un régime basé sur la consommation du pain blanc. Cette même année, un physiologiste français, François Magendie, publie les résultats d'une expérience faite sur des chiens, dont certains ont été nourris de pain blanc et d'eau, et d'autres de pain complet et d'eau. Les premiers sont morts au bout de cinquante jours ; les autres ont conti-nué à vivre normalement, dans un état de santé très satisfaisant.

Le pain complet fait à l'ancienne est plus riche en éléments nutritifs que son homologue industriel qui, en revanche, contient plus de calcium, provenant de la chaux ajoutée à la farine, et plus de chlorure de sodium. Mais il manque sérieusement de fibres. En ce qui concerne leurs qualités nutritives respectives, il n'y a pas de comparaison possible.

L'industrie alimentaire n'a pas pour but principal

DE L'ENTREPÔT À LA BOUTIQUE
2. conditionnement de la nourriture

Après avoir subi quelques traitements préliminaires, la nourriture est transportée jusqu'aux centres de conditionnement. Là, grâce aux produits chimiques et aux emballages, elle devient le produit que nous avons l'habitude de voir sur les rayons des boutiques et dans nos placards.

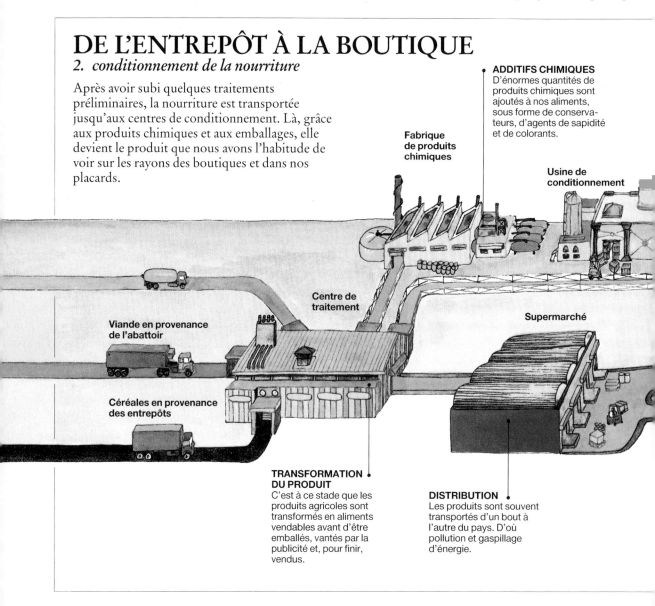

ADDITIFS CHIMIQUES
D'énormes quantités de produits chimiques sont ajoutés à nos aliments, sous forme de conserva-teurs, d'agents de sapidité et de colorants.

Fabrique de produits chimiques

Usine de conditionnement

Centre de traitement

Viande en provenance de l'abattoir

Supermarché

Céréales en provenance des entrepôts

TRANSFORMATION DU PRODUIT
C'est à ce stade que les produits agricoles sont transformés en aliments vendables avant d'être emballés, vantés par la publicité et, pour finir, vendus.

DISTRIBUTION
Les produits sont souvent transportés d'un bout à l'autre du pays. D'où pollution et gaspillage d'énergie.

de bien nous nourrir, mais de réaliser des bénéfices. À partir d'aliments de base peu onéreux, elle fabrique des produits sophistiqués qu'elle revend avec profit. Lorsqu'une recette s'avère payante, on l'exploite pendant des années. Bien entendu, les publicitaires se mettent de la partie pour «fidéliser» le consommateur à la marque. Tout ceci découle d'un système économique qui se préoccupe nettement plus de ses marges bénéficiaires que de la qualité véritable des produits vendus.

GRANDE BOUFFE ET MONTAGNES D'ORDURES

Il est évident que si l'on ne possède pas une belle parcelle de terre fertile, il est impossible de se passer totalement des aliments industriels. Mais il faut savoir que les consommer, c'est mettre à la fois notre santé et notre environnement en danger.

Reparlons du pain. Rien n'est plus simple que de récolter des grains de blé, de les moudre et de faire du pain avec la farine. Mais, pour répondre aux normes

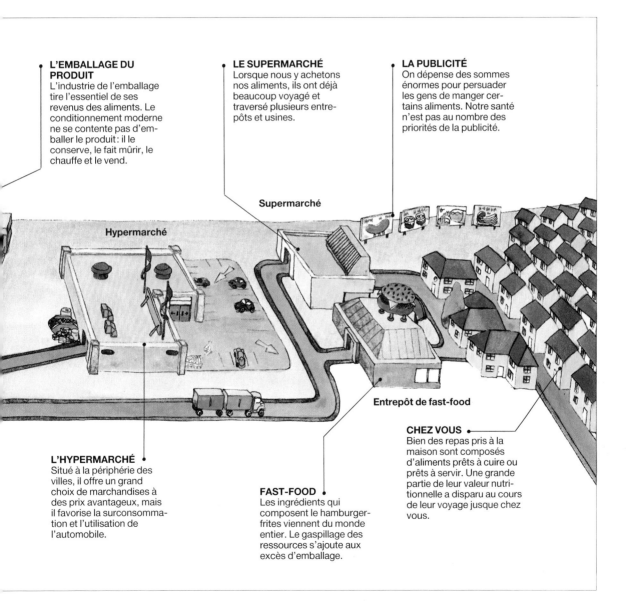

L'EMBALLAGE DU PRODUIT
L'industrie de l'emballage tire l'essentiel de ses revenus des aliments. Le conditionnement moderne ne se contente pas d'emballer le produit : il le conserve, le fait mûrir, le chauffe et le vend.

LE SUPERMARCHÉ
Lorsque nous y achetons nos aliments, ils ont déjà beaucoup voyagé et traversé plusieurs entrepôts et usines.

LA PUBLICITÉ
On dépense des sommes énormes pour persuader les gens de manger certains aliments. Notre santé n'est pas au nombre des priorités de la publicité.

Supermarché

Hypermarché

Entrepôt de fast-food

L'HYPERMARCHÉ
Situé à la périphérie des villes, il offre un grand choix de marchandises à des prix avantageux, mais il favorise la surconsommation et l'utilisation de l'automobile.

FAST-FOOD
Les ingrédients qui composent le hamburger-frites viennent du monde entier. Le gaspillage des ressources s'ajoute aux excès d'emballage.

CHEZ VOUS
Bien des repas pris à la maison sont composés d'aliments prêts à cuire ou prêts à servir. Une grande partie de leur valeur nutritionnelle a disparu au cours de leur voyage jusque chez vous.

du pain industriel, les céréales doivent provenir d'exploitations agricoles pratiquant la culture intensive, à grand renfort d'essence, d'engrais et autres biocides. Après la récolte, les grains sont transportés (encore plus d'essence), puis moulus dans d'immenses minoteries où l'on y ajoute toutes sortes de produits chimiques fabriqués par des usines très polluantes.

Pour tous les aliments industriels, on observe le même gaspillage coûteux de nos ressources, bien souvent pour produire quelque chose qui est *inférieur* au produit à l'état pur. Cette industrie viole le principe d'économie : plus l'aliment est complexe, plus longue est la liste des ingrédients figurant en petits caractères sur l'emballage et plus sa production est source de gaspillage.

Acheter des aliments industriels, c'est aussi porter atteinte à sa région. Les économies d'échelle amènent les usines agro-alimentaires à regrouper leurs unités de production. On transporte les marchandises sur de grandes distances, le pouvoir industriel est concentré dans quelques mains et le savoir-faire de l'artisanat local disparaît.

Pour des produits consommés à l'échelle internationale, cette centralisation débouche sur des absurdités. Autrefois, chaque ville du Nord fabriquait sa propre bière. Maintenant, la brasserie est entre les mains de quelques firmes géantes (souvent dépendantes d'énormes compagnies agro-alimentaires). Chaque année, elles expédient dans les deux sens des millions de litres de bière (composée de 99 % d'eau) d'un pays vers un autre. La consommation supplémentaire de fuel et la pollution qui en résulte sont gigantesques. Avec une production locale, on évite ce gâchis ridicule.

Les compagnies agro-alimentaires ne se soucient guère de ce mauvais usage des ressources naturelles. Elles mettent en revanche tous leurs soins à élaborer un conditionnement attrayant, qui fait monter les ventes. Le fait qu'elles nous fournissent des aliments ayant peu de valeur nutritionnelle ne les inquiète pas non plus ; elles peuvent s'offrir des publicités fracassantes afin de persuader les gens de manger et de boire leurs produits. Elles inondent alors de leur production les rayons des supermarchés géants.

PLUS C'EST SIMPLE, MEILLEUR C'EST !

Aujourd'hui, le consommateur est sans cesse obligé de faire des choix, ce qui n'était pas le cas de ses an-

DE L'ALIMENT NATUREL AU PRODUIT INDUSTRIEL

Les chips vont nous servir d'exemple pour montrer comment le conditionnement des aliments réduit leur valeur nutritionnelle tout en augmentant leur prix.

MATIÈRE PREMIÈRE •
Les chips sont faites d'une variété, spécialement conçue, de pommes de terre riches en amidon et pauvres en sucre.

PRÉPARATION •
On les pèle avec des jets d'eau et de la soude caustique, puis on les coupe en tranches fines. Durant ces opérations, l'air et la lumière détruisent des substances nutritives.

CUISSON •
On les fait frire dans l'huile, ingrédient qui coûte plus cher que les pommes de terre. L'huile absorbée durant la cuisson entre pour plus de 30 % dans le poids d'un paquet de chips.

ADDITIFS ARTIFICIELS •
On ajoute tout de suite après couleur et saveur artificielles, plus un agent anti-oxydant. On en saupoudre les chips dans un tambour tournant.

EMBALLAGE •
Les chips sont séchées, refroidies et emballées dans des sacs de plastique qui souvent ne sont pas biodégradables et contribuent au problème des déchets d'emballages.

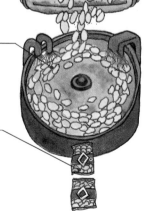

VENTE •
Le produit vendu contient 30 % d'huile et une quantité appréciable d'air. Le conditionnement a augmenté de 500 % le prix des pommes de terre.

côtres. Avant l'ère des supermarchés, on achetait simplement les produits saisonniers et l'on n'avait pas besoin de réfléchir pour savoir quelle marque choisir : il n'y en avait bien souvent qu'une.

Mais comment choisir sans passer un temps infini à faire son marché ? Il suffit d'acheter les produits les plus simples de votre région. Ce faisant, vous repartez avec des aliments qui comportent moins d'ingrédients « fabriqués » par l'homme et qui sont donc meilleurs pour votre santé.

LES INGRÉDIENTS ARTIFICIELS

Les techniciens de l'agro-alimentaire sont des alchimistes : ils transforment les métaux en or. Ou plutôt, avec l'aide de la chimie, ils transforment des matières rapidement périssables en marchandises durables et faciles à vendre.

Il fut un temps, maintenant lointain, où le seul additif alimentaire était le sel. Aujourd'hui, on peut mettre tout à fait légalement dans nos aliments des centaines de substances synthétiques. Il y a les conservateurs, qui empêchent la pourriture de se gâter durant son long voyage jusqu'aux points de vente, et toute une série d'autres produits chimiques que l'on pourrait appeler des « cosmétiques alimentaires », qui la font paraître meilleure qu'elle n'est. C'est le cas des antioxydants.

Notre critère de choix est l'apparence, et la couleur est très importante pour nous (prenons pour exemple les sirops de grenadine ou de menthe : s'ils ne sont pas bien rouges ou bien verts, nous ne les achetons pas) ; en cela, nous ressemblons à nos cousins les singes. Les techniciens de l'agro-alimentaire le savent. Ils ont élaboré toute une gamme de colorants artificiels, rendant ainsi plus vive, plus foncée ou plus claire la couleur des aliments pour qu'ils deviennent plus attrayants. Si bien que nous avons presque oublié la véritable apparence des aliments. Et nous ne nous rendons même plus compte de la supercherie : ces aliments n'auraient jamais d'aussi appétissantes couleurs si quelqu'un ne s'en était pas mêlé.

Ayant ainsi « fabriqué » sa couleur, les fabricants se servent d'agents de sapidité artificiels pour recréer le goût que l'aliment a perdu lors de son conditionnement. Ils peuvent aussi imiter celui d'un parfum naturel, ce qui revient beaucoup moins cher que d'utiliser une substance périssable. Si vous regardez

L'embarras du choix On propose, aujourd'hui, aux consommateurs, une telle gamme d'aliments qu'ils finissent par s'y perdre.

l'étiquette de certains desserts « aux fruits », vous découvrirez qu'il n'y a dedans ni cerises, ni fraises, ni aucun autre fruit. Et ce n'est pas parce que vous voyez écrit, sur une boîte de potage, « saveur poulet », qu'il y a du poulet dedans. Une marque de jus de fruits avait ainsi pour slogan : « On n'a jamais été aussi près du goût de l'orange », alors que le produit n'en contenait pas !

Il y a enfin les agents chimiques qui contrôlent la texture des aliments : émulsifiants, épaississants, gélifiants, extenseurs et stabilisateurs, pour n'en nommer que quelques-uns. Ils contrôlent l'excès ou le manque d'humidité, la formation de grumeaux ou la cristallisation. Grâce à eux, les éléments rassemblés artificiellement ne risquent pas de se séparer, de cailler ou de tomber au fond du récipient.

Avec tout cela, l'agro-alimentaire transforme quelque chose de bon marché et qui n'a pas bon goût en une substance que les clients (soumis à une bonne publicité) réclament à grands cris. À titre d'exemple, à partir d'huiles végétales et de sous-produits du lait,

auxquels on ajoute de l'hydrogène, des couleurs, des saveurs artificielles et des émulsifiants, on peut, en conditionnant le tout dans des tubes en plastique ou des boîtes aux couleurs vives, fabriquer de la margarine, et déclarer que c'est un « progrès » par rapport au beurre. Elle ne coûte presque rien car on la produit à une très grande échelle et elle trouve, ainsi, un énorme débouché.

LE CONDITIONNEMENT DÉVALUE NOTRE NOURRITURE

À l'état naturel, la plupart des aliments sont riches en protéines, en fibres, en vitamines et en sels minéraux. En outre, ils contiennent peu de graisses polyinsaturées et de sel, et pas du tout de sucre raffiné. Pourtant nous mangeons des aliments industriels auxquels on a ajouté des colorants et des agents de sapidité artificiels, des antioxydants, des conservateurs et des stabilisateurs dont beaucoup sont un risque potentiel pour notre santé. Cette table montre comment des aliments faciles à acheter et à manger à l'état naturel sont en fait vendus après avoir subi une importante transformation.

LA VIANDE
À l'état naturel, elle est riche en protéines, en vitamines et en sels minéraux. Grillée, rôtie ou à la cocotte, une viande maigre contient peu de graisse saturée.

LA CHARCUTERIE ET LES HAMBURGERS
Saucisses, pâtés et hamburgers sont riches en graisse saturé et contiennent peu d'autres substances nutritives.

LES FRUITS
Les fruits frais sont riches en vitamine C, en fibres et en sels minéraux. Ils offrent une immense variété de couleurs, de saveurs et de textures.

LES DESSERTS INDUSTRIELS
Des additifs artificiels remplacent souvent les saveurs et les couleurs disparues. La teneur en fibres et en vitamines est réduite.

LE POISSON
Grillé, au court-bouillon ou au four, le poisson est riche en sels minéraux, en vitamines et en graisses polyinsaturées.

LES CONSERVES DE POISSON
On y ajoute des additifs artificiels pour améliorer son aspect et son goût dénaturés ; ainsi que de l'eau, des arêtes et de la peau pour qu'il pèse plus lourd.

LES LÉGUMES
Les pommes de terre, par exemple, sont riches en protéines, en fibres, en vitamines et en hydrate de carbone.

LES LÉGUMES EN CONSERVE
Les substances nutritives, concentrées sous la peau, ont été presque totalement détruites. Les chips et les purées en poudre contiennent des additifs.

LE LAIT
Le lait frais, entier ou écrémé, est riche en calcium, en protéines et en vitamines B2 et B12.

LES PRODUITS À BASE DE LAIT
Les glaces, les boissons au lait et les fromages à tartiner sont riches en graisse, en sucre et en sel. Ils contiennent souvent des additifs artificiels.

AGISSEZ

Comment éviter les additifs artificiels

- **Lisez les étiquettes**
  Cela vous permettra de savoir quels sont les produits les plus transformés.
- **Achetez des produits frais**
  Ce que vous achetez frais et cuisinez chez vous ne contiendra que les additifs que vous y mettrez.
- **Connaissez les risques encourus**
  Procurez-vous la liste des additifs à éviter qui est mise à jour régulièrement par le ministère de la Santé. N'achetez pas les produits qui en contiennent.

La publicité et le marketing font l'objet d'énormes investissements de la part de l'industrie agro-alimentaire. Les publicitaires trouvent des slogans capables de graver un nom de marque dans notre mémoire, et conçoivent des emballages prometteurs. Ce sont les vrais ingrédients du produit qui occupent le moins de place sur l'étiquette. Pourquoi ? Parce que les fabricants n'ont pas toujours envie que nous sachions ce qu'ils y ont mis.

Actuellement, les rayons des supermarchés sont inondés de produit «allégés» ou «light» qui contiennent moins de calories grâce à des édulcorants de synthèse comme l'aspartame qui manque de stabilité dans le temps et dont la totale innocuité n'est pas prouvée. Les publicitaires ont trouvé là un formidable levier d'incitation à l'achat.

LES ADDITIFS SONT-ILS VRAIMENT DANGEREUX ?

On a multiplié par dix l'utilisation des produits chimiques dans les aliments, durant ces trente dernières années. En Grande-Bretagne, on estime que le consommateur en absorbe cinq à sept kilos par an. En France, nous en sommes «seulement» à quatre kilos par an. Toute substance consommée en si grande quantité a *forcément* un effet sur l'organisme. Lequel, on n'en sait encore rien avec certitude.

En dépit de l'influence de la publicité, les adultes ont un certain pouvoir de discernement lorsqu'ils choisissent leur nourriture. Mais pas les enfants. Encouragés par les publicitaires, ils consomment des bonbons, des chocolats, des chips et toutes sortes d'aliments industriels en grande quantité... des produits littéralement bourrés d'additifs et de colorants.

On pense maintenant que l'intolérance à ces pro-

duits chimiques peut constituer un facteur déterminant dans des maladies qui affectent les enfants d'aujourd'hui, telles les dermatoses et l'hyperactivité. Afin de déterminer si l'on devait tenir les additifs pour responsables, des médecins ont fait suivre à des enfants un régime qui en était dépourvu. Dans de nombreux cas, les maladies ont disparu. Un allergologue américain a mené une série d'expériences, dans les années 70, et a conclu que la moitié des enfants hyperactifs guérissaient si l'on se contentait d'éliminer certains additifs de leur régime. Quelques-uns de ces produits ont été interdits, mais pas dans tous les pays.

Étant donné leur fréquence et leur quantité, il est difficile de les éviter totalement. Les adultes aussi accumulent ces substances toxiques dans leur organisme. Par exemple, les nitrites qui servent à conserver la viande sont peut-être cancérigènes. Leur utilisation est limitée dans plusieurs pays européens, mais en France, on en trouve également dans la charcuterie. Les nitrites sont surtout dangereux pour les bébés chez lesquels des doses trop élevées peuvent entraîner une cyanose.

Les Américains ayant peu à peu diminué leur consommation de nitrites, la fréquence des cancers de l'estomac a régressé. À l'inverse, le Japon, où les nitrites sont utilisés en grandes quantités, est le pays où ce type de cancer est le plus répandu. Sans doute, à un certain moment, les «experts» ont-ils dû dire là-bas que les nitrites étaient absolument sans danger.

COMMENT CHOISIR SES CONSERVES

On a dit que la seule bonne nourriture était «celle qui devenait mauvaise». Ce n'est pas faux du tout. Nos aliments sont organiques : si l'on ne fait rien, ils se gâtent et la seule justification du conditionnement, c'est qu'il ralentit ce processus.

Conserver les aliments est un art ancien qui, jusqu'à ces derniers temps, utilisait des substances naturelles comme le sel, le sucre, le vinaigre et le pouvoir desséchant du vent.

En automne, la plupart des maîtresses de maison faisaient sécher ou mettaient dans le vinaigre une quantité d'aliments, ce qui leur permettait de tenir jusqu'au printemps suivant. Mais une fois celui-ci arrivé, personne n'aurait eu l'idée de manger des conserves.

Aujourd'hui, nous mangeons des conserves toute l'année. Certaines sont encore préparées à l'ancienne, dans le sel ou le vinaigre, mais le plus souvent l'aliment est additionné de conservateurs chimiques, ou traité d'une autre manière: mis en boîte, surgelé ou parfois irradié. Si vous voulez éviter les conservateurs chimiques, quel est mode de conditionnement le moins dangereux?

La conservation en boîtes métalliques est une ancienne méthode — elle fut inventée en 1795 par l'industriel français Nicolas Appert —, qui n'a cessé d'être pratiquée. Après que la boîte a été scellée, on la soumet à la chaleur afin de tuer les bactéries. Bien que cela détruise aussi les vitamines, ce moyen est généralement considéré comme peu dangereux. Cependant, il vaut mieux ne pas consommer trop d'aliments en boîte pour deux raisons. Premièrement, cela gaspille le métal. Ces boîtes ne sont pas recyclées bien qu'une bonne partie d'entre elles pourrait l'être. Deuxièmement, il faut une soudure pour les garder hermétiques, et celle-ci contient souvent du plomb qui est toxique.

Pourvu qu'on ne le stocke pas trop longtemps, le surgelé est préférable au produit conservé chimiquement. Son seul inconvénient est l'entreposage dans les grands supermarchés (surtout en bacs ouverts) qui consomme d'énormes quantités d'électricité.

L'irradiation (interdite dans certains pays mais pas en France) a été présentée comme un progrès, mais on ignore encore quel sont les effets d'une consommation prolongée. Elle arrête bien le processus de décomposition bactérienne, mais on ne sait pas si les transformations chimiques qui en résultent sont dangereuses ou non.

LES TESTS DE CONTRÔLE SONT-ILS SUFFISANTS?

On a dit que pour tester l'innocuité des additifs alimentaires, le mieux était encore de jouer à pile ou face. En effet, les expériences sur les animaux — dont on se sert pour détecter les substances chimiques cancérigènes — ne sont valables que dans moins de 40 % des cas.

Tester l'innocuité d'un additif est un processus compliqué et coûteux qui prend beaucoup de temps. Aussi les essais ne sont-ils conçus que pour mettre en évidence le risque de certaines maladies, tels le cancer ou le diabète. Beaucoup de réactions comme l'asthme ou la migraine ne sont pas testées.

CONSERVATION DES ALIMENTS

MÉTHODE	EFFET

SEMI-CONSERVES

Il s'agit d'aliments non stabilisés, frais le plus souvent et mis sous sachet plastique. Les salades épluchées en sont un bon exemple. L'humidité nécessaire à la bonne conservation peut se transformer en bouillon de culture si la chaîne du froid n'est pas respectée de bout en bout.

EN BOÎTE

L'aliment est mis dans une boîte en métal hermétiquement soudée, puis chauffée afin de le cuire et de le stériliser. Sa valeur nutritionnelle est très réduite. Des additifs artificiels remplacent la couleur et la saveur disparues.

SURGELÉ

Une très basse température arrête le processus naturel de pourrissement. Souvent les aliments surgelés contiennent plus de vitamines que ceux vendus frais parce que ce traitement empêche leur diminution naturelle.

DÉSHYDRATÉ

L'aliment peut être déshydraté naturellement, par le soleil et le vent, ou mécaniquement. On se sert alors de grandes quantités d'additifs artificiels pour l'améliorer.

EN BOUTEILLE ET EN POT

L'aliment est mis dans des récipients en verre hermétiquement fermés, puis stérilisés par la chaleur. Parfois ce traitement augmente sa saveur naturelle, mais il comporte des risques pour la santé. D'autant que le verre n'arrêtant pas les ultra-violets, les fruits ou les légumes perdent leurs vitamines.

IRRADIÉ

Des radiations ionisantes à hautes doses retardent le processus de mûrissement et tuent les insectes et les micro-organismes nuisibles. Elles provoquent aussi des réactions chimiques soupçonnées d'être cancérigènes.

SOUS VIDE

L'aliment est mis dans un sac en plastique dont l'air est aspiré afin de créer un vide dépourvu de bactéries. Le plastique de nombreux emballages peut être cancérigène, surtout lorsqu'il s'agit d'aliments gras.

Comme pour les biocides (voir pp. 44), l'expérimentation est brève. Cependant, un cancer peut n'apparaître qu'au bout de vingt ou trente ans, ce qui rend inopérantes la plupart des méthodes de contrôle. Il est très fréquent que des additifs soient utilisés durant plusieurs années avant qu'on les soupçonne de provoquer de l'eczéma, des dépressions ou de l'arthrite.

Il est pratiquement impossible d'évaluer les quantités minimum d'additifs que l'on peut ingérer sans risque, car les effets cumulatifs sur un certain nombre d'années sont encore inconnus. En outre, on a commencé à verser des substances dans les mixers des usines agro-alimentaires bien avant que ne soient votées les lois régissant l'usage des additifs, et celles-ci n'ont jamais été testées.

Il y a un danger que l'on évalue encore moins bien, c'est celui de « l'effet cocktail ». Lorsqu'on mange un aliment industriel qui contient plusieurs ingrédients artificiels, ceux-ci se mélangent tous dans l'organisme et l'on ne sait rien de leur interaction. Les additifs ne sont testés qu'un par un. Quand vous essayez de commercialiser un additif, on exige de vous la preuve que le produit est sans danger. En pratique, il est toujours consommé avec d'autres substances, dont le nombre peut s'élever jusqu'à vingt dans un aliment industriel. On ignore les effets de ces cocktails chimiques, mais le simple bon sens suffit pour mettre en doute leur totale innocuité.

LES ALIMENTS FRAIS SONT-ILS SANS DANGER ?

Vous pouvez voir et sentir qu'un aliment est gâté, mais vous ne pouvez ni voir ni sentir qu'il est contaminé par des biocides. Durant l'été 1985, six habitants de la Californie sont morts après avoir mangé des pastèques de la région. On a décompté au total mille trois cent cinquante malades. Des heures après avoir consommé ce fruit qui avait l'air parfaitement sain, les gens entraient dans le coma. Les enquêteurs ont conclu que l'agent responsable était un aldicarbe d'oxyde de soufre, pesticide qu'on avait pulvérisé sur les melons. Il s'agissait donc d'un empoisonnement dû à un biocide.

Cela montre que les aliments frais peuvent être aussi dangereux que la nourriture industrielle. Des accidents aussi graves sont heureusement rares, mais la présence de biocides dans les aliments peut provoquer, sinon des symptômes spectaculaires à court

LES DANGERS DE L'EMBALLAGE EN PLASTIQUE

Les agents qui facilitent la mise en forme de la pellicule plastique peuvent provoquer des cancers. Ils ne restent pas dedans, mais « migrent », surtout dans les aliments gras.

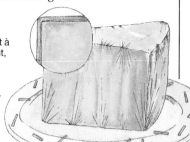

LA MIGRATION
Les plastifiants s'accumulent rapidement à la surface de l'aliment, sur deux millimètres d'épaisseur, mais le font plus lentement sous basse température.

LA GRAISSE
C'est de la teneur en graisse de l'aliment que dépend le taux d'absorption des plastifiants.

AGISSEZ

- **Utilisez un emballage plus naturel**
  Le papier paraffiné, bien qu'on ne puisse pas le sceller, est efficace, moins dangereux que le film plastique et non polluant.
- **Évitez le contact avec les aliments**
  Si vous utilisez du plastique, ne le laissez pas entrer en contact avec la nourriture. Mettez celle-ci dans un bol et servez-vous du plastique pour le recouvrir.

terme, du moins des maladies chroniques à long terme.

On trouve chaque jour des résidus de biocides dans un grand nombre de fruits et de légumes. Les biocides s'introduisent dans les aliments de différentes façons. Dans la plupart des exploitations agricoles, on se sert d'herbicides et de fongicides qui s'infiltrent dans les plantes par les racines. On traite parfois huit fois les champs de blé avant la moisson. D'autres biocides sont pulvérisés sur les grains en silos. Il est possible que 40 % des poisons qui se sont introduits dans le blé y subsistent après qu'il a été moulu et transformé en pain. Donc, même le pain complet peut contenir des biocides.

Ce n'est pas tout. L'utilisation excessive de nitrates (engrais chimiques) laisse des résidus dangereux dans

CE QU'IL NE FAUT PAS AVOIR DANS SON PLACARD DE CUISINE

La plus grande partie des aliments que nous gardons dans nos placards de cuisine ne sont pas aussi nourrissants que les étiquettes le prétendent. Ils sont souvent bourrés de produits chimiques qui, peut-être, les colorent, les parfument, les conservent et les stabilisent très bien; mais ils ont peu de valeur nutritionnelle et, parfois, s'avèrent dangereux pour notre santé.

BOISSONS

Les sirops et les sodas sont à base d'eau très sucrée à laquelle on a ajouté des colorants et des agents de sapidité artificiels. Ces additifs peuvent provoquer des réactions allergiques et de l'hyperactivité chez les enfants.

SAUCES, CONDIMENTS ET CONFITURES

La plupart des condiments, des pâtes à tartiner, des confitures et des sauces contiennent énormément de sucre, de colorants, d'agents de sapidité artificiels, d'émulsifiants et de conservateurs.

FRUITS ET LÉGUMES

Les conserves sont colorées artificiellement avec l'un des 14 colorants azoïques qui peuvent provoquer des réactions allergiques, surtout chez les enfants. On conserve les aliments déshydratés avec des sulfites et de l'anhydride sulfureux qui provoquent aussi des réactions allergiques. Ils contiennent des additifs artificiels qui leur prêtent un aspect plus «naturel» quand ils sont réhydratés.

DESSERTS

Les gâteaux et autres desserts sont pleins de sucre, de graisse, de colorants et d'agents de sapidité, d'antioxydants et de conservateurs, dont certains pourraient provoquer des réactions allergiques et des cancers. Ils ont aussi une basse teneur en vitamines, sels minéraux, fibres et protéines.

PAIN ET CÉRÉALES INDUSTRIELS

Le pain blanc et les céréales à base de farine blanche contiennent des décolorants, des conservateurs et des antioxydants qui, dans certains cas, provoquent des réactions allergiques. Ces aliments sont bien moins nourrissants que ceux faits avec de la farine complète.

les légumes. Une enquête menée récemment en Grande-Bretagne montre que l'on a trouvé des nitrates dans 30 % des fruits et légumes. En Allemagne, on a découvert que les laitues en contenaient chacune autant que trente litres d'eau potable. En France, on trouve des nitrates provenant directement des engrais dans les légumes, les fruits, et même les tisanes !

Les nitrates accroissent aussi la quantité d'eau contenue dans les aliments, eau payée par le consommateur. Les pommes, par exemple, contiennent bien plus d'eau quand elles ont poussé dans des vergers sur lesquels on a déversé de grandes quantités d'engrais artificiels. La « Golden délicious » réagit particulièrement bien aux applications d'engrais. Elle retient beaucoup d'eau en mûrissant, devenant ainsi plus grosse et plus brillante, ce qui la rend plus attrayante sur les rayons des supermarchés. Elle est parfaitement insipide, mais peu importe. Beaucoup de légumes et de fruits qui ont l'air frais et sains sont en réalité fortement contaminés. Ils ne doivent leur apparence saine qu'aux produits chimiques dont on les a arrosés.

LES ALIMENTS « NATURELS »

Ce sont des aliments qui ne contiennent pas d'additifs, n'ont pas été raffinés et ne sont pas vendus sous une apparence trompeuse. Et qui, si possible, sont des produits locaux.

Leur mode de fabrication s'appuie simplement sur l'idée que la valeur nutritive d'un aliment est plus importante que son apparence. Comme ces produits ne se présentent pas sous des formes, des tailles et des couleurs normalisées — et qu'ils ne proviennent pas de grosses exploitations — les supermarchés avaient tendance à les ignorer. Mais l'action des mouvements de consommateurs est désormais puissante, et l'on commence à les trouver sur les rayons.

Les aliments naturels sont meilleurs pour la santé. Les maladies des pays riches — le diabète, les maladies de cœur, le cancer de l'estomac et de l'intestin — sont liées à nos habitudes alimentaires. Les nutritionnistes sont maintenant d'accord pour dire que la valeur des protéines, recommandées autrefois par les diététiciens, a été surévaluée et que les hydrates de carbone non raffinés et les matières non assimilables (les principaux composants des aliments naturels) sont bien plus nécessaires. Nous avons besoin de passer d'un régime riche en graisse, en sucre et en sel, et pauvre en fibres à son contraire.

AGISSEZ

Que devez-vous acheter?

- **Des produits frais**
  Les légumes et les fruits frais sont moins traités. Sinon, achetez des surgelés ou des conserves sans sucre, ni sel, ni additifs chimiques.

- **Des aliments complets**
  Les céréales, le pain, les biscuits, les pâtes et le riz complets sont riches en fibres, en hydrates de carbone, en vitamines B et en protéines.

- **Fuyez le gras**
  Mangez du bœuf, du poulet ou du poisson, qui contiennent moins de graisse et plus de protéines. Le poisson renferme des graisses polyinsaturées, des vitamines et des minéraux.

- **Des boissons naturelles**
  Des jus de fruits ou de légumes sans adjonction de sucre, d'agents de sapidité ou colorants. On trouve maintenant des vins et des bières biologiques sans produits chimiques.

- **Fuyez le sucre**
  Choisissez des yaourts nature, des fruits secs ou frais, des barres à base de céréales, des gâteaux à la farine complète avec du sucre non raffiné ou du miel.

- **Attention à l'excès de sel et aux condiments**
  Il existe maintenant un large choix de sauces comportant peu de sel et de sucre, sans colorants et agents de sapidité, ni conservateurs chimiques.

CHARCUTERIE
Cette viande est riche en graisse saturée, responsable de maladies de cœur. Ces produits contiennent aussi beaucoup de sel et des additifs artificiels. On soupçonne certains conservateurs utilisés en charcuterie de provoquer des cancers, de l'asthme et des cas de stérilité.

BOISSONS ALCOOLISÉES
La vinification et la brasserie sur une grande échelle impliquent l'utilisation d'additifs artificiels qui sont, ou pourraient être, responsables de certains problèmes de santé. Le sulfitage, entre autres, peut provoquer des réactions allergiques et des problèmes de stérilité.

LES ALIMENTS NON RAFFINÉS

Ce que la nature produit est à la fois nourrissant et bon au palais. Si un régime se compose d'aliments «naturels», il n'est même pas nécessaire qu'il soit varié. Les tribus Boranas, au nord du Kenya, vivent presque exclusivement de lait — avec un peu de viande de temps en temps — et ce peuple est en excellente santé. Pourquoi ne souffre-t-il pas de maladie de cœur ? On nous dit pourtant que c'est ce qui nous attend si nous mangeons trop de produits laitiers gras.

D'abord parce que leur lait provient de vaches qui n'ont pas été séparées de leurs mères dès la naissance et nourries d'aliments industriels et d'antibiotiques.

En outre, ce lait n'a subi aucun conditionnement. Il n'a pas été transporté dans des camions-citernes avant d'être déversé dans de grandes cuves en métal et fouetté par des palettes métalliques. Il n'a pas été chauffé pour tuer les bactéries, ni empaqueté dans des cartons, puis empilé sur des rayons de supermarchés.

Ensuite, les Boranas ne souffrent pas de thrombose coronaire parce qu'ils mènent une vie active. De même, les hommes qui ont bâti les cathédrales ou les vastes réseaux ferroviaires tiraient leurs forces d'aliments non raffinés.

Nous ne faisons pas ici un plaidoyer pour le régime lacté. Beaucoup de peuples, comme les Chinois par exemple, ne consomment pour ainsi dire pas de produits laitiers. D'autres ont des aliments de base différents. Mais il n'agit toujours d'une nourriture *non raffinée*.

Nous, Occidentaux, avons mis du temps à comprendre que les aliments complets étaient meilleurs que ceux qui avaient été privés de la moitié de leurs substances nutritives par le raffinage. Nos ancêtres vivaient de céréales, de fruits, de noisettes, de noix et d'amandes, mais ce n'est qu'au début de ce siècle que les effets bénéfiques d'un tel régime ont été découverts par un Suisse, le docteur Bircher-Benner, qui mit au point un aliment complet, le muesli. Ce n'est pas en mangeant des casse-croûte en conserve et des plats en barquettes que l'humanité a évolué : éliminez cela de votre régime et vous resterez en bonne santé.

LES ALIMENTS COMPLETS ET LA TERRE

Le fait de manger des produits naturels, s'ils est bénéfique pour le consommateur, l'est aussi pour la terre. Cette nourriture provient souvent de fermes biologiques (voir p. 42). Privilégier les aliments complets n'encourage donc ni l'emploi de produits chimiques agricoles, ni la surproduction. Comme on ne peut pas les conserver longtemps, la plupart des aliments biologiques sont cultivés dans la région, ce qui réduit le gaspillage d'énergie dû au transport.

Beaucoup de personnes qui se nourrissent ainsi sont végétariennes, mais cela n'empêche pas les mangeurs de viande de réclamer des produits non raffinés. Au contraire. Plus nous serons nombreux à consommer des produits naturels et plus la culture biologique s'étendra ; on utilisera moins de biocides et les routes ne seront plus encombrées de camions chargés d'aliments industriels, fonçant vers les rayons des supermarchés.

LE PHÉNOMÈNE FAST-FOOD

Comme les automobiles et les électrophones, les hamburgers sont composés d'éléments qui viennent de toutes les parties du monde : c'est la nourriture la moins «régionale» que l'on puisse trouver. Si vous mangez un hamburger à Paris, par exemple, la viande provient peut-être de bovins français, mais ils sont nourris de maïs américain et de soja brésilien, ou même thaïlandais. Le petit pain a été fabriqué en France, mais le blé est importé d'Amérique du Nord. Le fromage (fondu) vient de Hollande, les oignons et la laitue viennent d'Espagne et les tomates d'Italie. Bien que les frites qui l'accompagnent soient probablement faites avec des pommes de terre du pays, le papier qui les enveloppe est fabriqué en Scandinavie et les emballages façonnés et imprimés en Allemagne de l'Ouest. La recette, bien sûr, est américaine.

Il y a maintenant près de deux cent cinquante mille points de vente de hamburgers dans le monde, dont onze mille appartiennent à Mc Donald's (quatre-vingt-sept seulement en France). Cette firme se vante de ce que la nourriture qu'elle distribue est «conforme aux règles d'hygiène», et il est de fait qu'elle accorde une attention quasi militaire aux dimensions, aux poids, aux ingrédients, à l'emballage et à la présentation.

Cette opération est extrêmement lucrative. Les personnes qui avaient acheté des actions Mc Donald's en 1966, pouvaient déjà récupérer cinquante fois leur mise sept ans plus tard. En 1984, le chiffre d'affaires mondial de cette chaîne dépassait 10 milliards de dollars ; il était de 35 milliards 200 millions en 1988, dont 1 milliard 155 millions en France (12,2 % seulement du marché national français)...

Mais pourquoi manger tous ces hamburgers ? Pourquoi les Français, avec leur merveilleuse cuisine, ont-ils une vingtaine de fast-foods sur les Champs-Élysées ? Qu'est-ce qui les rend irrésistibles au point que les Autrichiens, les Kenyans, les Phillippins, les Italiens, les habitants de Taiwan et même les Japonais en soient devenus des fans ?

Parce que leur goût a été élaboré en vue de plaire à tous et que l'opération commerciale a été intelligemment combinée. De plus, cette nourriture est vite préparée et bon marché ; alors qu'est-ce qui ne va pas, nous direz-vous ?

LE FAST-FOOD ET LES FORÊTS

Les chaînes de fast-food sont des multinationales ; elles peuvent donc acheter partout les « composants » de leurs produits. Aux États-Unis, une grande partie de la viande provient des ranches d'Amérique centrale. Le Costa Rica, par exemple, exporte chaque année 42 000 tonnes de viande de bœuf dont une grande partie est destinée aux fabricants de hamburgers.

Le drame, c'est que ce pays est totalement incapable d'élever des bovins. La terre que les troupeaux paissent a été défrichée : de 50 000 à 70 000 hectares de forêt sont détruits chaque année afin de fournir des pâturages de courte durée. La déforestation provoque l'érosion du sol et les nouvelles prairies sont ravagées en quelques années. Un tiers du pays est maintenant couvert de pâturages ou de garrigues stériles. Les grands ranches s'étendent en expropriant les petits fermiers qui ne trouvent pas de travail dans ces élevages parce qu'une seule personne peut surveiller un troupeau de mille bêtes. Ce qui met en danger l'économie du pays.

AGISSEZ
Comment éviter les aliments industriels

- **Achetez les produits régionaux**
  Consommez, dans la mesure du possible, des aliments de votre région. Cela évite le transport, l'entreposage et la distribution, et donc économise l'énergie, le fuel et les frais généraux.
- **Lisez les étiquettes**
  Notez d'où viennent les aliments que vous achetez. Évitez les produits importés de l'étranger s'il existe des marques locales équivalentes.
- **Changez les mentalités**
  Expliquez aux détaillants que vous préférez des aliments originaires de la région, ou du moins, qui ne causent pas de dommages écologiques au pays d'origine.

Un régime riche en fibres
Manger des aliments riches en fibres ne fait pas que satisfaire l'appétit, cela diminue aussi la fréquence de nombreuses maladies digestives, comme le cancer du côlon. C'est aussi bon pour l'environnement. N'étant pas raffinés, ces aliments consomment moins d'énergie et produisent aussi moins d'ordures.

Bien que les chaînes de fast-food ne reconnaissent pas volontiers qu'elles achètent leur bœuf en Amérique du Sud ou en Amérique centrale (car cela ne plaît pas aux éleveurs des États-Unis et aux industries d'aliments pour bovins), cette relation commerciale est établie. Les éleveurs du Costa Rica l'ont volontiers confirmée.

Les consommateurs européens de hamburgers n'ont pas de raison d'avoir meilleure conscience. Si le bœuf vient effectivement d'Europe, les troupeaux sont engraissés avec du soja dont la moitié vient du Brésil et l'autre des pays du tiers monde. Une grande partie du soja brésilien — presque les neuf dixièmes — pousse sur des terres qui appartenaient naguère aux petits fermiers. Ces parcelles fournissaient autrefois un moyen d'existence à de nombreuses familles. Les nouvelles exploitations utilisent des machines agri-coles, augmentant ainsi le nombre des chômeurs, et plus la demande de soja s'élève, plus la déforestation s'accélère.

QU'ARRIVE-T-IL QUAND LA FORÊT TROPICALE EST DÉFRICHÉE?

La demande de viande émanant du Japon, des États-Unis et de l'Europe augmente, et la tentation de produire plus de bœuf s'intensifie dans les pays d'Amérique du Sud et d'Amérique centrale. Le Honduras, le Salvador, le Guatémala, le Panama et le Nicaragua ont abattu ou brûlé leurs forêts pour créer des pâturages. En 1988, les trois quarts de la forêt tropicale humide accessible d'Amérique centrale ont été défrichés ou gravement décimés pour nourrir les troupeaux destinés aux consommateurs des pays riches.

Vingt mille kilomètres carrés de forêt tropicale hu-

L'EXPLOSION DU FAST FOOD

Les restaurants de fast-food se sont implantés dans le monde entier depuis les années 50. La consommation de bœuf a augmenté en proportion. Cette table montre comment les ventes de hamburgers se sont accrues en vingt ans. C'est une catastrophe pour les pays qui produisent la viande destinée aux fast-food. On a défriché la forêt tropicale à un rythme effrayant afin de créer des pâturages pour les bovins. Il s'est vendu, en France, en 1988, 154 millions 800 hamburgers, soit 424 000 par jour. Une industrie qui écoule des bas morceaux impropres à la vente autrement.

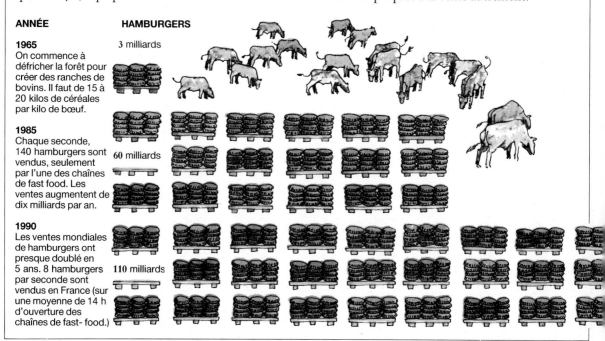

ANNÉE

HAMBURGERS

1965
On commence à défricher la forêt pour créer des ranches de bovins. Il faut de 15 à 20 kilos de céréales par kilo de bœuf.

3 milliards

1985
Chaque seconde, 140 hamburgers sont vendus, seulement par l'une des chaînes de fast food. Les ventes augmentent de dix milliards par an.

60 milliards

1990
Les ventes mondiales de hamburgers ont presque doublé en 5 ans. 8 hamburgers par seconde sont vendus en France (sur une moyenne de 14 h d'ouverture des chaînes de fast- food.)

110 milliards

mide sont défrichés chaque année, non pour créer des exploitations agricoles permanentes, mais pour effectuer un profit à court terme avant que la terre ne s'épuise. C'est de la folie car ces forêts abritent des milliers d'espèces végétales et animales d'une importance cruciale pour beaucoup de branches de la recherche scientifique (voir p. 111). Le Panama, pays minuscule, possède autant d'espèces végétales que l'Europe tout entière. Ces plantes disparaissent avec les forêts, ainsi que les Indiens qui y habitent, véritables experts mondiaux de l'écologie de la jungle.

Dans ces pays, une fois abattue la forêt tropicale, le sol s'appauvrit rapidement. La plupart des substances nutritives ne sont pas dans la terre, mais au-dessus du sol, dans les arbres et les plantes. Quand un organisme meurt, il n'est pas absorbé par le sol, mais rapidement converti en nouvelles pousses. Il n'y a pas d'humus fertile, cette couche de terre que l'on peut prendre à poignées dans les régions forestières tempérées. Lorsque la voûte feuillue à plusieurs niveaux disparaît, le sol est alors exposé aux pluies torrentielles et à l'impitoyable chaleur du soleil, et l'érosion l'entraîne rapidement.

Il n'y a pas d'exploitations «anciennes» sur cette terre soi-disant reconquise. Elles ne peuvent pas durer longtemps. Entre 1966 et 1987, 20 millions d'hectares de forêt amazonienne, (un tiers de la France!) ont été brûlés pour être convertis en pâturages. Dans

moins de soixante-dix ans, à ce rythme, la forêt amazonienne brésilienne aura disparu en totalité.

LA PROTECTION DE LA NATURE COMMENCE DANS VOTRE CUISINE

Le fast-food n'est pas le seul responsable : il y a d'autres produits importés, comme la viande en conserve, les fruits et les aliments pour animaux, qui jouent leur rôle dans cette dévastation d'un habitat naturel. En Thaïlande, des millions d'hectares de forêt tropicale ont été défrichés afin de produire de la nourriture pour les cochons européens. Le Niger et d'autres pays de l'Afrique occidentale, dont la déforestation est presque totale, exportaient des denrées pour animaux tandis que la sécheresse désolait le Sahel et que des centaines de milliers de gens mouraient de faim.

Fertilisation artificielle
Ce fermier brésilien (ci-dessus) essaie de revivifier le sol défriché et labouré de la forêt avec des engrais artificiels. C'est le début d'un engrenage qui aboutira à l'épuisement de la terre.

Le rythme de la déforestation
De vastes étendues de la forêt équatoriale brésilienne (à gauche) sont défrichées pour créer des pâturages. Le sol ainsi dénudé s'épuise rapidement et l'érosion le guette.

La défense des forêts tropicales commence dans votre cuisine. Il est inutile de pleurer sur les arbres si vous vous nourrissez de biftecks provenant de troupeaux brésiliens.

Les forêts sont détruites parce que l'industrie agro-alimentaire importe de la nourriture de pays dont les habitants vivent souvent misérablement. Pour mettre fin à cela, il ne faut qu'un peu de persévérance. Ne renoncez pas au fast-food si vous l'appréciez, mais renseignez-vous pour savoir d'où vient la nourriture et refusez celle qui est produite aux dépens de l'environnement : nous pourrons ainsi rapidement mettre fin à ces échanges qui s'effectuent le plus souvent au détriment des populations les plus défavorisées.

LES DÉCHETS : UNE MONTAGNE À ARASER

La production de déchets vue sous un jour nouveau
L'énergie par les déchets
La fertilation des sols par les déchets
Comment éviter le surconditionnement
Les conditionnements biodégradables
Le recyclage des déchets ménagers

Lorsqu'on déblaie une ancienne décharge pour construire une resserre ou aménager un jardin, on tombe parfois sur des choses curieuses : des fers avec ou sans leurs chaussures, de vieilles saucières émaillées, des morceaux de poterie, des restes de faucilles, de faux et de lames de bêches ; on trouve parfois aussi quelques tessons de bouteilles.

En somme, plusieurs dizaines d'années ne produisaient jadis qu'un petit tas d'ordures. À l'époque, aucune collecte n'était organisée et chacun gérait ses propres déchets. Il existait des décharges, mais les déchets organiques allaient aux cochons ou au compost. En fait, il y avait véritablement très peu de choses qu'il était nécessaire de jeter.

Notre vie moderne, au contraire, se caractérise par un gâchis sans précédent. En France, chaque individu produit entre trente et cinquante kilos de déchets par mois, soit entre 300 et 500 par an !

Lorsque les générations futures dégageront nos décharges, elles auront de nos habitudes de consommation une vision fascinante. Bien sûr, certains de nos déchets auront pourri : papiers, cartons et résidus alimentaires qui représentent plus de la moitié de notre production d'ordures. Mais il restera toujours des montagnes de plastique, de verre et de métal pour témoigner de notre mode de vie.

C'est le plastique qui représentera la plus grosse partie de ces déchets. Il sera peut-être été déchiré ou brisé, mais il n'aura pas été désintégré. Les inscriptions sur les sacs publicitaires ne seront même pas ef-

QUE DEVIENNENT NOS DÉCHETS ?

Nous rejetons de plus en plus de déchets et augmentons en conséquence la contamination des sols, de l'eau et même de l'air. La plus grande partie des déchets ménagers et industriels se présente sous la forme d'un mélange peu engageant : déchets organiques dégradables, mais aussi matières plastiques très polluantes et poisons dangereux. Sous cette forme, les éléments valorisables ou recyclables ne peuvent pas être exploités.

L'INCINÉRATION EN PLEINE MER

Les produits chimiques sont incinérés à très hautes températures dans des bateaux spéciaux, puis dispersés dans l'atmosphère. Cette technique pollue la mer, mais elle continue à être largement utilisée car elle est moins onéreuse que le traitement des déchets à terre.

Centrale nucléaire

LES DÉCHETS NUCLÉAIRES

La plupart des déchets des centrales nucléaires resteront radioactifs pendant des milliers d'années. La plupart de ces déchets ont été enterrés ou rejetés en mer. De 1967 à 1982, date d'interdiction des rejets en mer, les océans ont accueilli 94 000 tonnes de déchets nucléaires.

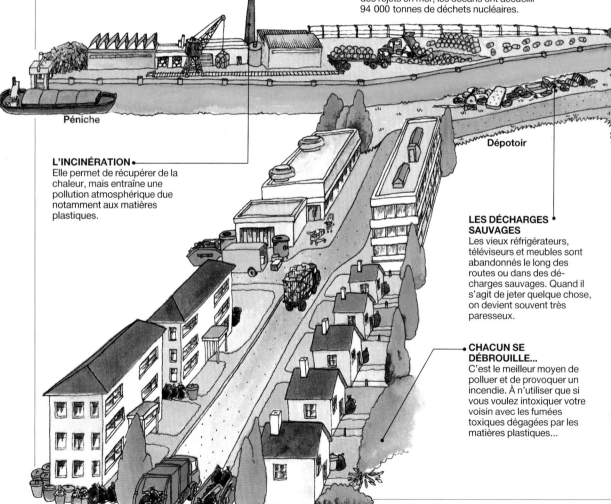

Péniche

L'INCINÉRATION

Elle permet de récupérer de la chaleur, mais entraîne une pollution atmosphérique due notamment aux matières plastiques.

Dépotoir

LES DÉCHARGES SAUVAGES

Les vieux réfrigérateurs, téléviseurs et meubles sont abandonnés le long des routes ou dans des décharges sauvages. Quand il s'agit de jeter quelque chose, on devient souvent très paresseux.

CHACUN SE DÉBROUILLE...

C'est le meilleur moyen de polluer et de provoquer un incendie. À n'utiliser que si vous voulez intoxiquer votre voisin avec les fumées toxiques dégagées par les matières plastiques...

L'IMMERSION
On prend depuis longtemps la mer pour une poubelle et on y rejette de plus en plus de vidanges et de déchets industriels.

ENSEVELISSEMENT
Dans la plupart des pays, la solution la plus répandue consiste à déposer les déchets dans une excavation, puis à les recouvrir. Ce procédé n'empêche pas la pollution des sols et des installations de distribution d'eau. De plus, il peut se trouver des produits toxiques qui empoisonnent les arbres les mieux enracinés.

LES DÉCHETS INDUSTRIELS
Les pays occidentaux produisent un total de 1 milliard de tonnes de déchets industriels par an. Rien qu'en France, on a produit 150 millions de tonnes de déchets industriels dont 20 millions de tonnes contenaient des substances nocives.

facées, on identifiera parfaitement les maquettes de voitures, les assiettes, les cuillers, les bigoudis, les pots de yaourts, les transistors et autres balances de cuisines. Les objets métalliques, quant à eux, auront rouillé. Pour peu que nos explorateurs de décharges vivent dans une époque plus raisonnable, ils se demanderont sans doute pourquoi, pour la première fois dans l'histoire de l'humanité, nous nous sommes mis à produire une masse de déchets aussi considérable. Ils essayeront de comprendre comment nous en sommes arrivés à produire en un an dix fois notre poids en déchets en textiles, papiers, verre, plastique, métaux et restes de nourriture.

LA SOCIÉTÉ DE CONSOMMATION

C'est pendant l'expansion économique qui a suivi la Deuxième Guerre mondiale que la production de déchets s'est accélérée. Cette période de prospérité a en effet engendré un changement total dans les habitudes de production et de consommation, débouchant sur le gaspillage.

C'est en Amérique que débuta le phénomène. Le principe du self-service pour tout impliquait des conditionnements sophistiqués. Dans le même temps, les experts en marketing faisaient feu de tout bois pour augmenter les ventes — ou stimuler la consommation, comme disent les économistes.

Au milieu des années 50, un consultant en marketing, Victor Lebow, publia dans un journal américain une apologie de la « consommation forcée ». Selon lui, « notre économie hautement productive (...) exige que nous fassions de la consommation un véritable mode de vie, que l'achat et la consommation deviennent des habitudes, que nous puisions dans la consommation nos satisfactions spirituelles (...). Il faut que les choses soient consommées, brûlées, usées, remplacées et jetées à un rythme toujours accéléré ». Ce point de vue fut repris par le chef du service économique de la plus grande agence de publicité du monde à l'époque, J. Walter Thompson. Celui-ci affirmait qu'en 1960, pour suivre les capacités de production du pays, les Américains devraient augmenter de 16 milliards par an le montant de la consommation des ménages.

Et c'est bien ce qui arriva. Dans ce monde à l'envers, ce n'est pas le besoin qui engendra l'augmentation de la production, mais le contraire. Tout le monde y trouvait son intérêt : les industriels, les syndicalistes, les grossistes et les détaillants, les commerciaux et les

Les ordures d'une semaine
Cette poubelle parmi tant d'autres représente un petit désastre écologique. Des déchets organiques qui pourraient être valorisés sont mélangés à des quantités d'objets en matière plastique. D'autres déchets pourraient être recyclés et ne le seront pas : papiers, cartons, papier d'aluminium, récipients métalliques ou bouteilles.

politiques. Ce gaspillage était parfaitement délibéré, c'est ainsi que les Américains devinrent des consommateurs insatiables de produits manufacturés. Les pays occidentaux emboîtèrent alors le pas.

LOIN DES YEUX, LOIN DU CŒUR

L'un des meilleurs moyens de pousser les gens à la consommation consiste à les débarrasser de leurs ordures au rythme où ils les produisent. Nous ne voyons pas le résultat de notre gaspillage, car on nous cache pudiquement une bonne partie de cette montagne de détritus.

En fait, la collecte des ordures ménagères, loin d'éliminer les déchets, en crée de nouveaux. Les éboueurs méritent bien leurs étrennes; la semaine entre Noël et le Jour de l'An est en effet une période record qui justifie une petite récompense. Imaginons en effet que toutes ces ordures restent devant notre porte : emballages en polystyrène, papiers divers, os de dindes, bouteilles, conditionnements en plastique pour fruits et légumes, boîtes en carton, piles usagées, vieux journaux, et même les jouets de l'année précédente... Peut-être alors y regarderions-nous à deux fois avant de nous débarrasser de tant de déchets, et donc avant d'acheter.

Qu'arrive-t-il donc à ces déchets ? Dans la plupart des pays, ils finissent dans des décharges où l'on trouve de tout : emballages, déchets organiques, tessons de bouteilles, boîtes de conserve, mobilier, appareils ménagers. Mais il y a aussi, en quantités

QUELLE EST NOTRE PRODUCTION DE DÉCHETS ?

Ce tableau indique la quantité annuelle d'ordures ménagères produite dans un certain nombre de pays développés en 1985. Ces chiffres ne prennent pas en compte les déchets abandonnés dans les décharges sauvages ou les dépotoirs. Pour la France, la quantité pour 1988 est de 17 millions de tonnes, soit une moyenne par habitant de 300 kilos par an, pouvant aller jusqu'à 400 kilos dans des villes comme Paris.

	Tonnage annuel (en tonnes)	Moyenne par habitant (en kg)
U.S.A.	200 000 000	875
Australie	10 000 000	680
Canada	12 600 000	525
Nouvelle-Zélande	1 528 000	488
Norvège	1 700 000	415
Danemark	2 046 000	399
Pays-Bas	5 400 000	381
Japon	40 225 000	344
R.F.A.	20 780 000	337
Suisse	2 146 000	336
Belgique	3 082 000	313
Suède	2 500 000	300
Finlande	1 200 000	290
France	15 500 000	288
Grande-Bretagne	15 816 000	282
Italie	14 041 000	246
Espagne	8 028 000	214

Toujours plus haut...
À travers le tourbillon des mouettes, on distingue les immeubles d'un grand centre urbain derrière la décharge municipale. Les citadins produisent nettement plus d'ordures que les habitants des campagnes. En moyenne, l'Américain rejette 875 kilos de déchets par an, mais les habitants des grandes villes dépassent la tonne.

moindres, des éléments beaucoup plus dangereux, comme des bidons à moitié pleins de produits de nettoyage, des médicaments, des pesticides, des produits de traitement du bois, de la peinture et du décapant, des colles, des dissolvants pour les ongles, des huiles de vidange et des batteries usagées. Et tout cela se retrouve entassé au même endroit en amas nauséabonds, dangereux et impossibles à gérer.

Les ordures ménagères se composent de détritus très divers qui ne devraient pas rejoindre la même poubelle. Une fois que ce mélange est recouvert, les matières organiques, qui devraient se trouver dans un compost, se décomposent en produisant un gaz inflammable qui remonte à la surface (on le recueille parfois pour l'utiliser comme moyen de chauffage). Les minéraux lourds, comme le mercure, le cadmium, le nickel provenant des piles, des solvants, des désherbants, etc. pénètrent dans le sol et se retrouvent dans l'eau du robinet. Faute d'avoir été réalisée dans une cuve étanche, la décharge devient une fontaine qui dispense de la pollution.

Toutes ces ordures prennent beaucoup de place et trop souvent on sacrifie de petites vallées ou des terrains cultivables en se contentant de recouvrir les déchets de terre. On interdit sur ces terrains toute construction ou toute culture maraîchère ultérieures, mais l'on juge suffisant de dissimuler les ordures.

L'ÉNERGIE PAR LES DÉCHETS

Que se passe-t-il lorsqu'une décharge est pleine ? Jusqu'à une période récente, l'usine d'incinération constituait la solution la plus courante. L'intention était louable, car la production d'énergie par incinération semblait concilier les intérêts de l'économie et de l'écologie. Mais, à mesure que se multipliaient les usines d'incinération, les signaux d'alarme se déclenchèrent. En effet, si elles éliminent les déchets, elles dispensent aussi des gaz dangereux dans l'atmosphère. Si la température d'incinération est inférieure à 900°C, ce qui est le cas le plus fréquent, les plastiques, les pesticides et les produits de traitement du bois peuvent produire des dioxines; celles-ci figurent parmi les substances les plus dangereuses que nous connaissions.

À titre d'exemple, le TCDD est une dioxine qui connut une triste célébrité lorsqu'elle s'échappa d'une usine de produits chimiques à Seveso en Italie, contaminant le sol à un point tel que celui-ci est toujours impropre à la culture plus de dix ans après la catastrophe. Même en quantités infinitésimales, la dioxine provoque de nombreuses affections chez l'homme, principalement l'acné du chlore qui apparaît sur le visage, le cou et les épaules et peut mettre deux ans à disparaître.

Il est possible de maintenir à un niveau minimal la

présence de TCDD dans les fumées d'incinération pour peu que les ordures soient suffisamment malaxées et que l'on veille à fournir une quantité suffisante d'oxygène à l'incinérateur.

Mais actuellement, il existe trop peu d'incinérateurs équipés de ce dispositif; d'autre part, personne ne sait si ce «niveau minimal de TCDD» exclut tout risque. Il n'existe pas de normes internationales concernant le contrôle des émanations, chacun est donc livré à lui-même pour prendre des mesures en matière de sécurité.

LES DANGERS DE L'INCINÉRATION

Les fumées d'incinération contiennent des centaines d'autres substances. On y trouve de l'acide chlorhydrique provenant de l'incinération des plastiques, ainsi que des traces de métaux comme le cadmium, le plomb, le mercure et le sélénium; toutefois, la plus grande partie de ces résidus métalliques reste dans les cendres puis est déversée dans des décharges.

Les incinérateurs avec récupération d'énergie produisent plus d'agents polluants provenant des métaux lourds que n'importe quelle usine fonctionnant au charbon. Du fait de la multiplicité des composants mis au rebut, il faut filtrer et nettoyer les fumées pour les rendre moins dangereuses, ce qui est très coûteux.

Certains se sont dit: si l'on ne peut pas enterrer ou brûler les ordures, pourquoi ne pas les rejeter à la mer? C'est ce que font aujourd'hui de nombreux pays, mais la mer n'a pas un pouvoir d'autoépuration et le milieu marin commence à souffrir des poisons et ordures que l'on y déverse quotidiennement.

DU GASPILLAGE AU COMPOST

Le problème devenant réellement insoluble, certaines villes ont cherché une solution autre que le simple empilement des ordures. Pourquoi ne pas en faire du compost? C'est le cas en Allemagne.

Un de ces terrains de compostage a été établi à Siggerwiesen, près de Salzbourg, pour traiter les ordures ménagères d'environ cinq cent mille personnes. En effet, Salzbourg connaît une augmentation du niveau de vie de ses habitants ainsi qu'un afflux croissant de touristes qui se traduisent par 100 000 tonnes d'ordures par an. Les autorités municipales ont donc cherché à gérer de manière positive cette contrainte grandissante.

LA MAISON DU GÂCHIS : EXEMPLE TYPE

Les objets dont nous nous débarrassons sont de deux sortes : d'une part, ceux qui proviennent de la vie quotidienne (emballages, bouteilles, canettes, journaux); d'autre part, les biens d'équipement qui nous ont véritablement servi (meubles, vieilles moquettes, objets cassés). Autant ceux-ci sont le résultat inévitable de la vie moderne, autant les déchets de la vie quotidienne peuvent, sans qu'il nous en coûte trop, voir leur quantité diminuer.

AGISSEZ

Six règles d'or pour réduire la quantité de vos ordures

- **Faites un tri «à la source»**
  Pour permettre le recyclage des ordures, chaque habitation devrait être équipée de plusieurs poubelles destinées à accueillir les différents déchets: verre, papier, métal, déchets organiques. Vous pourrez recycler ceux-ci si vous disposez d'un jardin.

- **Faites le test du surconditionnement**
  Le surconditionnement est une énorme source de gâchis. Pensez-y en faisant vos achats (voir le test en page 84).

- **Achetez en grandes quantités**
  Les petites quantités demandent plus d'emballages que les grandes: six canettes vides feront plus d'ordures qu'une bouteille d'un litre et demi.

- **Choisissez des récipients consignés**
  Malgré la désaffection dont elles font l'objet, les bouteilles consignées sont nettement préférables aux canettes en aluminium.

- **Choisissez les emballages naturels**
  Les emballages en carton ou en papier, matières recyclables, sont préférables aux conditionnements en plastique. De même, choisissez des bouteilles en verre plutôt qu'en plastique.

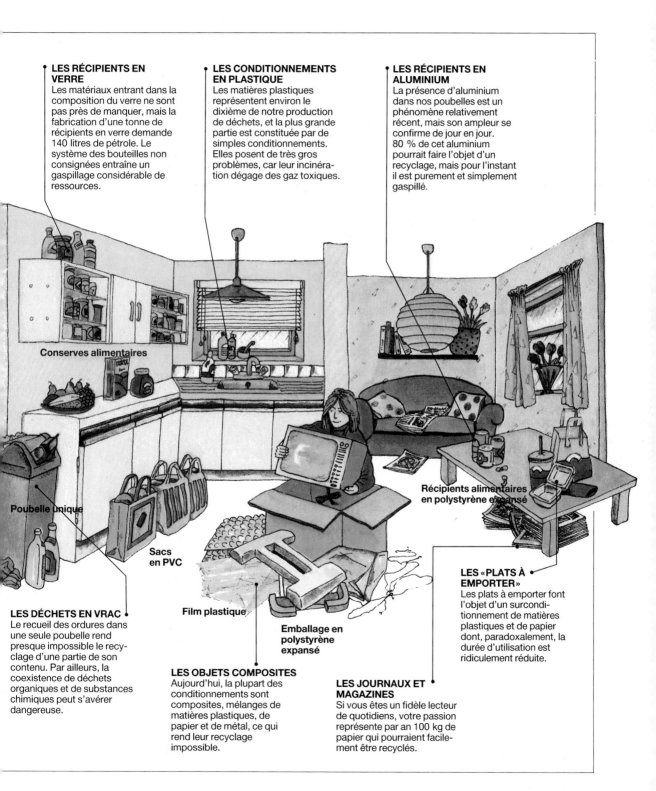

LES RÉCIPIENTS EN VERRE
Les matériaux entrant dans la composition du verre ne sont pas près de manquer, mais la fabrication d'une tonne de récipients en verre demande 140 litres de pétrole. Le système des bouteilles non consignées entraîne un gaspillage considérable de ressources.

LES CONDITIONNEMENTS EN PLASTIQUE
Les matières plastiques représentent environ le dixième de notre production de déchets, et la plus grande partie est constituée par de simples conditionnements. Elles posent de très gros problèmes, car leur incinération dégage des gaz toxiques.

LES RÉCIPIENTS EN ALUMINIUM
La présence d'aluminium dans nos poubelles est un phénomène relativement récent, mais son ampleur se confirme de jour en jour. 80 % de cet aluminium pourrait faire l'objet d'un recyclage, mais pour l'instant il est purement et simplement gaspillé.

Conserves alimentaires

Poubelle unique

Récipients alimentaires en polystyrène expansé

Sacs en PVC

LES DÉCHETS EN VRAC
Le recueil des ordures dans une seule poubelle rend presque impossible le recyclage d'une partie de son contenu. Par ailleurs, la coexistence de déchets organiques et de substances chimiques peut s'avérer dangereuse.

Film plastique

Emballage en polystyrène expansé

LES OBJETS COMPOSITES
Aujourd'hui, la plupart des conditionnements sont composites, mélanges de matières plastiques, de papier et de métal, ce qui rend leur recyclage impossible.

LES JOURNAUX ET MAGAZINES
Si vous êtes un fidèle lecteur de quotidiens, votre passion représente par an 100 kg de papier qui pourraient facilement être recyclés.

LES «PLATS À EMPORTER»
Les plats à emporter font l'objet d'un surconditionnement de matières plastiques et de papier dont, paradoxalement, la durée d'utilisation est ridiculement réduite.

Les ordures, source d'énergie C'est à Ivry-sur-Seine, en région parisienne, que se trouve la plus grande usine d'incinération d'ordures ménagères du monde. Les bennes à ordures y déposent leur chargement, et ces gigantesques mâchoires traitent 110 tonnes d'ordures par heure, soit 730 000 tonnes pour l'année 1989.

À Siggerwiesen, les ordures sont acheminées par bennes et déchargées à l'extérieur du lieu de compostage. Les déchets de toute nature se trouvent réunis : débris alimentaires, journaux, cartons, boîtes de conserve, verre, piles et objets en plastique. Tous ces éléments sont broyés par de gros marteaux qui réduisent en poudre le verre et les boîtes de conserve. Puis des trieurs magnétiques retiennent les particules ferreuses et les métaux non ferreux. Les plastiques sont, eux aussi, extraits. Le reste est alors enfermé dans des tambours de fermentation gros comme deux locomotives, dans lesquels on ajoute des boues provenant des égouts.

Les tambours tournent lentement, tandis que l'on y insuffle de l'air pompé ; les ordures commencent alors à fermenter et le mélange se met à chauffer. Après deux jours d'exposition à plus de 75°C, la plus grande partie des germes dangereux est détruite et le proces-sus de transformation en compost est amorcé. On dépose alors le mélange dans des entrepôts de stockage où l'on fera circuler de l'air. Il y restera six à huit mois. Pendant ce laps de temps, les ordures se transforment en compost mature qui a un volume cinq fois inférieur au volume initial des ordures. Pendant cette phase de maturation finale, les germes pathogènes restants meurent. Le compost est alors prêt à l'utilisation.

L'intérêt de ce traitement est bien sûr la fertilité du compost. En effet, il enrichit le sol de matières organiques et crée des conditions idéales de vie pour les organismes qui vivent trente centimètres sous terre : vers de terre, insectes, germes et moisissures.

LES PROBLÈMES POSÉS PAR LE COMPOSTAGE

L'exemple de Siggerwiesen serait-il donc la solution universelle pour résoudre le problème des déchets urbains ? Malheureusement, pas tout à fait, les quantités de déchets à traiter étant par trop gigantesques.

Les ordures ménagères, nous l'avons vu, sont dangereuses car elles contiennent des métaux lourds provenant des piles, et même de l'arsenic entrant dans la composition des insecticides et des pesticides. Certaines de ces substances sont prélevées au moment du tri avant fermentation, mais une partie d'entre elles se retrouvera dans le compost. Les boues des égouts contiennent, elles aussi, des métaux lourds provenant des habitations, des usines et de l'agriculture. Donc le compost, aussi riche en éléments nutritifs soit-il, est loin d'être parfaitement sain. Pour compléter ce tableau mitigé, ajoutons que des morceaux de plastique, même minuscules, se retrouvent systématiquement dans le compost.

Or les agriculteurs, qui ces dernières années ont entendu tant de choses sur la contamination des sols, sont bien peu disposés à utiliser du compost contenant tant d'impuretés, car ils savent qu'ils auront des difficultés à vendre leur production si elle contient des métaux lourds. Pour ces raisons, le compost de Siggerwiesen est vendu principalement aux horticulteurs, pour les parcs et les vignes. On l'utilise aussi pour les forêts dont les sols sont pauvres. Mais on ne l'utilise pas pour la culture de produits alimentaires.

Le compostage n'étant pas la solution face au problème des ordures ménagères, il faut absolument réduire notre production de déchets et recycler ceux que nous produirons. Cela suppose un tri préalable au moment de jeter quelque chose dans la poubelle.

NOS DÉCHETS : ANALYSES ET COMMENTAIRES

En moyenne, chaque ménage remplit deux poubelles par semaine, ce qui représente à la fin de l'année une production d'au moins deux tonnes. Toutes ces ordures réunies constituent un mélange qui, à défaut d'être recyclable, n'en est pas moins édifiant...

LES DÉCHETS RECYCLABLES: ANALYSE DES POTENTIELS RESPECTIFS

La répartition moyenne des ordures ménagères est explicitée ci-dessous; pour chaque catégorie de déchet il est également indiqué dans quelle mesure elle pourrait faire l'objet d'un recyclage. On s'aperçoit qu'une très grande partie des ordures (80 % du tonnage total) pourrait être recyclée: verre, papiers, métaux, déchets organiques... Les 20 % restants sont constitués par les matières plastiques, les produits chimiques sous toutes leurs formes et les objets composites. Il s'agit là de produits difficiles à recycler; il existe toutefois un procédé qui permet le recyclage des matières plastiques (voir pages 87 à 89).

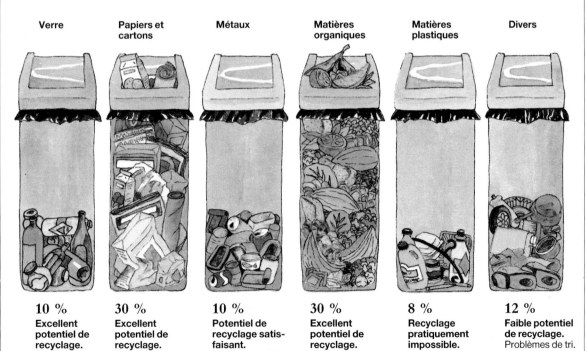

Verre	Papiers et cartons	Métaux	Matières organiques	Matières plastiques	Divers
10 %	**30 %**	**10 %**	**30 %**	**8 %**	**12 %**
Excellent potentiel de recyclage. Importantes économies d'énergie.	**Excellent potentiel de recyclage.** Importantes économies de matières premières.	**Potentiel de recyclage satisfaisant.** Après second tri.	**Excellent potentiel de recyclage.** Facilement compostables.	**Recyclage pratiquement impossible.**	**Faible potentiel de recyclage.** Problèmes de tri.

LE RECYCLAGE DES DÉCHETS ORGANIQUES

Si vous avez un jardin, vous n'avez absolument aucune raison de jeter les déchets organiques dans votre poubelle, car les épluchures, reliefs de repas et autres déchets alimentaires constituent une excellente matière première pour le compost. Il est inutile de les laisser composter par d'autres : utilisez-les pour votre propre jardin.

En revanche, si vous vivez en ville, le problème se pose différemment. Vos déchets organiques doivent être enlevés, mais vous les aurez préalablement séparés des déchets inertes, ce qui demande une certaine discipline. Ainsi, dans certaines villes allemandes, il y a deux poubelles par foyer, une grise et une verte, qui sont vidées alternativement. La poubelle verte est destinée aux déchets culinaires, aux papiers et aux cartons, et son contenu est directement acheminé au compostage. Le contenu de la poubelle grise part pour la décharge ou l'incinérateur. Un exemple que la France pourrait suivre, pour autant que les mentalités changent et que les Français fassent preuve d'autant de civisme que leurs voisins allemands.

Ce système, qui n'utilise qu'un tri partiel, n'en produit pas moins un compost beaucoup plus sûr que lorsque les poubelles accueillent toutes les ordures, quelle qu'en soit la nature. L'effort demandé à chacun est minime puisqu'il se réduit à un simple réflexe et à un peu de bon sens.

ÉVITER LE SURCONDITIONNEMENT

Nous avons vu que les déchets organiques ne devraient pas poser de problème, mais que faire de tous les conditionnements et emballages divers dont nous sommes submergés ? La solution passe d'abord par une prise de conscience du problème, puis par une attitude attentive dans notre vie quotidienne.

Il y a une soixantaine d'années, les Françaises des campagnes emportaient de petits sacs en tissu pour faire leurs courses au village. Chacun de ces sacs était brodé au nom du produit qu'il était destiné à contenir : sucre, thé, café, riz, farine, etc. Les commerçants conservaient tous ces aliments en vrac dans des sacs de jute, des boîtes en bois, des récipients en poterie ou en fer galvanisé. Ils pesaient la quantité de chaque produit demandé et la versaient dans le sac correspondant. À l'époque, le plastique n'avait pas été inventé. On n'abattait pas encore les forêts pour

---

AGISSEZ

Recyclez et valorisez vos déchets dans le jardin

- **Les déchets de cuisine**
  Ils peuvent tous être utilisés dans votre jardin pour fournir des éléments nutritifs à la terre (y compris les coquilles d'œufs et les os).
- **Les fibres textiles naturelles**
  La laine, le coton ou le lin se décomposent rapidement une fois enterrés. La laine, notamment, dégage de l'azote qui est un excellent engrais.
- **Les journaux et les cartons**
  Leur dégradation, quoique longue, est possible s'ils sont enterrés ou compostés.
- **Les produits à base de cellulose**
  La colle cellulosique pour papiers peints (sans fongicide incorporé, bien entendu), la cellophane et la cellulose se dégradent tous parfaitement une fois enterrés.

FAITES LE TEST DU SURCONDITIONNEMENT

Faites un test très instructif : lorsque vous achetez un article, comptez le nombre de couches d'emballage qui le protègent. Deux couches suffisent à la plupart des articles, mais on en compte souvent beaucoup plus. Ce sont les produits de luxe qui battent le record tant il est vrai que, moins un produit est indispensable, plus on l'enveloppe ! Exercez-vous donc avec votre boîte de chocolats...

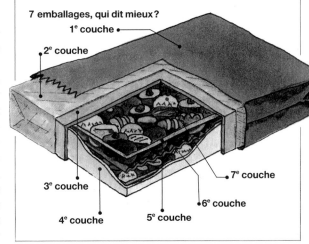

7 emballages, qui dit mieux ?
1e couche
2e couche
3e couche
4e couche
5e couche
6e couche
7e couche

Les emballages, source de pollution
Plus les conditionnements deviennent sophistiqués, plus on voit de corbeilles qui débordent, comme ici au Japon. Les fabricants abandonnent en effet les emballages traditionnels comme le papier paraffiné et leur préfèrent l'aluminium ou les mousses de plastique. Résultat: les corbeilles sont encombrées de conditionnements volumineux et légers qui ne demandent qu'à s'envoler au premier coup de vent.

fabriquer des sacs en papier et les conditionnements non dégradables n'existaient pas. Aujourd'hui, quand nous dépensons cent francs, nous achetons pour quatre-vingt-dix francs de produit et dix francs d'emballage qui, la plupart du temps, n'a pas de véritable utilité. On pourrait éviter ce gâchis si nous étions suffisamment nombreux à refuser les conditionnements superflus.

Le problème tient aussi à ce que le conditionnement ne sert pas qu'à emballer des produits, c'est aussi un moyen de contrôler que les marchandises qui sortent d'un magasin ont bien été réglées.

Il existe une autre absurdité qui mérite d'être dénoncée: le conditionnement «individuel». Plus la quantité d'un produit est limitée et plus le conditionnement est proportionnellement important. L'un des meilleurs exemples de ce gâchis est la mini-plaquette de beurre que l'on sert fréquemment dans les restaurants et les snack-bars. Si l'on calculait ce que coûte le papier d'emballage métallique en énergie et en élimination, on s'apercevrait que le contenant revient plus cher que le contenu. De même, pour des considérations d'«hygiène» et de «commodité», on présente les morceaux de sucre dans des emballages individuels...

Il n'y a pas que les produits alimentaires qui fassent l'objet d'un emballage excessif. Pourquoi nous plier aux stupidités des fabricants qui conditionnent six petites vis dans un coffret sophistiqué et vendent le tout dix fois plus cher que si le quincaillier vous emballait simplement ces vis dans du papier journal? Tout cela n'a pour effet que d'encombrer notre planète avec des déchets.

LE PROBLÈME DU PLASTIQUE

Lorsque Leo Baekeland inventa la bakélite en 1909, il n'imaginait certainement pas à quel point son produit et les autres matières plastiques allaient bouleverser la vie des hommes. Car si la solidité et la résistance sont les qualités essentielles des matières plastiques, elles constituent également un terrible problème. L'absurdité est que les plastiques sont utilisés dans des applications pour lesquelles ils sont complètement inappropriés: nous employons en effet des matières plastiques, matériaux durables, pour fabriquer des objets que nous jetons très rapidement.

Prenons l'exemple d'un sac en plastique. Les matériaux qu'on utilise traditionnellement peuvent résister des années, ce qui rend ce sac pratiquement immortel. En revanche, quelle sera sa durée d'utilisation? Une heure, deux dans le meilleur des cas. Pour ces deux petites heures, nous aurons gaspillé du pétrole et aurons créé une ordure qui nous survivra.

Heureusement, des chercheurs français ont trouvé le moyen de «doper» certains plastiques avec des molécules du maïs qui rendent les sacs en plastique quasiment biodégradables.

Pour certains objets en matière plastique, la durée d'utilisation ne se mesure même pas en heures, mais en minutes et même en secondes... Ainsi, les boîtes en mousse de polystyrène qu'on utilise dans la restauration rapide servent le temps de conserver chauds les aliments avant qu'on les consomme. Après quoi ils finissent dans une poubelle dans le meilleur des cas, au pire sur un trottoir. Ces récipients, comme les sacs en plastique, ont une durée de vie pratiquement illimitée, alors que leur temps d'utilisation est extrêmement court. Et il en va de même de tous les conditionnements alimentaires en plastique : films, boîtes ou sachets.

CE QUE DEVIENT LE PLASTIQUE APRÈS USAGE

Peut-être pensez-vous que gaspiller tout ce plastique n'est pas si grave et qu'après usage, il suffit de l'enterrer ou de le brûler ? Oui, c'est une solution, mais le tribut à payer est bien lourd.

Le fait d'enterrer le plastique ne signifie pas qu'on en soit définitivement débarrassé. Ainsi, les plastiques rouges et jaunes sont généralement pigmentés par du cadmium. Or, ce cadmium peut être dissous par les eaux de pluie et se retrouver dans les installations de distribution d'eau. Autre exemple, le PVC est une matière que l'on trouve très fréquemment dans les intérieurs ; il sert à la fabrication de dalles, de portemanteaux, de rideaux de douche, de disques, de bouteilles en plastique, de pots de margarine ou de films alimentaires, etc. Or, le PVC dégage au repos du chlorure de vinyle. Des analyses ont révélé dans les appartements

Le dépotoir flottant
Il n'y a pas si longtemps, lorsque les détritus produits par l'homme étaient jetés à la mer, ils se décomposaient rapidement et coulaient. Aujourd'hui, les eaux côtières sont couvertes de détritus en matières plastiques (ci-dessus) qui vont et viennent au rythme des marées.

La faune en danger
Les animaux aquatiques peuvent se trouver prisonniers d'objets en plastique jetés inconsidérément. Ainsi, ce phoque (ci-dessous à gauche) est pris dans les mailles d'un vieux filet de pêche. Cette truite (ci-dessous à droite) s'est développée enserrée dans une bague de plastique.

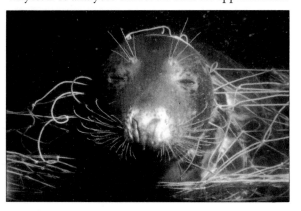

la présence de ce gaz dont on a déterminé qu'il causait des cancers du foie parmi les personnels employés à la fabrication de matières plastiques. Mais on le trouve en quantités considérablement plus importantes dans les décharges, souvent situées à proximité de zones à forte concentration de population.

La plupart des décharges brûlent un jour ou l'autre, parfois pendant des semaines ou des mois; les objets en PVC ou en mousse de polystyrène, en se consumant, dégagent une fumée âcre qu'on n'oublie pas: elle contient du fluor d'hydrogène, un gaz très dangereux qui est aussi en partie responsable de la formation des pluies acides.

On voit qu'il n'est pas si simple de se débarrasser complètement du plastique et l'on comprend qu'il serait préférable de s'en passer.

Pourtant, comme le plastique est fabriqué à partir de naphta qui est un produit dérivé du raffinage du pétrole, nous vivrons probablement entourés de plastique aussi longtemps que nous aurons besoin d'essence pour alimenter nos voitures. Il est donc nécessaire que nous apprenions au plus vite à recourir aux matières plastiques avec sagesse et à les recycler.

LE RECYCLAGE DU PLASTIQUE

Les matières plastiques peuvent nous paraître toutes les mêmes, en fait elles sont très différentes d'un point de vue chimique. Ainsi, certaines peuvent être refondues alors que d'autres ne deviendront liquides qu'avec le feu; or, nous l'avons vu, celui-ci libère les produits toxiques qu'elles contiennent. Tous les procédés de recyclage qui ont été mis au point dans le passé ont achoppé sur ce point.

Aujourd'hui, il est pourtant possible de recycler une bonne partie de ces déchets; il existe en effet des machines qui retraitent tous les plastiques domestiques.

Les plastiques qui fondent à la chaleur (ils représentent les trois quarts du total) sont transformés en une sorte de pâte à laquelle on incorpore des parcelles du plastique qu'il est impossible de liquéfier. Ce mélange est ensuite versé dans des moules et sert à fabriquer de nouveaux produits comme des carreaux ultra-résistants pour les sols d'usines, des palettes, des canalisations d'égouts, des traverses de chemin de fer ou des piquets.

L'avantage de ce procédé est qu'il utilise tous les rebuts de plastique, aussi bien les chutes provenant des usines que les objets des décharges publiques. D'autre part, la matière première est généralement gratuite et les coûts variables sont ceux de la collecte et du transport.

Enfin, ce recyclage permet de fabriquer des objets sans production de nouvelles matières premières et pour une consommation d'énergie négligeable par rapport à ce que demande la production d'aluminium, d'acier ou de nouveau plastique.

LES PLASTIQUES BIODÉGRADABLES

Si les plastiques utilisés pour le conditionnement étaient biodégradables, on araserait une bonne partie de notre montagne de déchets. En effet, ces conditionnements, pour un jour d'utilisation, pourraient aussi bien avoir une durée de vie d'environ un an.

Il se trouve qu'aujourd'hui presque toutes les matières plastiques utilisées résistent totalement à toute forme de dégradation biologique, ce que leur usage ne justifie pas.

Or, il est possible d'utiliser des matériaux qui ont les qualités des plastiques et qui peuvent être décomposés par des bactéries de compostage, comme le sont papiers, cartons ou déchets alimentaires.

Il existe des matières plastiques sans pétrole, biodégradables, provenant de la fermentation de substances naturelles comme le sucre ou d'autres hydrates de carbone. C'est ainsi qu'une entreprise a fabriqué du plastique biodégradable grâce à des bactéries vivant dans les canaux. Ces bactéries sont mises en culture dans des cuves et nourries au moyen d'un régime alimentaire à base de sucre. Elles prolifèrent alors et produisent un « plastique » biologique, un peu comme les mammifères « font du gras » pendant leur croissance. Le plastique produit est alors recueilli dans des récipients de fermentation, puis séché et vendu sous forme de granules. Il est dégradable par les algues, les moisissures ou les bactéries du sol. Un sac fabriqué avec ce matériau se décompose complètement en douze à quinze mois, ou en trois ou quatre mois s'il se trouve dans un tas de compost.

Actuellement, le coût de fabrication de ces plastiques « verts » n'est pas compétitif par rapport à celui des plastiques traditionnels. Mais si l'on réservait ceux-ci aux applications où la « durée de vie » est indispensable, en utilisant le plastique biodégradable pour tous les autres usages, le prix de revient de celui-ci chuterait très rapidement. Il suffirait qu'un nombre suffisant de consommateurs refusent les conditionnements actuels pour que ce problème soit très vite résolu. En ce sens, les recherches des ingénieurs français sur les sacs plastiques « nourris » au maïs permettent d'envisager un prix de revient des plus raisonnables.

QUE DEVIENNENT NOS DÉCHETS ?

Au cours de ces vingt dernières années, les conditionnements alimentaires en verre et en aluminium se sont généralisés dans tous les pays. Avec le temps, le verre et les métaux ne posent pas trop de problèmes. En revanche, les bouteilles en plastique, qui, elles, représentent une part toujours plus grande du conditionnement, résistent à tout processus de décomposition.

L'ALUMINIUM
L'aluminium réagit au contact de l'air, mais la formation d'une couche oxydée empêche sa décomposition. La désintégration de l'aluminium demandera des années.

APRÈS UN AN
La peinture a disparu en partie : seul signe d'altération constaté.

APRÈS CINQ ANS
Le récipient s'est aplati et s'est enfoncé dans le sol.

APRÈS DIX ANS
L'aluminium subit une très lente décomposition au contact du sol.

LE VERRE
Le verre est un matériau non dangereux mais inerte, qui n'est pas susceptible de décomposition. Cependant, il finit par se désintégrer, mais le processus cesse plus ou moins lorsqu'il se trouve dans le sol.

APRÈS UN AN
La bouteille est intacte à la surface du sol.

APRÈS CINQ ANS
Le verre s'est brisé en larges fragments.

APRÈS DIX ANS
De petits fragments de verre sont enterrés.

LE PLASTIQUE
Les matières plastiques sont sensibles aux rayons ultra-violets qui les rendent cassantes. Une fois enterrées, elles ne se décomposent plus. Mais des chercheurs français ont créé un plastique biodégradable.

APRÈS UN AN
Par rapport au moment où vous l'avez jetée, elle a très peu changé.

APRÈS CINQ ANS
L'exposition au soleil a en partie décomposé le plastique.

APRÈS DIX ANS
Une fois enterré, le plastique n'évolue pratiquement plus.

AGISSEZ

Contribuez au recyclage du verre

- **Facilitez le recyclage**
  Ne déposez dans les conteneurs spéciaux que le verre : ôtez préalablement les bouchons et capsules, vous réduirez ainsi les opérations de tri.

- **Réclamez des conteneurs**
  Si vous n'en disposez pas à proximité de chez vous, réclamez-en un. Les fabricants ont intérêt à ce qu'on leur indique de nouveaux sites de collecte.

- **Ne jetez pas les bouteilles consignées**
  Les conteneurs sont réservés au verre usagé, n'y jetez pas les bouteilles consignées : une réutilisation coûte moins cher qu'une refonte.

Le recyclage du verre
On réduit d'abord le verre en petits morceaux, puis on prélève les capsules et les bagues en métal ou en plastique. Le verre est alors prêt à être refondu.

ÉCONOMISONS LE VERRE

Les matières premières entrant dans la composition du verre sont loin d'être épuisées. Il y a sur terre suffisamment de silice pour fabriquer des milliards et des milliards de bouteilles, pour peu qu'on trouve l'énergie nécessaire à la fonte du verre. En fait, ce n'est pas la pénurie de matière première qui nous incite à économiser le verre, mais la dépense en énergie : la fabrication d'une bouteille nécessite en effet une très haute température qu'on atteint en utilisant du pétrole, énergie non renouvelable.

Le verre représente environ 8 % des ordures ménagères, or c'est l'un des matériaux les plus faciles à recycler. Les tessons récupérés dans les conteneurs sont ensuite ajoutés à du verre en fusion dans un fourneau, ce qui nécessite beaucoup moins d'énergie. En France, où la collecte sélective du verre est organisée depuis 1981, on a ainsi récupéré 490 000 tonnes de verre en 1987, dans des conteneurs répartis dans quatorze mille communes regroupant quarante millions d'habitants. Au total, ce sont 600 000 tonnes sur les deux millions de tonnes de déchets de verre produits en 1987 sur notre territoire qui ont été recyclées.

On réaliserait encore plus d'économies si les bouteilles étaient purement et simplement réutilisées ; il est temps que nous revenions au système de la consigne.

Ainsi, en 1972, l'État de l'Oregon a voté une loi selon laquelle tous les récipients destinés à contenir des liquides devaient être consignés. Cette loi eut pour effet d'augmenter le recours aux récipients de verre au détriment du plastique ou de l'aluminium, le verre étant plus facile à réutiliser. Un certain nombre d'autres États ont suivi l'exemple de l'Oregon, et c'est en fait l'option que devrait prendre tout pays qui est peu ou prou concerné par le problème des ordures et les économies d'énergie.

LE RECYCLAGE DE L'ALUMINIUM

Le tribut que paie l'environnement pour la fabrication d'un récipient en aluminium est extrêmement lourd. En effet, l'aluminium est un métal dont la production est parmi les plus polluantes et les plus chères : la fabrication d'un récipient nécessite la moitié de sa contenance en pétrole. L'aluminium est extrait à ciel ouvert de gisements de bauxite dont la plupart se trouvent dans des zones de forêts tropicales. L'extraction détruit de très vastes superficies de végétation et en conséquence, la faune tropicale : insectes, oiseaux et mammifères. Elle laisse le sol à nu, les rivières s'envasent, ce qui chasse les poissons de leur biotope et prive les pêcheurs de leurs moyens de subsistance. La production d'alumine à partir de la bauxite laisse aussi de grosses quantités de scories sur les lieux d'extraction. Pour devenir de l'aluminium, l'alumine subit alors une série de traitements chimiques, facteurs de nombreuses pollutions, entre autres du fluor sous forme gazeuse.

La refonte d'un récipient d'aluminium ne nécessite que 5 % de l'énergie utilisée pour produire un nouveau récipient, et n'engendre pas de pollution. Lorsque nous jetons un vieux seau, par exemple, nous perdons une occasion de préserver l'environnement et d'économiser l'énergie. Là encore, il suffirait d'un tri judicieux ou d'un système de consigne automatique.

Bien entendu, l'aluminium n'est pas un matériau à utiliser couramment car le fait de détruire des forêts tropicales pour extraire de la bauxite ne doit en aucune façon être encouragé. Chaque pays dispose en effet de matières premières pour fabriquer son propre verre, matériau idéal pour le recyclage.

LE RECYCLAGE DU PAPIER

La plus grande partie du tonnage de papier que nous utilisons a une durée d'utilisation de quelques semaines et, dans le cas des journaux quotidiens, de moins d'un jour. Actuellement, on ne recycle guère qu'un tiers du papier consommé alors que la presque totalité pourrait l'être. Ainsi, en France, nous jetons annuellement 6 millions de tonnes de vieux papiers dont 5 millions de tonnes sont théoriquement récupérables. En 1987, l'industrie papetière française a réutilisé la moitié de ce tonnage, soit 2,5 millions de tonnes.

La plupart d'entre nous consommons du papier neuf, blanc comme neige. Or, cette blancheur n'est pas naturelle : elle est le résultat d'un traitement, le blanchiment. Les produits utilisés pour cette décoloration, parmi lesquels le chlore, constituent l'un des principaux dangers que fait courir l'industrie papetière à l'environnement, car ils polluent cours d'eau et lacs de façon terrifiante. Le papier recyclé, quant à lui, offre les mêmes qualités que le papier neuf, sauf qu'il est légèrement granuleux et de couleur grise ou vert pâle, car il n'est pas blanchi. Il diminue la pollution de l'eau tout en épargnant des arbres.

Naguère, le papier était généralement fait à partir de chiffons. Aujourd'hui, en revanche, la presque totalité provient de la pâte à papier tirée du bois. On a calculé que si l'on recyclait la moitié du papier utilisé, on pourrait couvrir presque les trois quarts des besoins, ce qui permettrait d'épargner 4 millions d'hectares de forêt.

Mais alors, qu'est-ce qui empêche le recyclage systématique ? Tout simplement notre paresse et notre habitude de n'utiliser qu'un papier très blanc. Pour satisfaire ce goût du luxe, combien d'hectares de bois sont-ils sacrifiés ?

Le papier est l'un des matériaux les plus faciles à recycler, et chaque foyer devrait mettre de côté ses vieux journaux et emballages et les jeter régulièrement dans un conteneur spécial. On pourrait aussi mettre au point un système d'échange : pour un journal acheté, on rendrait un vieux journal. Avec un tel système, la consommation de bois pour la presse chuterait instantanément. Le papier recyclé n'est pas très bon marché pour l'instant, mais il pourrait alors le devenir.

LES OBJETS COMPOSITES

Comment trier les ordures lorsque certains objets sont constitués d'un mélange de matériaux ou de matériaux collés ? Eh bien, c'est impossible. Mais qu'en pensent les fabricants de conditionnements ? Rien, ils ne pensent qu'à suivre les tendances.

Le conditionnement répond à un double objectif : d'abord la protection du produit, ensuite sa mise en valeur. Ce souci de rendre attrayant l'objet emballé a toujours existé, mais n'avait jamais atteint l'importance qu'il revêt actuellement.

Les produits composites représentent pour l'industrie du conditionnement un marché en forte expansion et des mélanges tels que papier d'aluminium-carton, polyéthylène-papier d'aluminium ou papier-polypropylène ouvrent la perspective de bénéfices substantiels.

«L'industrie du 'petit creux' est à la pointe de l'innovation», proclame une publicité pour une marque leader dans les matériaux composites de conditionnement. «La réussite sur ce marché très important passe par des produits vendeurs et par une bonne mise en place. L'attrait du polypropylène métallisé (...) met en valeur le graphisme. Il réalise d'excellentes performances de vente.» Mais avertit-on que le conditionnement ne sera pas recyclable ? Certainement pas.

Les conditionnements composites ne peuvent être recyclés en tant que métal, papier, ou plastique, car on ne peut pas séparer leurs éléments. Et plus ce type d'emballage sera utilisé, plus il vous sera difficile de trier vos ordures, même si vous le voulez vraiment.

Il faut, bien sûr, que la composition de chaque produit soit inscrite sur l'emballage ; mais il faudrait que le consommateur soit informé sur la nature de cet emballage ; dans le cas d'un conditionnement composite, il devrait être averti du problème qu'il pose pour l'environnement. Cela permettrait de faire pression sur les fabricants.

LE RECYCLAGE DES ORDURES MÉNAGÈRES

Les ordures ménagères sont constituées en majorité de matières organiques, de verre, de papier et de métal. Tous ces éléments sont facilement valorisables ou recyclables, et l'opération offrirait trois avantages : elle réduirait la quantité de déchets, elle diminuerait la quantité d'énergie nécessaire pour la fabrication de ces articles, et elle éviterait en partie la pollution et la destruction qu'occasionne la production de matières premières.

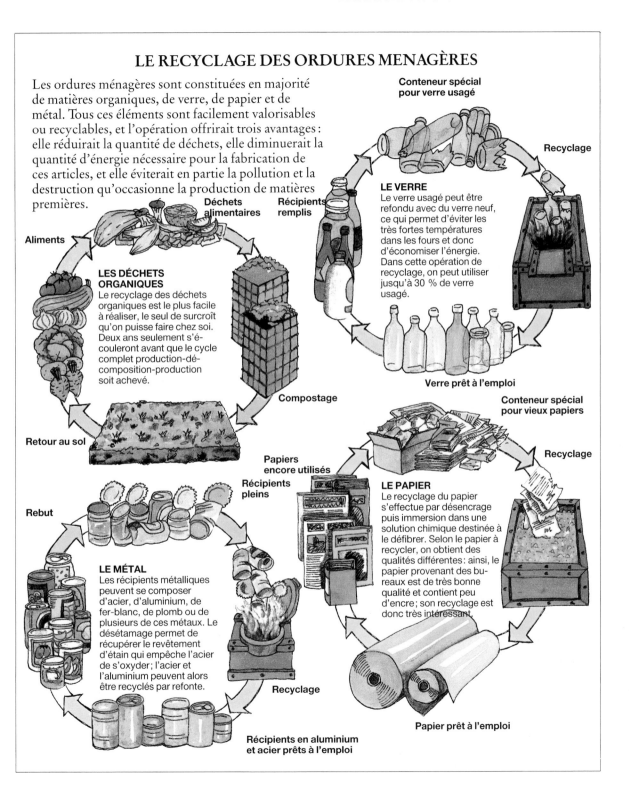

Conteneur spécial pour verre usagé

Recyclage

LE VERRE
Le verre usagé peut être refondu avec du verre neuf, ce qui permet d'éviter les très fortes températures dans les fours et donc d'économiser l'énergie. Dans cette opération de recyclage, on peut utiliser jusqu'à 30 % de verre usagé.

Verre prêt à l'emploi

Déchets alimentaires

Récipients remplis

Aliments

LES DÉCHETS ORGANIQUES
Le recyclage des déchets organiques est le plus facile à réaliser, le seul de surcroît qu'on puisse faire chez soi. Deux ans seulement s'écouleront avant que le cycle complet production-décomposition-production soit achevé.

Retour au sol

Compostage

Conteneur spécial pour vieux papiers

Recyclage

Papiers encore utilisés

Récipients pleins

LE PAPIER
Le recyclage du papier s'effectue par désencrage puis immersion dans une solution chimique destinée à le défibrer. Selon le papier à recycler, on obtient des qualités différentes : ainsi, le papier provenant des bureaux est de très bonne qualité et contient peu d'encre ; son recyclage est donc très intéressant.

Rebut

LE MÉTAL
Les récipients métalliques peuvent se composer d'acier, d'aluminium, de fer-blanc, de plomb ou de plusieurs de ces métaux. Le désétamage permet de récupérer le revêtement d'étain qui empêche l'acier de s'oxyder ; l'acier et l'aluminium peuvent alors être recyclés par refonte.

Recyclage

Papier prêt à l'emploi

Récipients en aluminium et acier prêts à l'emploi

LES DÉCHETS INDUSTRIELS

La plupart des déchets toxiques industriels proviennent de la fabrication d'objets qui nous servent quotidiennement, et ils peuvent atteindre des quantités spectaculaires. Les boues terrestres constituent un problème important. Ainsi, à Georgswerder, près de Hambourg, se trouve une monumentale décharge industrielle dans laquelle on a entassé 150 millions de mètres cubes de déchets depuis 1948. Elle mesure 40 m de haut et se voit parfaitement de la route.

Le cas de Georgswerder illustre parfaitement le manque de prévisions caractéristique en ce qui concerne la plupart des déchets industriels. De 1967 à 1974, on y a déversé trente mille mètres cubes de déchets toxiques par an. Cela représente un dangereux cocktail de produits chimiques, de boues d'origine industrielle et d'huiles de vidange qu'on a stocké dans des bassins peu profonds simplement revêtus d'une fine couche de plastique. Le TCDD, poison très violent, s'est infiltré dans les mares et les eaux souterraines. En fait, cette décharge contient tous les produits chimiques les plus toxiques.

Les pays industrialisés sont tous confrontés aujourd'hui au problème de l'élimination des déchets industriels toxiques. Ainsi, la décharge de Georgswerder est désormais scellée par une ceinture de béton et une couverture d'argile afin d'éviter que l'eau de pluie n'y pénètre. L'ensemble couvre une superficie équivalente à celle d'un bourg...

Quant aux déchets industriels qui ne sont pas entreposés dans des décharges, ni jetés dans les cours d'eau ou la mer, ils sont incinérés dans des unités spéciales. Elles répandent dans l'atmosphère du gaz chlorhydrique, des dioxines et des métaux lourds qui finissent par se déposer sur les forêts et les terres cultivables. Les pluies acides inoculent dans le sol ces substances polluantes. C'est ainsi que de nombreux terrains agricoles sont pollués par des métaux lourds à un point tel qu'il devient impossible d'y faire pousser des produits alimentaires. L'activité industrielle française produit chaque année 150 millions de tonnes de déchets dont 20 millions de tonnes de déchets « spéciaux ». Ces derniers contiennent des substances nocives représentant un risque pour l'environnement.

Alors que la consommation de pétrole est légèrement en baisse, celle des métaux lourds augmente encore. Or, des éléments comme le cadmium ou le plomb peuvent subsister très longtemps dans le sol et, à l'heure actuelle, on n'a encore trouvé aucun moyen de les éliminer une fois qu'ils s'y sont accumulés. Autrement dit, si les usines, les incinérateurs ou les décharges continuent à dégager ces substances, la planète aura tôt ou tard à en subir des conséquences.

Nous pouvons parfaitement nous passer de tous ces poisons et nous le ferions si nous étions réellement conscients du danger. Si on laisse la bride sur le cou aux industriels, ils continueront à fabriquer des matières dangereuses sans se soucier de leur élimination. Nous devons exiger qu'on étiquette les produits avec la composition du contenant et du contenu, et que soient clairement indiquées les substances dont l'élimination est dangereuse. Nous pourrons alors décider en connaissance de cause de quels déchets nous acceptons d'être responsables.

L'OBSESSION DE LA PROPRETÉ

Les dangers cachés des produits de nettoyage
Les cires et les aérosols
Les produits chimiques et les produits naturels
Les bactéries utiles
Les cosmétiques et les produits d'hygiène corporelle
La modération

Lorsque fut énoncée dans les années 1860 la «théorie des germes», ceux qui l'avaient mise au point — le Français Louis Pasteur et l'Anglais Joseph Lister entre autres —, étaient loin de se douter qu'ils étaient à l'origine d'un marché de plusieurs milliards de francs. Pour vérifier sa théorie, Joseph Lister avait appliqué de façon continue du phénol sur les lésions de ses patients. Les germes n'y avaient pas résisté, pas plus d'ailleurs qu'un bon nombre de malades qui succombèrent... au phénol. Par la suite, on élabora des méthodes d'asepsie moins expéditives qui, incontestablement, permirent de sauver un grand nombre de vies humaines. Mais, sans le vouloir, Lister et ses confrères avaient déclenché dans les pays occidentaux une phobie injustifiée des microbes, qui est aujourd'hui largement exploitée à des fins commerciales.

Notre maison est devenue le champ de bataille d'un combat sans fin contre les microbes. Pour que nos appartements soient plus propres et plus nets, pour que tout brille plus que par le passé, nous aggravons la pollution. Parallèlement, nous nous sommes persuadés que nos corps doivent, eux aussi, être débarrassés des microbes. Pour cela, nous utilisons également des produits chimiques facteurs de pollution. Or un corps humain sans microbes ni odeurs n'existe pas et n'existera jamais; pourtant, les publicitaires arrivent à nous convaincre d'utiliser ces produits. En Europe, aux XVIe siècle, on s'inondait de musc et d'ambre pour masquer les mauvaises odeurs dégagées par les corps

LE PRIX À PAYER POUR NOTRE PROPRETÉ

Comment les produits de synthèse endommagent notre environnement

Dans la plupart des cas, le nettoyage peut s'analyser comme un simple déplacement de la pollution. Pratiquement tous les produits d'entretien et de soins corporels impliquent la production de substances polluantes. Leurs fabricants sont beaucoup plus diserts sur l'efficacité de ces produits de synthèse que sur leurs conséquences sur l'environnement...

LES PRODUITS À BASE DE PÉTROLE
De nombreux solvants et produits de nettoyage très puissants contiennent des produits dérivés du pétrole.

Pétrole

Usine de produits chimiques

LA FABRICATION DES PRODUITS DE SYNTHÈSE
La fabrication des détergents, des désinfectants et des cires fait aujourd'hui appel à des produits chimiques toxiques comme l'acide chlorhydrique, l'acide sulfurique ou le benzène. Elle entraîne une pollution de l'air et de l'eau qui ne cesse d'augmenter.

LES COSMÉTIQUES ET PRODUITS DE SOINS CORPORELS
Pratiquement tous les cosmétiques sont surconditionnés. Par ailleurs, la plupart des cosmétiques et des produits tels que les shampooings sont testés en laboratoires sur des animaux, au prix d'une souffrance inutile.

LES INSECTICIDES
Notre manie de tuer sans discernement les insectes, qu'ils soient nuisibles ou non, entraîne une augmentation de produits chimiques toxiques qui peuvent favoriser les cancers.

Usine de produits insecticides

Eau polluée

Unité de conditionnement

LA POLLUTION DE L'EAU
La plupart des poudres et liquides que nous utilisons pour nettoyer le linge et la vaisselle contiennent des phosphates qui polluent l'eau et compromettent la flore et la faune aquatiques.

LE SURCONDITIONNEMENT
Les matières utilisées pour conditionner les produits d'entretien et de soins corporels constituent un problème pour l'environnement, notamment les matières plastiques, l'aluminium et les gaz propulseurs utilisés dans les aérosols.

et les vêtements. Les égouts se réduisaient à des rigoles creusées au milieu de la chaussée. À l'époque, l'hygiène n'était pas une préoccupation majeure. Aujourd'hui, nous avons basculé dans l'excès contraire. Au lieu de nous contenter d'être propres, nous sommes devenus des obsédés du récurage. Alors qu'il suffirait souvent d'une brosse et d'un peu d'« huile de coude », nous montons à l'assaut des microbes avec des légions de produits chimiques.

LES PRODUITS D'ENTRETIEN

Les désinfectants liquides ou en poudre font partie des produits ménagers les plus dangereux. On les rencontre souvent dans les toilettes. À en croire les publicitaires, la cuvette abrite des millions de microbes menaçants qui pourraient bien nous communiquer quelque affreuse maladie ; le moyen de s'en prévenir, c'est de désinfecter.

L'eau de Javel est un produit très dangereux. Non seulement elle tue les bactéries qui se trouvent dans la cuvette, mais elle détruit pour longtemps cette flore bactérienne. Or les bactéries sont des acteurs indispensables à tout processus de dégradation. Les désinfectants les empêchent de digérer les déchets et de les rendre inoffensifs. Ajoutons qu'un usage excessif de ces produits peut endommager les fosses septiques... Il nous faut donc être modérés.

Les conséquences de l'action de l'eau de Javel pour le système d'évacuation ne sont rien à côté du danger que ce produit représente pour notre santé. Il suffit pour s'en convaincre de s'en répandre sur les doigts. Mais il devient encore plus dangereux lorsqu'il se trouve en présence d'autres substances chimiques. Il existe tellement de produits qu'on est parfois tenté d'en combiner plusieurs si l'efficacité d'un seul nous paraît insuffisante. Or l'eau de Javel, en présence d'un détergent acide, peut dégager presque instantanément du chlore, gaz mortel à certaines doses.

Notre obsession de la propreté se manifeste aussi lorsque nous lavons notre vaisselle ou nos vêtements. Nous avons vu au chapitre 2 que les liquides pour vaisselle et les produits utilisés dans les lave-linge et les lave-vaisselle sont dangereux pour l'environnement.

Les détergents ont été mis au point dans un passé relativement proche, mais n'en représentent pas moins aujourd'hui un énorme marché. Ils contiennent pratiquement tous des phosphates et finissent dans les égouts. C'est à la fois un gaspillage indécent de ressources et une agression contre la vie aquatique. Dans les pays industrialisés, l'accumulation de phosphates détruit les lacs et les cours d'eau et, avec eux, la flore et la faune aquatiques.

Quand on voit la quantité de liquide vaisselle qu'utilise la ménagère moyenne on pourrait penser qu'il y a une « prime à la consommation »... En outre, les doses recommandées par les fabricants de produits pour machines à laver sont deux fois plus importantes que la quantité vraiment nécessaire, commerce oblige. Il existe pourtant aujourd'hui des détergents sans phosphates qui sont parfaitement efficaces. Utilisons-les. Et, en tout état de cause, réduisons les quantités.

Tous les produits chimiques représentent un danger pour notre santé. Ces produits contiennent en effet un agent siccatif qui dépose sur la vaisselle une pellicule sur laquelle l'eau glisse. Cette substance peut favoriser l'absorption par l'organisme de D.D.T. et de pesticides contenus dans nos aliments.

LES CIRES ET LES ATOMISEURS

Nous consacrons beaucoup de temps et d'argent à nettoyer nos sols, nos carreaux et nos meubles. La plupart des produits que nous utilisons se vendent sous forme d'aérosols : ils nous permettent de gagner un peu de temps, mais présentent beaucoup plus d'inconvénients que d'avantages. Leur fabrication nécessite l'utilisation de composants rares, et ils ne sont pas recyclables. Mais surtout, ils menacent la santé de leur utilisateur et de l'humanité tout entière. En effet, on soupçonne les gaz propulseurs, selon leur nature, soit d'être polluants, soit de détruire la couche d'ozone, soit d'être cancérigènes.

L'utilisation des aérosols ne se justifie absolument pas et devrait même être interdite ; à défaut, prenons nous-mêmes l'initiative de ne plus en acheter. Ce sont de dangereux gadgets dont l'humanité s'est parfaitement passée pendant des milliers d'années.

Que les fabricants vicient délibérément l'air des maisons avec les parfums artificiels contenus dans la plupart des cires, ce n'est pas très glorieux ; qu'ils le fassent avec des poisons, c'est beaucoup plus grave. Ainsi, toute personne soucieuse de sa santé devrait éviter chez elle l'usage des insecticides, particulièrement des diffuseurs. Ils sont sans aucun doute efficaces mais, si un produit est suffisamment toxique pour détruire une espèce vivante, il peut également causer du tort à une autre. Mieux vaut subir les mouches qu'un empoisonnement. Il existe d'ailleurs un dispositif très simple, quoique un peu onéreux, dont les rayons ultra-violets attirent puis électrocutent les mouches. Il est parfaitement efficace et inoffensif pour l'homme.

LE MÉNAGE SANS PRODUITS CHIMIQUES

La propreté est une nécessité pour toutes les espèces animales qui ont un abri fixe et permanent ; c'est le seul moyen d'éviter les parasites. Quiconque a vécu dans des régions chaudes et insalubres connaît les punaises et autres cafards et comprend la nécessité de nettoyer. Mais on peut très bien se débarrasser de ces hôtes indésirables sans produits toxiques, grâce à un bon entretien courant.

Si vous avez pris la précaution de mettre la nourriture hors d'atteinte, un certain nombre de gestes simples suffira à vous éviter la présence d'insectes indésirables : balayez, brossez, battez vos tapis, lavez vos sols, lessivez vos draps, vos vêtements et vos couvertures. Utilisez l'aspirateur, appareil qui consomme peu d'énergie et qui est très efficace.

Par ailleurs, il existe des solutions simples et saines pour éviter d'utiliser les produits chimiques qui, loin d'améliorer notre environnement et notre santé, font exactement le contraire. On peut commencer par réduire sa consommation. Mais attention : sachez que, pour appliquer cette résolution si simple, il vous faudra être sourd aux arguments des publicitaires. Si vous y parvenez, vous aurez déjà fait la moitié du chemin.

Commençons par les toilettes. Si la vue d'une cuvette légèrement entartrée vous chagrine, utilisez du vinaigre et une brosse, c'est tout. Bien entendu, choisissez du vinaigre concentré et laissez-le agir assez longtemps. La solution la plus efficace consiste à purger la cuvette et à laisser agir du vinaigre pur, en cas d'entartrage important.

Pour la vaisselle et les vêtements, il suffit le plus souvent d'eau chaude et d'un peu de courage. Si cela n'est pas assez efficace, ajoutez simplement du savon. La graisse, quelle qu'elle soit, ne résiste pas à l'eau chaude savonneuse. Confectionnez-vous facilement un excellent détergent naturel en dissolvant un pain de savon et de la soude dans de l'eau bouillante. Avec la solution obtenue vous pourrez nettoyer parfaitement la faïence, les couverts, les vêtements, et ... lutter contre les pucerons ! (voir p.134).

Le savon de Marseille est parfait pour laver à la main ; il ne convient probablement pas pour votre lave-linge. Si vous ne pouvez vous passer de produits pour machines choisissez ceux qui ne contiennent pas de phosphates. Vous participerez ainsi à la réduction du phénomène d'eutrophisation de l'eau. C'est un appauvrissement en oxygène des eaux de rivières, dû à la prolifération anarchique de certaines algues dont la croissance est favorisée par les phosphates.

L'emploi de cires artificielles n'est absolument pas justifié. On trouve un grand nombre de bons vieux produits qui sont sains et naturels. La cire d'abeille est parfaite pour le bois ; aucun produit artificiel ne peut rivaliser avec elle.

D'une manière générale, efforcez-vous d'utiliser les produits les plus naturels et les moins sophistiqués possible. Au besoin, confectionnez-les vous-même avec des substances comme l'huile, le jus de citron ou le vinaigre. Elles se dénatureront d'elles-mêmes à la longue et, si un enfant s'empare d'une bouteille de jus de citron, il ne risque rien, alors qu'il peut éprouver de graves malaises à la suite d'une ingestion de poudre à récurer ou de désinfectant. Si les usines chimiques cessaient de fabriquer tous ces produits domestiques, notre planète serait plus propre et plus saine ; nos habitations aussi.

AGISSEZ

Diminuez la pollution due aux produits d'entretien

- **Utilisez des produits naturels**
  Dans la mesure du possible, utilisez des produits à base de substances naturelles et non toxiques. Vous préserverez ainsi à la fois votre santé et l'environnement.

- **Diminuez les doses**
  Évitez d'utiliser trop de produits désinfectants ou détergents, cela diminuera la pollution de l'eau.

- **Évitez certains conditionnements**
  Soyez très attentifs au conditionnement des produits d'entretien. Le carton peut être recyclé ; en revanche, les aérosols et les flacons en plastique deviendront des déchets encombrants et polluants.

- **Lisez attentivement les étiquettes**
  N'utilisez pas de produits contenant des substances dangereuses ou toxiques, préférez-leur des produits sans danger (voir ci-contre).

L'HYGIÈNE A SES LIMITES

Nous sommes environnés de bactéries, de virus et de champignons microscopiques; nous en sommes couverts, nous en sommes remplis, nous en sommes entourés. Mais ils ne sont pas tous vecteurs de maladie. Des millions de bactéries vivent sur notre peau et dans notre appareil digestif. On trouve dans les poumons des gens les mieux portants des bactéries pathogènes comme celle qui est responsable de la tuberculose, mais notre système immunologique les tient en respect. Les organismes en bonne santé renferment également des bactéries utiles. En fait, nous n'avons nullement à craindre ces micro-organismes pour peu que nous suivions des préceptes élémentaires : une alimentation saine et pas trop abondante, une activité physique soutenue et fréquente en plein air.

PRODUITS CHIMIQUES ET PRODUITS NATURELS

Les produits chimiques sont conçus pour agir instantanément : en clair, ils sont souvent très concentrés et peuvent être très dangereux. Or, on peut très bien s'en passer ; il existe en effet des produits tout aussi efficaces à base de produits naturels. Le tableau que nous vous présentons ci-dessous fait le point : d'un côté, cinq catégories de produits chimiques et leurs dangers ; de l'autre, cinq solutions naturelles.
À vous de choisir...

Produits	Produits chimiques	Produits naturels
Produits pour W.C.	Ils contiennent souvent des désinfectants à base d'eau de Javel, un produit très caustique qui pollue l'eau et détruit l'équilibre bactérien.	Une solution très concentrée d'un produit naturel acide (vinaigre...) permet de détartrer sans polluer.
Lessives en poudres	Les lessives en poudre polluent l'eau et peuvent provoquer des allergies. La plupart de leurs composants, comme les éléments parfumants, n'ont aucune utilité véritable.	Pour la lessive à la main : du savon additionné d'un peu de soude, le tout dilué dans de l'eau chaude, est très efficace. Pour la lessive en machine : des lessives sans phosphates pour limiter la pollution.
Produits de nettoyage	La plupart de ces produits contiennent des phosphates très dangereux pour la vie aquatique. Quant aux détergents, ils dégraissent, certes, mais décapent aussi la graisse cutanée.	Si votre eau n'est pas trop calcaire, de l'eau et du savon suffiront à dégraisser. En cas de difficulté, utilisez du savon et de la soude dilués dans de l'eau chaude.
Cires et encaustiques	Les produits d'entretien contiennent très souvent des silicones et des solvants, avec parfois des parfums artificiels qui vicient l'atmosphère.	2 mesures d'huile d'olive ou d'une autre huile végétale pour 1 mesure de jus de citron. Autre solution : un mélange de bière, de sucre et de cire d'abeille.
Produits de nettoyage des métaux	Ces produits contiennent souvent de l'ammoniaque, qui peut attaquer la peau, et des distillats de pétrole dont l'ingestion est très dangereuse. Ils peuvent également se révéler toxiques si on les inhale.	Pour l'argenterie : une feuille d'aluminium trempée dans de l'eau salée. Pour le cuivre et le laiton : un jus de citron. Pour le chrome : du vinaigre de cidre.

Aujourd'hui, beaucoup de gens supportent mal l'idée de coexister avec ces organismes minuscules et inoffensifs. On les a trompés, en leur faisant croire qu'on se débarrasse totalement des microbes en faisant un usage répété de produits chimiques dans sa salle de bains.

LE DANGER DES DÉODORANTS

Les déodorants détruisent les micro-organismes contenus dans la transpiration. Certaines de ces bactéries peuvent, certes, être pathogènes, mais ces produits anéantissent sans discernement toute la flore bactérienne. En supprimant certaines bactéries utiles, les déodorants exposent la peau aux attaques microbiennes qui peuvent causer de graves lésions cutanées.

En fait, les substances destinées à détruire ces micro-organismes et ces bactéries sont comparables aux insecticides qu'utilisent avec inconscience certains agriculteurs et jardiniers : le bouleversement de l'équilibre naturel crée des ravages en empêchant qu'une espèce maîtrise l'autre.

On trouve également des déodorants qui sont aussi des anti-transpirants, c'est-à-dire qu'ils réduisent notre sécrétion de sueur. Or, la transpiration nous permet d'abaisser la température de notre corps. Tout produit chimique qui perturbe le mécanisme naturel de régulation de l'organisme est éminemment suspect. Il est donc préférable d'utiliser fréquemment de l'eau et du savon plutôt que de s'exposer à long terme aux dangers que représentent ces produits.

En outre, ils sont généralement présentés en aérosols, conditionnement dont nous avons déjà dénoncé les méfaits pour l'environnement.

LE PROBLÈME DU SAVON

À l'origine, le savon était un produit assez peu nocif. Pendant des siècles, il n'est entré dans sa composition que des substances naturelles, principalement de la graisse animale.

Aujourd'hui, il en va tout différemment : les hommes de marketing sont entrés en scène et ont poussé les fabricants à y incorporer des additifs « vendeurs ». Ainsi, nous utilisons quotidiennement des produits comme le savon ou le dentifrice sans nous douter qu'ils regorgent de produits chimiques parfois dangereux. On trouve par exemple dans les sa-

vons des additifs qui leur donnent une « bonne odeur » ou les empêchent de se craqueler ou de se dessécher, ainsi que des colorants artificiels.

Les scientifiques se sont inquiétés des effets des savons modernes sur la protection cutanée ; cela n'a pas empêché les fabricants de lancer de nouveaux produits comme les gels pour la douche ou les savons avec déodorant incorporé, dont nul n'a jamais prouvé la supériorité sur un savon traditionnel. Certains savons déodorants contiennent même des substances qui s'accumulent sur la couche externe de l'épiderme et peuvent, soit empoisonner le sang, soit causer des réactions allergiques.

Il y a pire encore. L'hexachlorophène est un bactéricide qu'on rencontre fréquemment dans les savons et les déodorants, ainsi que dans de nombreux produits d'hygiène. En 1972 fut mis sur le marché français le talc Morhange, un produit pour bébés. Il contenait de l'hexachlorophène. Utilisé dans un hôpital parisien, il causa la mort de trente-six nourrissons et occasionna chez cent cinquante autres enfants des séquelles durables. Les examens révélèrent qu'à la suite d'une erreur de dosage à la fabrication, le talc contenait de l'hexachlorophène en quantités dix fois supérieures à celle de la dose recommandée.

Cette substance peut être dangereuse même en très petites quantités. L'Allemagne fédérale a interdit son utilisation dans les produits pour bébés et a imposé que les doses soient clairement précisées sur tous les autres articles.

Malgré ce précédent, on continue à ajouter d'autres produits chimiques aux savons. Pourtant, tous ces « plus » modernes n'apportent aucun avantage véritable par rapport aux savons traditionnels. Si nous voulons préserver notre santé et notre environnement, revenons à des produits simples.

LES SOINS NATURELS DES CHEVEUX

Aujourd'hui, de nombreux shampooings sont censés avoir des propriétés magiques : ils colorent les cheveux en blond, en brun, en auburn, ou même en argenté ou en bleu ; ils accélèrent leur pousse et les rendent vigoureux, brillants et souples...

On a dit que vendre des cosmétiques revenait à vendre de l'espoir. Si tel est le cas, les gens qui achètent ces shampooings doivent être déçus, car ils apportent bien peu de progrès. Un shampooing peut effectivement contenir une substance qui aurait sans doute quelque action sur le cheveu à condition d'être utilisée sous sa forme naturelle et en grande quantité. Mais les quantités en sont négligeables dans tous les shampooings proposés à la vente.

Pourtant, 10 % des shampooings vendus sont antipelliculaires et contiennent des substances telles que le sulfure de sélénium (qu'on rencontre parfois dans les batteries). Il est à noter qu'ils n'ont qu'une efficacité limitée dans le temps, ce qui oblige le client à en racheter régulièrement. Le résultat, c'est que la consommation de produits polluants et le gaspillage de matières premières continuent à augmenter.

Les shampooings traditionnels étaient doux et efficaces. Ils se composaient d'un mélange d'eau et de substances naturelles comme des herbes, du vinaigre, des jus de fruits, du jaune d'œuf et même de la bière. Or, les agents nettoyants des shampooings actuels, s'ils lavent le cheveu, entraînent en même temps 80 % de la graisse capillaire naturelle. De plus, certains produits colorants et agents de conservation des shampooings et teintures irritent la peau et les yeux. Ces produits constituent donc des dangers potentiels.

Heureusement, de très nombreuses marques proposent aujourd'hui des shampooings ne contenant que des produits naturels courants, comme le citron ou le vinaigre. Préférez-les aux produits sophistiqués.

NOTRE VANITÉ FAIT SOUFFRIR LES ANIMAUX

En s'appliquant des produits cosmétiques sur le visage, on n'atteint pas à la vraie beauté, on se crée seulement l'illusion de la beauté. Aujourd'hui, les consommateurs sont soumis à un déluge publicitaire qui les incite à s'identifier à des modèles au physique parfait. Toute cette propagande se traduit par d'indéniables succès commerciaux. Certains cosmétiques ne constituent peut-être aucun danger pour notre environnement ou notre santé; mais c'est le précepte de non-violence qui nous commande de refuser les cosmétiques qui ont été testés sur des animaux. Ainsi, l'industrie pharmaceutique mène de nombreuses expériences sur des lapins. Elle soumet notamment des milliers de ces animaux au test d'irritation oculaire de Draize. Celui-ci consiste à injecter dans les yeux d'un lapin vivant la substance à tester et à étudier les réactions de la conjonctive.

L'invasion des aérosols
Apparus à la fin des années 40, les aérosols ont envahi les rayons des supermarchés. Des millions de ménagères les utilisent pour nettoyer, parfumer et cirer leurs maisons. Ce mode de conditionnement représente un très grand danger pour l'environnement: leur fabrication exige d'énormes quantités de métaux, ce qui épuise les gisements; les gaz propulseurs endommagent l'atmosphère et, au contact du feu, les aérosols explosent et libèrent des gaz dangereux.

Il existe une expérience encore plus révoltante, le tristement célèbre test DL 50 (Dose Létale). L'objectif de ce test est de déterminer, pour un produit donné, la dose nécessaire pour tuer la moitié des animaux d'un groupe. On a démontré que, pour la même substance, on obtenait des résultats qui variaient de 1 à 8 selon les laboratoires. Autant dire que la fiabilité de ce test est toute relative.

Fort heureusement, on assiste à une réaction du public contre la surconsommation de cosmétiques, et de plus en plus de fabricants garantissent que les animaux n'ont pas souffert de la mise au point de leurs produits.

L'OBSESSION DE LA PROPRETÉ : EXEMPLE TYPE

Une famille moyenne consomme par an une quantité de produits chimiques qui pourrait à elle seule remplir une baignoire grand modèle. La plus grande partie de ces produits de synthèse causent des dégâts à l'environnement, soit au moment de leur fabrication, soit après utilisation lorsqu'ils sont évacués dans l'eau. Un certain nombre de ces produits peuvent par ailleurs entraîner une pollution de l'air que vous respirez du fait d'émanations provenant des produits d'entretien.

AGISSEZ

La propreté sans produits chimiques

Les pharmacies et les supermarchés regorgent de produits de toilette et de cosmétiques. Voici quelques conseils qui vous permettront de choisir ceux qui ne mettent en danger ni votre santé, ni l'environnement.

- **Choisissez les produits naturels**
  Ne vous laissez pas influencer par les publicités qui vantent les effets «révolutionnaires» de substances de synthèse. Choisissez des produits naturels qui ont fait leurs preuves et ne sont pas dangereux.

- **La sophistication est l'ennemi du bien**
  Les colorants artificiels n'apportent rien à un savon ou à un shampooing. Ils sont superflus et ils sont facteurs de pollution industrielle.

- **Faites le test du conditionnement**
  Achetez des produits présentés dans un conditionnement simple. Ceci est particulièrement valable pour les cosmétiques qui font l'objet d'un surconditionnement ridicule. Avant de les acheter, faites le test de la page 84.

- **Évitez les déodorants**
  Les déodorants peuvent perturber ou même détruire votre flore bactérienne. Réduisez votre consommation. Nous sommes plus propres et sentons moins mauvais que les publicitaires voudraient nous le faire croire. Utilisez moins de produits corporels à base de produits chimiques, vous vous en porterez mieux.

LES COSMÉTIQUES ET PRODUITS D'HYGIÈNE CORPORELLE

Les bains moussants, gels de douche et shampooings sont des articles qui ne sont pas dangereux si on en fait un usage modéré. En revanche, les détergents, agents parfumants et autres produits chimiques qu'ils contiennent peuvent perturber le cycle de l'eau s'ils sont utilisés en quantités excessives.

L'ARMOIRE DE TOILETTE

Les armoires de toilette renferment des médicaments (voir p. 108), mais aussi une grande variété d'autres produits de synthèse. C'est ainsi que les dentifrices contiennent du bioxyde de titane (substance que l'on retrouve dans les peintures blanches), de la paraffine liquide et un détergent qu'on utilise aussi dans bon nombre de poudres de lavage.

LES DIFFUSEURS D'INSECTICIDES

Ces articles emplissent l'atmosphère d'un biocide très toxique que l'on inhale et qui peut facilement se retrouver dans les aliments.

Insecticide

Désinfectant

Produit rafraîchissant pour W.C.

Eau de Javel

Produit de nettoyage pour sols

LES PRODUITS POUR W.C.

Les désinfectants chlorés que nous utilisons détruisent l'équilibre bactérien, dans les fosses septiques comme dans le système du tout-à-l'égout. Les produits de «rafraîchissement» de l'eau sont en fait des poisons pour celle-ci.

LES DÉSODORISANTS

Il est bien entendu absurde de prétendre que des produits chimiques puissent véritablement «rafraîchir» l'air de nos maisons. Au contraire, ils le polluent car ils contiennent des susbtances comme le paradichlorobenzène.

LE LAVE-LINGE

Une famille utilise entre 20 et 40 kg de poudre à laver par an. Ces poudres contiennent des enzymes, des désinfectants, des agents blanchissants et des abrasifs ; tous ces produits seront évacués avec l'eau.

LES PRODUITS POUR SOLS

Ces produits contiennent souvent des substances très puissantes comme l'éthanol, l'ammoniaque, le formaldéhyde ou le chlore, dont l'ingestion peut être mortelle.

7

LA SANTÉ SANS DROGUES

Les dangers de la vie moderne
La santé au quotidien
Comment éviter la sédentarité
Comment éviter le stress
Les dangers des médicaments modernes
Les médecines alternatives

Depuis toujours, les hommes caressent le même rêve: vivre en bonne santé, éternellement. La durée de vie moyenne a effectivement augmenté, mais personne n'a encore réussi à mettre au point un élixir contre le vieillissement ou tout simplement la maladie. Notre espérance de vie, après avoir progressé, semble aujourd'hui parvenue à un seuil. Celui-ci était en France, en 1988, de soixante-douze ans pour les hommes et quatre-vingts ans pour les femmes.

Cette augmentation de la longévité humaine s'explique par de nombreuses raisons. D'abord, une meilleure hygiène a mis un terme aux épidémies régulières de typhoïde, de choléra et de dysenterie qui sévissaient encore au siècle dernier. D'autre part, la vacci-

nation, découverte en 1721, a permis de diminuer très nettement le nombre des cas de maladies infectieuses comme la diphtérie ou la poliomyélite, et d'éradiquer la variole, première maladie qui ait été combattue par la vaccination. Par ailleurs, depuis la mise au point des antibiotiques on soigne efficacement des maladies très redoutées jadis comme les pneumonies, la tuberculose ou même la grippe. Et, avec les médicaments de synthèse dont on dispose aujourd'hui, les risques de mortalité en cas d'opération, de maladie ou d'accident ont considérablement diminué dans les pays développés. Mais le XXe siècle, qui a connu tous ces progrès, a vu aussi le développement d'autres affections. Les principales causes de mortalité ne sont plus les épidémies, mais les maladies cardio-vasculaires ou le cancer. Partout dans le monde, des sommes considérables sont consacrées à la recherche médicale, mais on n'a toujours pas mis au point de remèdes efficaces, tout simplement parce que les chercheurs se sont polarisés sur l'homme sans le replacer dans son contexte.

LA SANTÉ ET L'ENVIRONNEMENT

En 1900, Londres était la seule agglomération au monde à compter plus de 5 millions d'habitants. En 1980, elle n'arrivait plus qu'en seizième position et neuf agglomérations avaient plus de 10 millions d'habitants. En Europe de l'Ouest, en Amérique du Nord, en Australie et en Asie, 60 % de la population vivent dans des grandes villes.

La vie en ville n'est pas saine, c'est une évidence. L'air y est moins pur que dans les régions moins peuplées à cause des gaz d'échappement de voitures et des rejets des usines qui provoquent une pollution nocive. Ces gaz que les citadins sont contraints de respirer sont encore plus dangereux dans les pays qui n'ont pas interdit la présence de plomb dans l'essence. En effet, le plomb agit sur le fonctionnement du système nerveux et, si les conséquences vont rarement jusqu'à l'invalidité, aucun citadin n'échappe à son absorption quotidienne de plomb. En plus des gaz d'échappement, l'air contient d'autres substances nocives (fumée de tabac, émanations de produits chimiques ...). En fait, la pollution est directement proportionnelle à l'urbanisation.

Par ailleurs, l'eau distribuée dans les villes est loin d'être pure (Cf. chapitre 2): les grandes concentrations de population obligent à des retraitements répétés de l'eau. En outre, les aliments vendus dans les villes sont très souvent traités et même les fruits et légumes «frais» sont suspects.

Tous ces facteurs contribuent à nous affaiblir, mais il ne peuvent être considérés comme les seuls responsables de nos maux. En l'occurrence, c'est beaucoup plus notre mode de vie qu'il faut incriminer.

LA SÉDENTARITÉ

Si le costume a changé à travers les âges, l'homme n'a pas fondamentalement évolué depuis des millénaires. Les premiers habitants de notre planète passaient la plupart de leur temps à parcourir de longues distances pieds nus, en communion avec le sol qu'ils foulaient.

LA SANTÉ PAR LES PRODUITS CHIMIQUES

L'industrie nous procure-t-elle une meilleure santé ?

Le recours croissant aux produits chimiques ne concerne pas que les terres agricoles et nos aliments: par les médicaments, nos corps subissent eux aussi cette agression.

L'APPORT DE LA NATURE
De très nombreux médicaments sont dérivés des plantes et pourtant, environ 2 % seulement des espèces végétales ont fait l'objet de recherches pharmaceutiques.

LE COMMERCE DES MÉDICAMENTS
L'importation et l'exportation de médicaments sont des activités florissantes. Ainsi en 1988, la France a importé pour 4 milliards de francs de médicaments et en a également exporté pour 12 milliards de francs.

Importation et exportation

Plantes médicinales   Usine de produits pharmaceutiques

Pendant des semaines, les familles cheminaient en vivant de chasse et de cueillette et établissaient chaque jour un campement provisoire. Leur dépense physique, liée à la quête de la nourriture, était intense. Leur vie était bien remplie, mais leur fatigue était saine.

Ils étaient « sans domicile fixe », pour utiliser la terminologie moderne, ce qui les amenait à posséder peu de choses. Mais cela ne leur causait pas de souci. Les quelques tribus qui perpétuent ce mode de vie et sont préservées de la vie moderne, comme les Bushmen dans le désert du Kalahari par exemple, jouissent d'une excellente santé.

Cela n'a rien de commun avec le contexte dans lequel nous vivons, coupés du milieu naturel et encombrés de biens de consommation. Nous n'utilisons plus assez nos pieds, puisque nous préférons la voiture à la marche. De même, nous ne nous servons plus de nos mains que pour appuyer sur des boutons, actionner des interrupteurs et tenir des couteaux et des fourchettes. Nous ne vivons plus à l'air libre et restons confinés dans les immeubles. Cela ne correspond pas à nos aptitudes physiques.

L'exercice physique est devenu un acte volontaire puisque les conditions de la vie moderne nous en dispensent. Ainsi, la plupart des gens travaillent dans des bureaux.

LES STRESS ET SES CONSÉQUENCES

Nous avons tous pu constater que notre corps, même si nous ne sommes pas en excellente santé, possède une aptitude remarquable à réagir à un danger soudain. Cela se manifeste par des battements accélérés du cœur, une augmentation du flux sanguin et la mobilisation de très importantes réserves de force et d'endurance. Mais les agressions de la vie moderne sont beaucoup plus subtiles, il s'agit de menaces abstraites : notre corps se prépare à réagir, mais ses ressources ne sont jamais sollicitées car une réponse physique ne serait pas appropriée à l'agression.

Le stress résulte de ces multiples agressions qui restent sans réponse, et tout y contribue : la tyrannie de la pendule, les factures à régler, le rythme de vie trépidant ou les repas pris sur le pouce. Que nous soyons chômeur ou que nous ayons une profession, les pressions qu'exerce sur nous la vie moderne

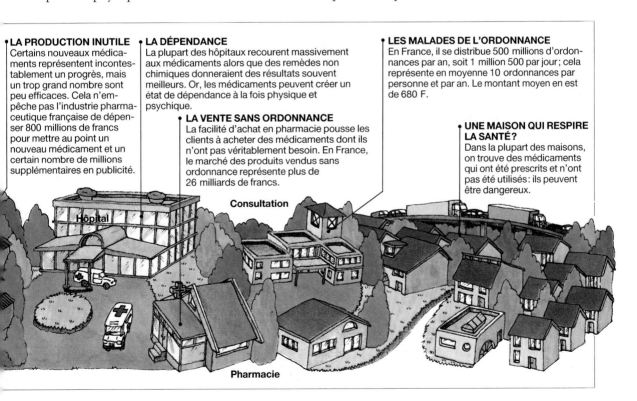

LA PRODUCTION INUTILE
Certains nouveaux médicaments représentent incontestablement un progrès, mais un trop grand nombre sont peu efficaces. Cela n'empêche pas l'industrie pharmaceutique française de dépenser 800 millions de francs pour mettre au point un nouveau médicament et un certain nombre de millions supplémentaires en publicité.

LA DÉPENDANCE
La plupart des hôpitaux recourent massivement aux médicaments alors que des remèdes non chimiques donneraient des résultats souvent meilleurs. Or, les médicaments peuvent créer un état de dépendance à la fois physique et psychique.

LA VENTE SANS ORDONNANCE
La facilité d'achat en pharmacie pousse les clients à acheter des médicaments dont ils n'ont pas véritablement besoin. En France, le marché des produits vendus sans ordonnance représente plus de 26 milliards de francs.

LES MALADES DE L'ORDONNANCE
En France, il se distribue 500 millions d'ordonnances par an, soit 1 million 500 par jour ; cela représente en moyenne 10 ordonnances par personne et par an. Le montant moyen en est de 680 F.

UNE MAISON QUI RESPIRE LA SANTÉ ?
Dans la plupart des maisons, on trouve des médicaments qui ont été prescrits et n'ont pas été utilisés : ils peuvent être dangereux.

Consultation

Hôpital

Pharmacie

prennent des formes variées mais contribuent toutes à miner notre santé. Notre corps, incapable de surmonter cette appréhension constante, commence alors à montrer des signes de détresse : des manifestations telles que des problèmes digestifs, des maux de tête, des ulcères, une léthargie chronique et même des maladies cardio-vasculaires sont la traduction des multiples agressions dont nous sommes victimes.

Le stress entraîne la recherche d'un dérivatif immédiat. L'alcool est ainsi le recours traditionnel de ceux qui n'arrivent pas à surmonter ce stress. Le tabac est une autre de ces soupapes, particulièrement chez les jeunes, tandis que l'inhalation de vapeurs de colle ou la toxicomanie sont presque un phénomène endémique dans les grandes villes, comme à Paris qui compte quatre-vingt mille consommateurs de drogues en tous genres.

Face à cette situation, que fait le corps médical ? Comment aide-t-il la population à surmonter les frustrations qu'occasionne la vie dans des grands ensembles et des bureaux exigus ? Le problème, c'est que si vous tombez malade et que vous allez consulter un médecin, il y a de fortes chances pour que vous vous trouviez face à quelqu'un d'aussi stressé que vous : il aura des dizaines de rendez-vous sur son agenda, accordera cinq minutes à votre cas et vous prescrira des médicaments. La plupart du temps, ceux-ci paraissent efficaces, mais bien souvent ils soulagent les symptômes sans traiter le mal en profondeur.

PRENONS-NOUS EN MAIN

La plupart des maladies qui se déclarent sont les manifestations « d'humeur » d'un corps maltraité pendant des années. Bien évidemment, la lutte contre les affections graves demande tout le savoir-faire et la technologie de la médecine moderne, mais on pourrait probablement prévenir certaines maladies grâce à une bonne gestion de son corps.

Nos corps sont des organismes remarquables, capables de se régénérer sans cesse, qui cicatrisent et se défendent contre les maladies. Ils supportent remarquablement les agressions de l'alcool ou du tabac, le manque d'exercice et les régimes alimentaires déséquilibrés. Mais ils pourraient être encore plus performants s'ils étaient entretenus avec soin.

Ainsi aujourd'hui, nous nous dépêchons continuellement, simplement par habitude. Nous nous comparons souvent à des fourmis, et nous montrons effectivement le même empressement : mais les fourmis, elles, ont de bonnes raisons de s'activer tout le temps. Préservons notre santé, sachons ralentir notre rythme lorsque cela est possible.

L'exercice physique n'est pas bon seulement pour notre corps, mais aussi pour notre environnement. En préférant la marche ou la bicyclette à la voiture, nous rendons la vie plus agréable à tout le monde, y compris nous-mêmes. Le simple fait de pousser une tondeuse à gazon est plus sain que d'utiliser une machine autotractée. Bien souvent, à trop se simplifier la tâche, on finit par altérer sa santé.

Enfin, veillons à notre alimentation et à notre sommeil, ce sont des facteurs essentiels pour éviter la maladie.

L'IMPORTANCE DE L'ALIMENTATION

Sir Robert MacCarrison, un pionnier de la recherche médicale, passa près de trente ans à mener des études sur la nutrition pour le compte du Service médical indien. En 1926, il procéda à des expériences sur trois groupes de rats, à l'origine tous jeunes et en parfaite santé, qui furent soumis à trois régimes alimentaires différents. Le premier groupe fut nourri comme le faisaient les Sikhs : gâteaux complets, lé-

---

AGISSEZ

Un plan en cinq étapes contre le stress

- **Votre santé avant tout**
  Si vous voulez lutter contre le stress, accordez à votre santé la priorité absolue et faites de la relaxation une pratique quotidienne.
- **Renforcez vos défenses naturelles**
  Évitez tous les excitants : café, thé, alcool, tabac. Ils affectent votre système nerveux et peuvent modifier les métabolismes et l'équilibre des sels minéraux.
- **Résistez à la tentation systématique des médicaments**
  Ils soulageront peut-être les effets du stress, mais ils ne vous en guériront pas. Évitez les tranquillisants et les antidépresseurs.
- **Essayez les remèdes naturels**
  Certaines plantes médicinales ont des vertus calmantes. Vous pouvez soulager votre stress avec des infusions que peut vous conseiller votre pharmacien.
- **Dormez suffisamment**
  La fatigue favorise le stress. Votre corps réclame un certain temps de sommeil, veillez à le lui fournir.

gumes secs, crudités, lait, beurre et un peu de viande. Le deuxième groupe reçut le régime alimentaire typique des populations pauvres de l'Inde du Sud : beaucoup de riz et quelques légumes. Quant au troisième groupe, son régime fut calqué sur celui des ouvriers anglais de l'époque : pain blanc, margarine, viande en conserves, confitures, thé au lait sucré et légumes très cuits. Les résultats furent édifiants : au terme de l'expérience, c'est le troisième groupe qui jouissait de la moins bonne santé : taux de mortalité élevé, progéniture très réduite et système digestif détérioré et perturbé.

Nous avons la chance de pouvoir choisir nos aliments et agir ainsi sur notre état de santé. En sélectionnant avec soin notre nourriture, et particulièrement en évitant les aliments traités (mentionnés au chapitre 4), nous nous préserverons au maximum des maladies.

LE DÉVELOPPEMENT DE LA MÉDECINE CHIMIQUE

Au cours de ce siècle, le rythme des découvertes de médicaments n'a cessé de s'accélérer. Les antibiotiques comme la pénicilline ou la streptomycine, les sulfamides, les antihistaminiques et les antidépresseurs furent tour à tour salués comme le remède miracle contre tel ou tel mal, et certains des produits sont véritablement d'un effet remarquable.

Or, depuis la Deuxième Guerre mondiale, l'industrie pharmaceutique connaît un développement vertigineux et, aujourd'hui, l'objectif est beaucoup moins de combattre les maladies que de les prévenir.

Des sommes considérables sont consacrées à la recherche de nouveaux produits et à leur promotion ; pour assurer leurs positions sur des marchés lucratifs, les laboratoires lancent des campagnes de publicité qui atteignent des montants très élevés. On estime qu'en France les sommes dépensées pour amener les praticiens à prescrire tel ou tel médicament atteignent 11 % du chiffre d'affaires des laboratoires. Pour promouvoir leurs produits auprès du corps médical, les fabricants ne se contentent pas de la presse spécialisée ou du publipostage, ils vont jusqu'à recourir à la publicité télévisée pour les médicaments en vente libre.

En France, la publicité pharmaceutique est cependant sévèrement contrôlée. Elle se propage grâce aux publications professionnelles et par le biais d'un réseau très dense de visiteurs médicaux qui vont porter l'information de praticien en praticien, tout en distribuant des échantillons. Les gros laboratoires envoient ainsi leurs visiteurs dix à douze fois par an chez chaque médecin.

La confiance totale dans les laboratoires n'est d'ailleurs pas l'apanage du seul corps médical. Trop de gens aujourd'hui ne jurent plus que par les médicaments.

LES EFFETS SECONDAIRES DES MÉDICAMENTS

Les médicaments constituent une arme puissante à manipuler avec soin. Prendre systématiquement des médicaments, même en cas d'affection bénigne, court-circuite notre système immunitaire. Or aujourd'hui, la plupart des médicaments ne sont plus conçus pour combattre une maladie, mais simplement pour soulager une gêne passagère.

Les médicaments provoquent des effets secondaires qui peuvent aller du simple désagrément à la véritable catastrophe. Prenons l'exemple le plus tra-

Médicaments : — la production en chaîne Chaque jour, des machines fabriquent des millions de gélules, de comprimés, de tablettes. Grâce à ces machines, la production des usines pharmaceutiques est énorme.

UNE ARMOIRE À PHARMACIE PARMI TANT D'AUTRES...

Avec le nombre de drogues dangereuses que recèlent la plupart des habitations, on pourrait occire plusieurs fois toute la famille... Bien sûr, on ne prend pas d'un coup tous ces sirops, pilules, poudres, crèmes et pommades, ce qui fait qu'on oublie à quels point ils sont toxiques. Cela dit, l'empoisonnement aux médicaments n'est que l'un des nombreux risques que vous courez avec ces drogues : il en existe bien d'autres.

AGISSEZ

Limitez votre consommation de médicaments

- **Informez-vous**
  Renseignez-vous sur la formule des médicaments car certains mélanges sont plus dangereux que d'autres.

- **Méfiez-vous de l'accoutumance**
  L'organisme peut très rapidement devenir dépendant et demander des doses toujours plus importantes pour un résultat identique. Conformez-vous toujours à la posologie prescrite.

- **Choisissez les médecines alternatives**
  De nombreuses affections ne nécessitent pas de médicaments et peuvent être traitées par des thérapies parallèles comme l'ostéopathie ou bien l'acupuncture.

LES ANALGÉSIQUES
L'aspirine est l'analgésique le plus utilisé. Elle peut endommager la paroi gastrique. En France, le marché des analgésiques s'élève à 3,4 milliards de francs, soit 250 millions de boîtes par an.

LES PILULES CONTRACEPTIVES
Les pilules contraceptives sont utilisées par 150 millions de femmes dans le monde. Elles sont presque efficaces à 100 %, mais la médaille a son revers ; elles engendrent quelques effets secondaires, mais surtout elles peuvent favoriser les thromboses, les attaques d'apoplexie, l'hypertension et augmentent les risques de cancer lorsqu'elles sont associées au tabac et à l'alcool.

LES ANTIACIDES
Ces médicaments soulagent les conséquences de la tension nerveuse et des régimes alimentaires déséquilibrés. Ils représentent en France un marché annuel de 2 milliards 55 millions de francs, soit 60 millions de boîtes. S'ils diminuent l'acidité gastrique, ils peuvent en revanche provoquer des problèmes digestifs.

LES LAXATIFS
Comme toutes les drogues qui agissent sur l'appareil digestif, les laxatifs peuvent engendrer des désordres et risquent de solliciter les reins de façon excessive. Les Français achètent pour 850 millions de francs de laxatifs par an, soit 45 millions de boîtes.

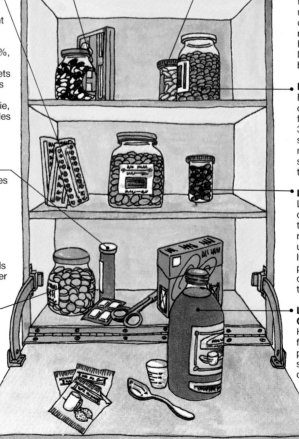

LES TRANQUILLISANTS
Une personne sur cinq prend des tranquillisants au cours de sa vie, mais on réalise trop rarement les dangers d'accoutumance que représentent ces drogues. En France, le marché est de 1,7 milliard de francs soit 90 millions de boîtes par an.

LES ANDIDÉPRESSEURS
En France, les médecins prescrivent pour 2,04 milliards de francs d'antidépresseurs, soit 30 millions de boîtes. Les effets secondaires de ces drogues sont nombreux : somnolence, nausées, tremblements, constipation.

LES ANTIHISTAMINIQUES
Les antihistaminiques sont couramment prescrits pour traiter les allergies, comme le rhume des foins. Les Français en utilisent chaque année 20 millions de boîtes. Leur utilisation provoque des effets secondaires comme la somnolence ou des troubles de la vision.

LES «REMÈDES» CONTRE LA GRIPPE
Hormis le vaccin, il n'y a rien à faire contre une grippe banale, et pourtant les Français ont dépensé 1,1 milliard de francs en 1988 dans des remèdes anti-grippe.

gique, celui de la Thalidomide. Ce médicament supprimait les nausées matinales chez les femmes enceintes. Pendant des siècles, on avait parfaitement combattu ces nausées avec des plantes telles que la menthe poivrée, la camomille ou la reine-des-prés. Mais la Thalidomide, prétendait son fabricant, avait une action plus efficace; en outre, il s'agissait d'un produit moderne et pour beaucoup d'entre nous, nouveauté sous-entend progrès. Et voilà pourquoi, suivant les prescriptions de leurs médecins, des milliers de femmes enceintes prirent ce nouveau médicament. Leurs enfants, atteints de malformations, témoignent encore aujourd'hui de la terrible erreur d'un laboratoire.

La tragédie de la Thalidomide est heureusement restée un cas isolé par son ampleur, mais des effets secondaires de médicaments sont régulièrement observés. C'est ainsi que lorsque les stéroïdes firent leur apparition dans les années 40, on cria au miracle car ils apportaient de grandes améliorations dans le traitement de l'asthme et de l'arthrite. Mais on déchanta lorsqu'on constata que leurs effets n'étaient que temporaires et que les douleurs revenaient plus fortes que jamais. Non seulement il fallait renouveler la prescription, mais encore augmenter les doses pour obtenir un soulagement similaire, ce qui créait une dépendance. Celle-ci s'accompagnait de nombreux effets secondaires : éruptions cutanées, pilosité excessive, sensibilité aux ecchymoses, affaiblissement musculaire et osseux, hypertension, gonflement du visage et du tronc et même, problèmes cardiaques.

Bien entendu, l'échec relatif d'un médicament amène la mise au point d'un autre produit. Aux U.S.A., médecins et laboratoires sont fréquemment poursuivis en justice par des patients chez qui l'usage de tel ou tel médicaments du groupe des stéroïdes provoque des effets secondaires. C'est pourquoi l'Association Médicale Américaine est-elle de plus en plus souvent amenée à préconiser l'emploi d'autres médicaments : aujourd'hui, on prescrit aux arthritiques des anti-inflammatoires ne contenant pas de stéroïdes, mais ces médicaments ne sont pas non plus inoffensifs, et sont bien connus pour provoquer des pathologies ulcéreuses. Malgré cela, ces médicaments sont toujours largement prescrits. Par ailleurs, le retrait subit de la vente de certains médicaments comme l'indolpine, utilisé comme antidépresseur, montre bien que ces produits ne sont pas toujours sans risques.

LES MÉDECINES ALTERNATIVES

Comme la plupart des autres secteurs d'activité, le corps médical est dominé par les spécialistes. Un spécialiste est quelqu'un qui sait énormément de choses sur un sujet très précis, mais trop souvent au détriment de ses connaissances globales. C'est ainsi que les médecins spécialistes ont tendance à considérer le corps humain comme un assemblage de pièces détachées dont chacune peut être traitée indépendamment des autres.

Heureusement, les temps sont à la remise en cause de cette situation. La médecine parallèle, ou holistique, en prend le contre-pied et s'intéresse au corps dans sa totalité.

Le nœud du problème est que, si les médicaments coûtent très cher à la Sécurité sociale, ils représentent en contrepartie un chiffre d'affaires considérable pour les entreprises pharmaceutiques : celles-ci ont beau jeu de faire sentir que ce sont elles qui financent en majorité la recherche médicale.

Aujourd'hui pourtant, devant les résultats décevants des traitemens conventionnels face à des affections telles que le cancer ou le sida, un grand nombre de patients sont tentés de se tourner vers d'autres thérapies, qui évitent le recours aux «médecines lourdes».

PRENDRE SOIN DE SON CORPS POUR RÉSISTER AUX INFECTIONS

Les thérapies parallèles, quelles qu'elles soient, ont pour objectif de renforcer les ressources naturelles de l'organisme afin que celui-ci se guérisse lui-même. Selon les méthodes utilisées, cet objectif passe par la libération de la tension avec les massages ou la réflexologie, par le soulagement de la douleur avec l'acupuncture, ou par l'élimination des toxines accumulées dans l'organisme avec le jeûne, la naturopathie, l'herboristerie ou la macrobiotique.

Il ne fait aucun doute que certaines médecines parallèles sont efficaces. C'est ainsi qu'après des années de recherches, le docteur Max Gerson et vint à la conclusion qu'un régime alimentaire inadéquat contribuait fortement à l'apparition des maladies chroniques de la dégénérescence; il incriminait notamment les aliments produits sur des sols pauvres en humus et en oligo-éléments.

Sa théorie ne rencontra qu'indifférence de la part

des autorités médicales. Ce n'est que bien plus tard que les instituts de recherche américains ont reconnu l'importance du régime alimentaire dans le déclenchement d'un cancer.

Le docteur Bircher-Benner (Cf. chapitre 4) a élaboré des théories analogues. Dans sa clinique, en Suisse, il a soigné avec des résultats remarquables des maladies de la dégénérescence grâce à un régime à base de céréales et de fruits crus. Autre exemple, le Bristol Center, une clinique anglaise de cancérologie, axe son traitement sur l'élimination des toxines que la vie moderne accumule dans nos organismes.

Or, ces toxines peuvent avoir sur nous des conséquences terribles, puisque ce que nous mangeons est aussi important que ce que nous assimilons. Elles attaquent la flore bactérienne de notre appareil digestif, ce qui nous rend plus vulnérables à des infections comme le champignon *Candida albicans* qui provoque des mycoses intestinales, et empêche une assimilation correcte des aliments. Malheureusement, ce n'est que lorsque la médecine orthodoxe déclare forfait que l'on fait entrer en scène les thérapies douces qui peuvent alors montrer leur efficacité.

LA SANTÉ PAR LES PLANTES

Un grand nombre de médicaments utilisés par la médecine conventionnelle trouvent leurs principes actifs dans les plantes. La plupart d'entre elles sont connues et utilisées depuis des milliers d'années. Dès l'an 2500 avant J.C., les Chinois avaient constitué un herbier décrivant plus de 300 remèdes à base de plantes. Quant à l'*Histoire générale des Plantes* de Gerard, publiée en 1636, elle en répertoriait près de 4 000.

Aujourd'hui, paradoxalement, les médicaments dans la composition desquels entrent des plantes à fleurs ne font appel qu'à quarante espèces. Il existe actuellement deux cent cinquante mille variétés connues de plantes à fleurs, mais seulement cinq mille d'entre elles, soit 2 %, ont fait l'objet d'études poussées. L'industrie pharmaceutique moderne doit énormément à la nature et, malgré des efforts incessants, n'a pas encore réussi à faire mieux. Dans toute la pharmacopée, il n'y a en effet que sept médicaments essentiels dont l'obtention est moins onéreuse par synthèse que par cueillette et épuration. L'herboristerie doit plus à la tradition populaire qu'aux spécialistes. A toutes les époques, des herboristes ont expérimenté les plantes de leur propre région à des fins thérapeutiques. Au cours des siècles, les plantes médicinales ont fait la preuve de leur efficacité.

Des plantes tropicales permettent de soigner des affectins comme les maladies cardio-vasculaires ou le scorbut. La pervenche rosée entre dans la composition de médicaments utilisés contre plusieurs types de cancers ; on a en effet découvert un principe actif qui s'est avéré être antimitotique, c'est-à-dire empêchant le développement des cellules cancéreuses.

LES MÉDECINES DOUCES

Le tableau ci-dessous résume les principes de base de cinq types de médecines alternatives, qui ne reposent donc pas sur l'emploi de médicaments.

PHYTOTHÉRAPIE

Elle traite les affections avec les graines, les tiges, les queues, les feuilles et les extraits de plantes. Les doses sont spécialement adaptées à un malade donné, ce qui évite les réactions allergiques et les effets secondaires qu'entraînent les médicaments classiques.

YOGA

Le principe du yoga est l'équilibre entre le corps et l'esprit et la réunification de ces deux composantes de l'homme. La pratique du yoga passe par la relaxation et constitue une excellente prévention contre les affections, puisque la plupart d'entre elles ont pour origine le stress.

RÉFLEXOLOGIE

Elle a pour principe qu'à chaque point du pied correspond une partie du corps. On soigne donc celle-ci en massant le point du pied correspondant.

ACUPUNCTURE

Le principe de l'acupuncture est l'équilibre de deux formes d'énergie, l'une positive et l'autre négative ; s'il est compromis, les affections physiques et psychiques apparaissent. Le traitement consiste à implanter des aiguilles à des endroits précis du corps.

OSTÉOPATHIE

Les ostéopathes considèrent que, la structure gouvernant la fonction, il faut intervenir sur la structure du corps pour permettre à celui-ci un fonctionnement normal. Ainsi, par palpation des articulations, on peut corriger la position et le mouvement des os.

Que fait-on pour exploiter au mieux ces trésors naturels ? Pratiquement rien ; plus exactement, nous gaspillons ces ressources avec inconscience. Avec le défrichage, le nombre des espèces végétales diminue. Les Amis de la Terre estiment ainsi que les forêts tropicales contiennent au moins mille quatre cents espèces susceptibles de soigner différentes formes de cancers. Mais combien de ces plantes disparaîtront avant qu'on ait pu en reconnaître les vertus ? Car bien qu'elles ne couvrent que 7 % de la surface du globe, les forêts tropicales regroupent plus de 50 % des espèces végétales. Ainsi un hectare de forêt amazonienne contient davantage d'espèces de plantes que la totalité de l'Europe. Avec la destruction systématique de cette forêt, ce sont des milliers de plantes rares aux vertus encore inconnues qui disparaissent à tout jamais de la besace des naturopathes.

L'AVENIR DE LA PHYTOTHÉRAPIE

Pourquoi les laboratoires pharmaceutiques n'utilisent-ils pas les produits naturels au lieu de recourir à des procédés artificiels ? On trouve un embryon de réponse dans le fait que certains produits de synthèse sont moins onéreux, mais la vraie raison est d'ordre financier : la mise au point de nouveaux produits est motivée, non par les malades, mais par les dépôts de brevets de médicaments.

Il existe de très nombreux végétaux qui n'ont pas encore été expérimentés dans une optique médicale, et la plupart d'entre eux proviennent de régions tropicales. Il s'agit donc d'espèces menacées et il y a urgence à les étudier. Or les autorités sanitaires et les fabricants y montrent peu d'empressement ; ils préfèrent concocter de nouveaux produits qui, eux, pourront alors être brevetés.

Les vertus des plantes médicinales ont été démontrées par des générations d'herboristes, mais elles n'ont pas été «prouvées» par des méthodes scientifiques modernes.

Voilà pourtant ce à quoi devraient se consacrer les laboratoires, au lieu de fabriquer un «énième» médicament contre les maux de tête. La médecine par les plantes constitue notre héritage, protégeons les sols et utilisons-la de préférence aux médicaments de synthèse à chaque fois que c'est possible. La vraie santé ne sort pas forcément des usines.

AGISSEZ

Restez en bonne santé malgré votre environnement

- **Ayez une alimentation saine**
  Veillez à avoir un régime alimentaire varié, avec des produits non traités et des légumes en quantité suffisante. Vous résisterez mieux aux infections et aux conséquences physiques et psychiques du stress.

- **Évitez la pollution extérieure**
  Ne vous exposez pas inutilement à la pollution. Faire du jogging près d'une usine qui rejette ses fumées est une aberration qui fait plus de mal que de bien.

- **Faites de l'exercice**
  Un exercice physique régulier permet de compenser les conséquences de la vie sédentaire. Il vous permettra de diminuer les tensions que provoque le stress. En outre, le sport a une action bénéfique sur le métabolisme et accélère l'élimination des toxines.

- **Évitez la pollution dans les bâtiments**
  Un air vicié a des conséquences sur la santé ; évitez d'utiliser chez vous des produits chimiques.

8

UNE MAISON SANS DANGER

**Les dangers cachés
L'air vicié
La pollution par la peinture
Une maison sans matières plastiques
Les matériaux naturels
Le bois... et le reboisement**

Jusqu'à l'invention du béton et du plastique, les habitations étaient exclusivement constituées de matériaux naturels et le cycle extraction-décomposition n'était pas perturbé. Les composants de chaque maison se trouvaient facilement sur place. Les murs se composaient de bois, de pierre, de terre battue ou de briques. Les sols étaient revêtus de parquets, de carrelages, de dalles ou de glaise. Le toit, quant à lui, était constitué de chaume, de bardeaux, de tuiles ou d'ardoise.

L'intérieur de la maison ne comportait lui aussi que des matériaux naturels. Les meubles étaient en bois, recouverts ou tapissés de laine, de toile ou de coton. Les tapis et les nattes, s'il en existait, ne comprenaient que des produits d'origine végétale ou animale.

À l'époque, les maisons n'offraient peut-être pas tout le confort, mais au moins étaient-elles construites avec des matériaux sûrs qui avaient fait leurs preuves. Les habitations actuelles n'ont pas grand-chose à voir avec ce que nous venons de décrire. Elles sont remplies de substances dont nous commençons tout juste à mesurer pleinement les effets.

Notre habitat a été profondément modifié par les matières synthétiques. Une bonne partie des matières plastiques produites par l'industrie chimique finit dans nos maisons sous forme de dessus de table, de matelas en mousse, de coussins, de meubles, de tissus, de papiers peints... Lorsque nous peignons ou tapissons, nous utilisons de nombreux produits chimiques qui n'existaient pas encore il y a quelques décennies.

LES MATÉRIAUX DANGEREUX

Jadis, pour savoir si une maison était sûre, on regardait simplement si ses murs et sa toiture étaient solides. Depuis, les choses se sont bien compliquées car la maison la mieux construite peut, du fait des matériaux utilisés, se révéler dangereuse pour la sécurité ou la santé.

Tout d'abord, la plupart des matériaux de construction représentent un danger à la fabrication. Ainsi, la production du ciment qui entre dans la composition du béton dégage beaucoup de poussière. De même, la cuisson des briques peut engendrer des fumées toxiques qui se déposeront sur la végétation et contamineront le lait des vaches. Il y a peu de choses à faire pour prévenir ces nuisances ; cependant, une fois que les murs, les diverses cloisons et les briques sont en place, les désagréments cessent.

Les choses se présentent d'une façon toute différente avec certains matériaux modernes. Ainsi, l'amiante fut naguère considéré comme un matériau de construction idéal : il était ininflammable, léger et facile à travailler. On construisit de nombreuses habitations comprenant des panneaux d'amiante dans la toiture ou les cloisons. C'est plus tard que le corps médical prit conscience que les fibres d'amiante provoquaient des cancers du poumon chez les ouvriers de production et chez toute personne se trouvant en contact prolongé avec elles.

Johns Manville Corporation, le plus gros producteur mondial d'amiante, fut ainsi acculé à la faillite en 1982 : l'entreprise n'avait en effet plus de quoi payer les dommages et intérêts qu'avaient obtenus son personnel et ses clients. Au total, elle avait déboursé près de 50 millions de dollars pour indemniser plus de trois mille personnes, et seize mille plaintes restaient en souffrance. Mais ces chiffres ne représentent qu'une faible partie des personnes exposées, puisque le Département américain de la santé estime qu'au cours des vingt prochaines années, entre cent soixante mille et deux cent mille personnes qui auront été en contact avec l'amiante du fait de leur profession développeront un cancer.

Or, lorsque l'on commença à utiliser l'amiante, personne n'aurait pu prévoir ces tragiques conséquences : trop de temps séparait les causes de leurs effets, ce qui empêchait d'établir une corrélation. Cette terrible expérience aurait dû nous inciter à une ex-

LA MAISON, UN ENDROIT VRAIMENT SÛR ?
Habitat moderne et environnement

Dans notre grande majorité, nous passons les 2/3 de notre temps dans un bâtiment, dont la moitié chez nous : c'est dire à quel point les matériaux de construction ont de l'importance du point de vue de notre santé. Mais l'industrie du bâtiment a aussi des conséquences sur l'environnement.

Bois exotique

LA DESTRUCTION DES BIOTOPES
Il est bien sûr impossible de construire une maison sans causer du tort aux biotopes. Cela dit, les terrains sont trop souvent ravagés sans discernement.

LES BOIS EXOTIQUES
La plus grande partie du bois dur utilisé dans l'industrie du bâtiment provient des forêts tropicales d'Asie du Sud-Est. La déforestation constitue un danger supplémentaire pour un écosystème déjà bien menacé.

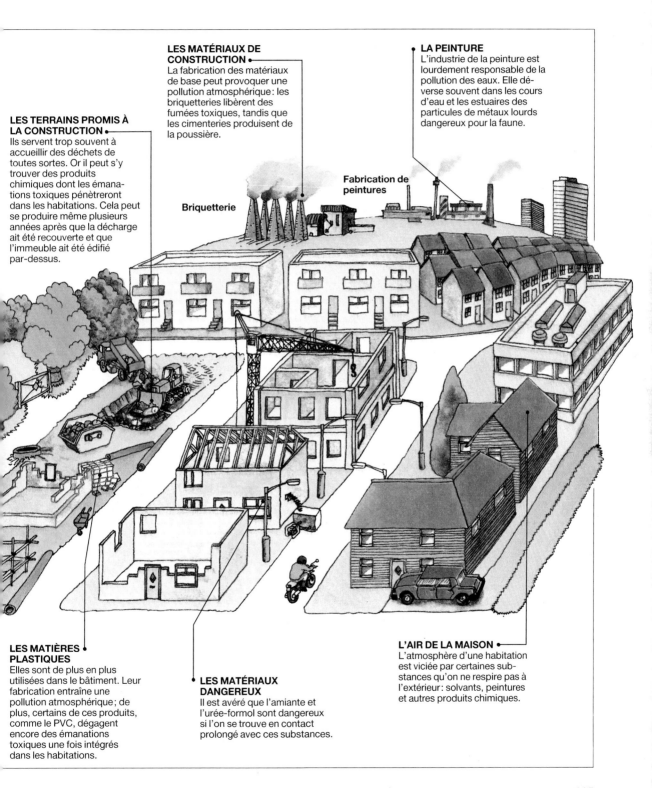

LES MATÉRIAUX DE CONSTRUCTION
La fabrication des matériaux de base peut provoquer une pollution atmosphérique : les briquetteries libèrent des fumées toxiques, tandis que les cimenteries produisent de la poussière.

LA PEINTURE
L'industrie de la peinture est lourdement responsable de la pollution des eaux. Elle déverse souvent dans les cours d'eau et les estuaires des particules de métaux lourds dangereux pour la faune.

LES TERRAINS PROMIS À LA CONSTRUCTION
Ils servent trop souvent à accueillir des déchets de toutes sortes. Or il peut s'y trouver des produits chimiques dont les émanations toxiques pénètreront dans les habitations. Cela peut se produire même plusieurs années après que la décharge ait été recouverte et que l'immeuble ait été édifié par-dessus.

Fabrication de peintures

Briquetterie

LES MATIÈRES PLASTIQUES
Elles sont de plus en plus utilisées dans le bâtiment. Leur fabrication entraîne une pollution atmosphérique ; de plus, certains de ces produits, comme le PVC, dégagent encore des émanations toxiques une fois intégrés dans les habitations.

LES MATÉRIAUX DANGEREUX
Il est avéré que l'amiante et l'urée-formol sont dangereux si l'on se trouve en contact prolongé avec ces substances.

L'AIR DE LA MAISON
L'atmosphère d'une habitation est viciée par certaines substances qu'on ne respire pas à l'extérieur : solvants, peintures et autres produits chimiques.

LA MAISON, UN ENDROIT SAIN?
Le danger des produits chimiques

La décoration et l'entretien des habitations impliquent souvent l'achat de produits chimiques qui peuvent se révéler mortels. Les étiquettes de ces produits avertissent trop rarement le grand public des dangers qu'ils représentent. L'utilisation inconsidérée de tel ou tel produit peut donc s'avérer très dangereuse.

LES COLLES
Les colles dérivées du pétrole dégagent des gaz toxiques. La plupart des autres produits contiennent des hydrocarbures à structure cyclique qui favorisent souvent le développement de cancers.

LES PEINTURES FONGICIDES
On incorpore souvent des fongicides à effet prolongé dans les peintures destinées à être appliquées dans des endroits humides. Si ce genre de peinture a été utilisé dans une cuisine, on risque, en touchant les murs et en cuisinant sans s'être lavé les mains, d'empoisonner la nourriture.

LA VENTILATION DÉFECTUEUSE
Une ventilation défectueuse amplifie les effets de la pollution. Les solvants contenus dans les produits de bricolage étant très volatils, ils s'accumulent chez vous dans des proportions dangereuses.

L'ISOLATION
La mousse d'urée-formol est un isolant qui est injecté sous forme liquide dans les cavités des murs et qui se solidifie ensuite. Il est avéré que cette matière dégage du formaldéhyde. Il s'agit d'un gaz toxique qui peut traverser les murs et finir par se trouver en fortes concentrations dans une pièce mal ventilée.

LES SOLVANTS
Tous les solvants utilisés en peinture sont dangereux à inhaler. De plus, ils peuvent provoquer chez le personnel de production des affections dermatologiques et, dans les cas extrêmes, des troubles neurologiques.

LES RESTES DE SOLVANTS
Si on verse au caniveau ou à l'évier des produits comme le white spirit ou un décapant, on contamine le système de traitement des eaux usées: les bactéries qui assurent leur décomposition sont détruites.

LES RÉSINES
Le bois que nous utilisons chez nous est en majorité représenté par des bois reconstitués (panneaux de particules...) dont la cohésion est assurée par des résines contenant du formaldéhyde. Ces résines diffusent des émanations toxiques, pendant plusieurs années.

LES PARTICULES DE POUSSIÈRE
L'utilisation d'un abrasif peut libérer dans l'atmosphère des poussières dont les particules sont chargées de produits de traitement du bois, de métaux toxiques utilisés dans les peintures ou de résines provenant des bois reconstitués.

LES PEINTURES
Les peintures actuelles sont nettement moins toxiques que celles qui se vendaient jadis. Cependant, leur fabrication est souvent un facteur de pollution des cours d'eau et des estuaires.

AGISSEZ

Évitez chez vous les dangers des produits chimiques

- **Choisissez les bons matériaux d'isolation**
  La fibre de verre est un isolant efficace et non toxique, à préférer aux isolants synthétiques (mousse de polyuréthane ou polystyrène expansé). De plus, sa fabrication provoque peu de pollution.

- **Attention aux colles**
  Les colles à séchage rapide dégagent des émanations dangereuses pour les poumons; d'autre part, elles contiennent des substances qui peuvent franchir la barrière cutanée. Choisissez des colles blanches à base de latex.

- **Soyez prudent en jetant les restes de produits**
  Faites très attention avec les restes de décapant dont vous voulez vous débarrasser. Certaines municipalités mettent à votre disposition des installations spéciales destinées à accueillir les résidus de produits chimiques ménagers. Si tel n'est pas le cas dans votre ville, assurez-vous que tous vos produits de bricolage sont bien enveloppés avant de les mettre dans une poubelle.

- **Choisissez des solutions peu toxiques pour traiter le bois**
  Un traitement thermique protège les charpentes des parasites: consultez un spécialiste. À défaut, utilisez des produits à toxicité réduite, garantis dix ans.

- **Évitez les fongicides**
  C'est l'humidité qui provoque l'apparition de moisissures. Un fongicide élimine les effets, pas la cause. Une meilleure ventilation ou un traitement contre l'humidité sont des choix plus judicieux.

- **Attention aux solvants**
  Moins vous en utiliserez, mieux ce sera. Choisissez-les avec soin et n'en achetez pas trop à la fois.

LES PRODUITS DE TRAITEMENT DU BOIS
Ce sont des poisons extrêmement tenaces. Le bois traité devient lui-même un poison si l'on en ingère; d'autre part, si ces produits sont conditionnés en aérosols, leur pulvérisation risque d'atteindre les objets avoisinants.

LES MATÉRIAUX SYNTHÉTIQUES
Aujourd'hui, les habitations sont remplies de matières synthétiques, comme par exemple les fibres utilisées dans les tapis et moquettes. Toutes ces matières peuvent dégager des gaz dangereux si elles sont mises accidentellement en contact avec des produits chimiques ménagers, comme les solvants.

trême prudence, mais l'avertissement est resté ignoré et de nouveaux matériaux apparaissent chaque année, dont les effets pervers seront peut-être mis en évidence dans l'avenir.

LES POISONS EN SUSPENSION DANS L'AIR

C'est à l'occasion d'incendies que se manifestent le plus nettement les dangers que représentent les matériaux synthétiques: les victimes des incendies meurent intoxiquées plutôt que brûlées, c'est d'ailleurs pourquoi les pompiers portent des masques. Mais, même en l'absence de feu, les simples émanations des produits synthétiques, qui empoisonnent l'air que vous respirez chez vous, suffisent à vous affecter. L'une de ces substances, le formaldéhyde, est devenue tristement célèbre.

Les habitations contiennent en effet de grandes quantités de formaldéhyde. On en trouve dans les mousses isolantes, les résines synthétiques, les désinfectants, les médicaments, la colle des bois contre-plaqués ou agglomérés, les panneaux de particules, les détergents et même certains cosmétiques. Sous sa forme pure, le formaldéhyde est un gaz très désagréable; dilué dans l'eau, il dégage une odeur âcre.

Aujourd'hui on reconnaît, mais un peu tard, que le formaldéhyde est un dangereux agent de pollution. En 1982, une femme membre de l'Association américaine des victimes du formaldéhyde décrivit les effets de cette substance lors d'une audition devant la Chambre des représentants. Toute sa famille souffrait d'affections chroniques: rhumes, lassitude et inflammations de la gorge. Son mari avait des crises d'arthrite. Ses enfants étaient incapables de se concentrer et de retenir ce qu'on leur enseignait. Toutes ces manifestations étaient imputables aux panneaux agglomérés qu'ils avaient utilisés pour monter leurs cloisons.

Le formaldéhyde se dégage très lentement des panneaux agglomérés, des mousses isolantes qui se trouvent dans les murs creux, et même des meubles. Les chercheurs de l'université de Harvard ont mis en évidence qu'il suffisait d'une concentration inférieure à 1/1 000 000 pour qu'une exposition régulière entraîne des malformations du système nerveux ou, chez l'adulte, des pertes de mémoire. En 1980, l'Institut américain de chimie a établi que, selon toute vraisemblance, l'inhalation de vapeurs de formaldéhyde était responsable de cancers chez les rats. Mais l'expérience n'ayant pas été menée sur des humains, elle n'entraîna pas de réaction immédiate...

Depuis, le Canada et certains États américains ont interdit les mousses isolantes contenant cette substance. La France également, il y a deux ans, à la suite de nombreuses intoxications. En Allemagne fédérale, l'utilisation de panneaux agglomérés contenant des colles au formaldéhyde a été interdite dans les bâtiments publics. Mais la plupart des pays n'ont édicté aucune interdiction et laissent le champ libre aux publicitaires et distributeurs qui poussent au contraire à la consommation.

HALTE AU FORMALDÉHYDE

Le formaldéhyde n'est absolument pas indispensable et on trouve des produits offrant les mêmes propriétés sans en présenter les dangers. La fabrication des panneaux agglomérés peut se réaliser avec une autre colle. De même, on peut utiliser, au lieu des mousses isolantes, de la laine ou de la fibre de verre. Il existe également des cosmétiques et des détergents sans formaldéhyde.

Il semble paradoxal que l'on continue à utiliser le formaldéhyde alors qu'il peut être remplacé par des produits aussi efficaces et non toxiques, mais l'enjeu économique est considérable. On peut donc redouter qu'avant que le formaldéhyde (qui, dissous dans l'eau donne du formol), ne retrouve sa vocation première, il ne coule beaucoup d'eau sous les ponts.

LES SOLVANTS

L'atmosphère que nous respirons chez nous est contaminée par bien d'autres substances encore. À cet égard, les plus dangereuses sont très probablement les solvants.

La peinture nécessite l'utilisation de dissolvants, de décapants, de produits de nettoyage pour les pinceaux, etc. Nous avons tous chez nous une ou deux bouteilles de ces produits, ce qui représente au total des millions de litres dans le monde.

La majorité des solvants sont des hydrocarbures ou des hydrocarbures chlorés, qui sont de la même famille que la plupart des pesticides. Ils sont très volatils, ce qui fait qu'en les utilisant on en inhale presque inévitablement.

Pour se faire une idée de la nocivité de ces produits, il suffit de se reporter à l'histoire du nettoyage industriel. Le nettoyage à sec s'effectue par immersion des

PRÉSERVEZ VOTRE AIR !

Nous présentons ci-dessous les huit principaux facteurs de pollution à la maison. Nous ne mentionnons que les principaux dangers de chacun d'entre eux. Il en existe bien d'autres, ne serait-ce que pour le tabac.

Le tabac. La fumée de cigarette contient de très nombreux gaz nocifs, parmi lesquels du monoxyde de carbone, de l'ammoniac, des oxydes d'azote et des substances organiques à la structure complexe.
Action : cessez de fumer !

Les cuisinières. Elles peuvent produire du monoxyde de carbone et du dioxyde d'azote. Ces gaz peuvent tous deux provoquer des troubles respiratoires.
Action : veillez à ce que la ventilation soit suffisante lorsque vous utilisez votre cuisinière.

Les équipements électriques. Les installations à haute tension et les appareils ménagers peuvent provoquer une production d'ozone, si les contacts sont mal effectués.
Action : vérifiez que vos appareils sont correctement branchés.

Les bois reconstitués. La cohésion des bois reconstitués est assurée par une résine qui libère du formaldéhyde.
Action : utilisez si possible du bois massif. Ventilez bien les pièces dans lesquelles se trouvent des bois reconstitués.

Les aérosols. Les gaz propulseurs des aérosols sont les CFC, de sinistre réputation, qui attaquent la couche d'ozone.
Action : boycottez les aérosols contenant encore des CFC ou n'arborant pas le logo «Préserve la couche d'ozone».

Les solvants. Les diluants pour peintures et les décapants contiennent des hydrocarbures toxiques qui stagnent très longtemps dans l'atmosphère.
Action : vérifiez que la ventilation est correcte.

Les feux de bois. Une mauvaise circulation d'air peut provoquer une concentration des produits d'une mauvaise combustion, parmi lesquels le monoxyde de carbone.
Action : faites ramoner régulièrement les conduits de cheminée.

Les insecticides. La plupart des insecticides contiennent des produits chimiques organiques qui peuvent se fixer dans le corps.
Action : évitez de les utiliser et mettez les aliments hors d'atteinte.

Solvants: les deux visages de la dépendance
Les solvants sont une drogue en vente libre. De très nombreux articles ménagers en contiennent, depuis les colles jusqu'aux correcteurs liquides. Il est donc très difficile de s'assurer que ces produits ne seront pas détournés de leur destination première. À sa manière, la ménagère est, elle aussi, dépendante des solvants: la plupart des habitations en contiennent de très grandes quantités.

vêtements dans un solvant. Lorsque les premières teintureries ouvrirent en France, en 1845, le solvant utilisé était le benzène. Outre que ce produit était hautement inflammable, il provoquait des leucémies chez les teinturiers. On eut alors recours à d'autres solvants, le tétrachloride de carbone et le tétrachloroéthane, qui eux aussi s'avérèrent toxiques. On se rabattit ensuite sur différents produits qui eurent chacun à leur tour leur heure de gloire. Aujourd'hui, l'un des solvants les plus courants est le perchloroéthylène. Il n'est pas dangereux pour les clients qui font nettoyer leurs vêtements, mais une exposition prolongée provoque des troubles neurologiques et attaque les poumons et les reins. Par ailleurs, il cause des dommages aux arbres et aux autres plantes.

Cette histoire édifiante rend suspects de très nombreux produits à usage domestique dont les hydrocarbures chlorés constituent soit un composant, soit le solvant. Les colles peuvent en contenir, et la récente vague d'inhalation de colle est l'illustration cruelle de leurs effets. Autre exemple, lorsqu'on renverse des solvants sur des surfaces comme les moquettes synthétiques, un grand nombre de gaz toxiques se libèrent dans notre atmosphère.

Les solvants ne polluent pas seulement l'air que nous respirons: si on les verse dans les égouts ou sur le sol, ils rejoignent les cours d'eau et les nappes souterraines et se retrouvent dans l'eau que nous buvons.

Utilisons-les donc le moins possible, ce qui est d'ailleurs valable pour tous les produits chimiques.

LES PRODUITS DE TRAITEMENT DU BOIS

Les produits de traitement du bois contiennent des fongicides et insecticides très puissants et sont utilisés pour traiter une superficie de quatre vingt dix mille hectares en France. En Pologne, cette superficie atteint quatorze millions d'hectares. La plupart de ces produits contiennent du pentachlorophénol (PCP), destiné à éviter ou à tuer les moisissures, et du lindane qui est un insecticide puissant. Le PCP est un poison très violent: appliqué sur le bois, il détruit les spores des champignons. Il conserve pendant de nombreuses années ses propriétés et représente donc un danger pour le personnel de production et les utilisateurs. Le prix à payer pour fabriquer ce poison est effrayant: cirrhoses du foie, atrophies de la moelle épinière et troubles neurologiques.

Bien que le lindane soit un insecticide destiné à l'agriculture, la plupart des pays autorisent son emploi dans les produits domestiques. Certains pays comme la Suède, les Pays-Bas, le Japon et plusieurs États américains en ont cependant complètement interdit l'utilisation. Grâce à ces mesures radicales, les habitants qui ont le privilège de vivre dans ces pays sont préservés du lindane, mais aussi des résidus de sa fabrication. En France, le lindane — qui n'est pas fabriqué sur le

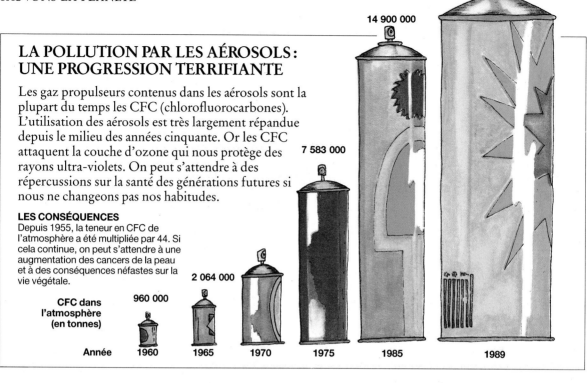

LA POLLUTION PAR LES AÉROSOLS : UNE PROGRESSION TERRIFIANTE

Les gaz propulseurs contenus dans les aérosols sont la plupart du temps les CFC (chlorofluorocarbones). L'utilisation des aérosols est très largement répandue depuis le milieu des années cinquante. Or les CFC attaquent la couche d'ozone qui nous protège des rayons ultra-violets. On peut s'attendre à des répercussions sur la santé des générations futures si nous ne changeons pas nos habitudes.

LES CONSÉQUENCES
Depuis 1955, la teneur en CFC de l'atmosphère a été multipliée par 44. Si cela continue, on peut s'attendre à une augmentation des cancers de la peau et à des conséquences néfastes sur la vie végétale.

CFC dans l'atmosphère (en tonnes)

Année	1960	1965	1970	1975	1985	1989
	960 000	2 064 000	7 583 000	14 900 000	19 500 000

territoire national — est autorisé pour l'agriculture. Son utilisation est interdite quinze jours avant toute récolte et son emploi en serre est prohibé.

L'industrie chimique ne parvient pas toujours à se débarrasser sans problèmes des résidus de la fabrication du lindane. Ainsi, en Allemagne fédérale, il y eut un tollé général lorsque 100 000 tonnes de résidus toxiques furent découvertes à Darmstadt dans l'enceinte de l'usine chimique Merck. Une partie de ces déchets avait été entassée dans une décharge à ciel ouvert. La poussière emportée par le vent avait gravement contaminé les environs. Autre exemple, la compagnie Boehringer avait stocké des résidus de lindane dans son usine et dans la tristement célèbre décharge de Georgswerder. Pendant des années, les cheminées de l'usine laissèrent échapper ce poison. En 1979, on analysa les légumes qui poussaient à proximité de l'usine : ils furent déclarés impropres à la consommation et détruits.

En 1984, on ferma l'usine Boehringer pour des raisons sanitaires. Entre autres dangers, des cheminées diffusaient de la dioxine TCDD (voir p. 92). Celle-ci se forme lors de la fabrication du PCP et du lindane, les deux principales substances qui entrent dans la composition des produits de traitement du bois.

LES PRODUITS NON TOXIQUES

Une fois que vous avez traité vos bois avec force produits toxiques, le mal est fait. Mais cette opération est-elle vraiment nécessaire ? On trouve encore en Europe de nombreuses maisons à charpente en bois qui datent du Moyen Âge et qui ont résisté sans ces traitements.

En fait, nous pouvons nous passer de ces produits dans la majorité des cas. Si le bois reste sec, les moisissures et les insectes ne doivent pas poser de gros problèmes. On peut le protéger en appliquant du vernis, de la laque ou de la cire d'abeille. On peut aussi traiter le bois avec des préparations à base de borax, d'acide acétique ou de soude qui sont sans danger.

Si vos bois se détériorent, ne recourez pas systématiquement aux produits les plus toxiques. Il en existe de moins concentrés, qui protègent le bois pendant dix ans. Cela vaut mieux qu'une application massive qui, pour une efficacité deux ou trois fois plus longue, intoxique aussi les hommes comme s'ils étaient de vulgaires champignons ou insectes.

Dans certains pays, on trouve des dispositifs qui permettent d'envoyer dans une pièce de l'air pulsé très chaud, ce qui supprime les insectes et les spores sans pour autant contaminer la maison. On peut également traiter très facilement les meubles en les laissant quelque temps dans un espace clos où l'on élèvera fortement la température (comme dans un sauna), ou en les immergeant dans un bain de cire liquide chaude.

LA POLLUTION PAR LA PEINTURE

Il fut un temps où le plomb était un composant essentiel des peintures. Si vous vivez dans une habitation construite il y a plus de cinquante ans, il est vraisemblable que les précédents occupants ont appliqué une bonne quantité de plomb sur les murs. Ne croyez pourtant pas qu'aujourd'hui les peintures ne posent plus de problèmes : elles restent l'un des produits d'usage courant les plus polluants et les plus dangereux pour la santé.

Le plomb servait avant tout de siccatif et était accessoirement utilisé pour rehausser les couleurs ou pour éviter la corrosion. En fait, son emploi ne se justifiait vraiment pour aucune de ces applications, la teneur en plomb variant en effet considérablement selon les marques sans que la qualité change fondamentalement.

La proportion en plomb a été limitée, et aujourd'hui, les peintures domestiques à faible teneur en plomb sont les seules autorisées dans la plupart des pays d'Europe et aux U.S.A. Mais nous continuons à vivre environnés de ce plomb du passé. Lorsque nous décapons les vieilles peintures, le plomb se retrouve dans l'air, dans les égouts et dans le sol. Toutes les peintures anciennes doivent donc être manipulées avec précaution, qu'elles se trouvent encore dans un pot ou qu'elles aient été appliquées sur des murs ou sur du bois.

Cependant, les peintures d'aujourd'hui renferment malheureusement des métaux encore plus toxiques. L'un d'entre eux est le cadmium, dont on consomme des milliers de tonnes par an et dont une bonne partie se retrouve sur nos murs. Un autre de ces produits toxiques, le dioxyde de titane, sert de pigment blanc pour les peintures synthétiques et mates. Cette substance, utilisée pour remplacer le plomb, est tout aussi polluante. La fabrication de peintures au dioxyde de titane produit des déchets liquides chargés d'acide sulfurique, de métaux lourds et d'hydrocarbures chlorés.

Dans les dernières décennies, les déchets toxiques produits par la fabrication des peintures sont devenus l'une des principales menaces contre l'environnement. Des bâtiments spéciaux ont déversé des milliers

de tonnes de ces produits dans la Mer du Nord, et des canalisations acheminent ces produits directement jusqu'aux estuaires.

LA CHIMIE DOUCE

L'industrie chimique sort de ses énormes complexes environ 25 millions de tonnes de produits organiques par an. Pour cela, elle utilise jusqu'à cinquante mille substances de base qui permettent de fabriquer un million de produits. Des centaines de nouveaux produits domestiques, dont les fabricants prétendent qu'ils sont meilleurs que leurs prédécesseurs, sont lancés simplement pour compléter ou renforcer une gamme.

La plupart d'entre eux sont très réactifs et très dangereux. La publicité les pare de qualificatifs flatteurs : « extra-fort », « puissant », « super-rapide » ou « super-concentré ».

En fait, la simple mention de force ou de puissance devrait nous inciter à la méfiance. Une habitation n'est pas un endroit idéal pour utiliser des produits dangereux.

Nous avons besoin au contraire de produits chimiques à base de substances naturelles, qu'on trouve en abondance. Ainsi, on peut traiter le bois, peindre, coller et nettoyer en utilisant de l'essence de térébenthine, de la poix, du latex, de la cire d'abeille, des huiles et teintures naturelles. La fabrication de ces produits éviterait la plupart des dangers que nous fait courir aujourd'hui l'industrie chimique.

UTILISONS DES MATIÈRES NATURELLES

Étant donné les problèmes que causent les matières synthétiques dans nos habitations (produits toxiques, déchets...), il est temps de revenir aux solutions naturelles. Nous avons besoin d'un nouveau type d'architecture qui propose un habitat plus naturel. Cela existe déjà : en Allemagne, en Scandinavie et en Autriche, des «architectes biologiques» ont construit des habitations en utilisant presque uniquement des matériaux naturels.

Il n'est pas question pour autant de revenir aux maisons froides, humides et pleines de courants d'air comme il en existait il y a encore un siècle. On peut trouver dans ces habitations autant de confort que dans une demeure de béton et de plastique, tout en y gagnant en esthétique.

L'ARCHITECTURE NATURELLE

L'architecture naturelle demande simplement un peu de bon sens. Ainsi, la brique remplace parfaitement le béton ; de même pour le bois, si celui-ci se trouve en quantité suffisante. L'espace creux à l'intérieur des murs doit, certes, recevoir une isolation, mais la mousse de plastique est à proscrire. Les meilleurs isolants sont de loin le papier recyclé ou le liège, mais on peut également utiliser de la laine ou de la fibre de verre. Aucun de ces composants ne produit de gaz toxiques, ni à court ni à long terme.

Si la maison à construire se trouve dans une région humide (ou enneigée), le toit doit être en pente, seule configuration convenant à un tel climat, et recouvert d'argile, de lauze ou d'ardoise ; dessous, du papier goudronné constituera une seconde protection contre l'humidité.

Les revêtements naturels des sols sont la pierre et le bois ; une couche de liège y apportera une parfaite isolation. On peut aussi employer le linoléum, en choisissant un revêtement constitué de résines naturelles.

Les matériaux synthétiques qu'on trouve dans les maisons ont tous un équivalent naturel, ce qui n'est

pas surprenant puisque la plupart des produits synthétiques sont destinés à imiter des matières naturelles. Choisissons donc des tapis et moquettes en laine, en fibre de noix de coco ou en sisal. Meublons-nous avec des meubles en bois assemblés selon les méthodes traditionnelles et non avec de la colle. Utilisons du papier peint et non un mélange de papier et de plastique impossible à éliminer. Ayons des portes et des placards en bois plein et non en bois reconstitué dont la colle dispensera pendant des années des émanations toxiques. La peinture peut se préparer avec des composants naturels comme la chaux. Les boiseries intérieures peuvent être enduites de cire d'abeille.

Il s'agit là d'options simples, qui permettent d'avoir une maison faite avec la nature et non contre elle.

L'ENTRETIEN AVEC DES MATIÈRES NATURELLES

Cette vie dans un «îlot biologique» n'est pour l'instant accessible qu'à ceux qui font construire une maison ou qui ont la chance de vivre dans une habitation ancienne qui a été épargnée par les matières nouvelles et leurs «améliorations». Mais on peut, sans déménager, avoir le «réflexe nature» et choisir des matériaux sains.

Pour parler clairement, cela signifie l'abandon de tout ce qui contient du plastique, qu'il s'agisse de rayonnages, de mobilier ou de planches recouvertes de plastique comme les stratifiés. Évitons également toutes les formes de bois reconstitué tels les panneaux de particules, ou les contre-plaqués.

Les peintures et vernis feront eux aussi l'objet d'une sévère sélection qui permettra d'éviter les produits contenant des métaux en grandes quantités. De même, bannissons les colles à papier peint qui contiennent des fongicides ; préférons-leur les produits à base de cellulose, parfaitement naturels.

L'UTILISATION DU BOIS ET SES EFFETS SUR L'ENVIRONNEMENT

Certains d'entre vous peuvent penser que ce retour à l'habitat traditionnel implique l'utilisation de grandes quantités de bois, alors même que les forêts sont menacées partout sur la planète.

En fait, le problème existe déjà, car même dans les habitations modernes, de grandes quantités de bois se trouvent dissimulées sous les plâtres, les panneaux

LA MAISON NATURELLE

Aujourd'hui, les habitations sont envahies de matières plastiques : les planches en PVC imitent le bois, les moquettes et tapis synthétiques imitent la laine, les «papiers peints» plastifiés imitent le papier. Nous vivons sous le règne du toc... Mais le pire, c'est que tous ces matériaux provoquent une pollution, à l'extérieur pendant leur fabrication, à l'intérieur une fois qu'ils sont posés. Les matériaux naturels sont tout aussi efficaces, et l'utilisation des matières plastiques dans l'industrie du bâtiment ne se justifie — tout juste —, que pour les gaines électriques et la protection des sols contre l'humidité.

LES TUILES
Les tuiles en terre cuite sont aussi résistantes que les tuiles en matières plastiques, et leur fabrication engendre une moindre pollution.

LE PAPIER GOUDRON
Une couche de papier goudron étanche constitue un isolant très efficace et biodégradable.

LES CARREAUX DE PLÂTRE
Ils sont fabriqués à partir du gypse, un matériau naturel qu'on peut notamment recueillir lors de l'épuration des fumées de centrales (voir p. 146).

LES REVÊTEMENTS DE BOIS
Les planches en bois massif sont plus résistantes que leurs imitations.

L'ISOLATION
Plutôt que les matières plastiques en panneaux ou en bille, on choisira des matériaux naturels : fibre végétale, laine de verre, fibre de verre.

LES REVÊTEMENTS DE SOLS
Il existe de très nombreux matériaux naturels : laine, coton, toile et de nombreuses fibres végétales.

LE PAPIER PEINT
Il serait bon de revenir au sens premier du terme : bannissons ces mélanges de papier et de matières plastiques qui ne sont pas dégradables et finissent dans les décharges.

isolants, les papiers peints, les toitures ou les moquettes. Dans nos pays où la déforestation dure depuis des décennies et parfois des siècles, on continue à utiliser des millions de tonnes de bois tendre. L'Europe se fournit presque totalement auprès de la Suède, de la Finlande et de la Norvège, ainsi qu'auprès du Canada septentrional pour ses besoins en pâte à papier. En Amérique du Nord, on utilise la production locale et on importe une grande partie des bois durs.

Le bois tendre provient la plupart du temps de plantations de conifères à croissance rapide. Il y a quelques siècles, les sapins et les épicéas ne se trouvaient que dans les régions nordiques et en montagne, à une certaine altitude. Les conifères poussent vite et fournissent un bois fibreux qui convient très bien aux besoins de la construction et, accessoirement, à ceux de l'industrie du papier et du carton.

Parmi ces espèces à croissance rapide, l'épicéa

Le bois, matériau naturel
Le travail du bois massif ne provoque aucune pollution... sauf celle des machines-outils. Il s'agit d'un matériau robuste et dégradable. Il connaît actuellement un regain de faveur ; le public réalise aujourd'hui à quel point il est supérieur au plastique. Mais, pour satisfaire une demande en augmentation, il faudra rationaliser l'exploitation forestière.

couvre plus de la moitié des forêts d'Europe centrale. Ces plantations sont des endroits sombres et lugubres, inhospitaliers à l'homme et à la faune ; mais les exploitants soutiennent que ce sont les seules forêts qui aient un intérêt économique car elles correspondent à la demande actuelle.

Il ne fait aucun doute qu'à terme la terre peut pâtir de ces plantations à répétition si elles se pratiquent sur des sols inappropriés. Il fut un temps où l'Europe et l'Amérique du Nord comptaient de très vastes étendues de feuillus. Lorsque ceux-ci furent abattus et remplacés par des conifères, cela représenta un important manque à gagner, ainsi qu'un appauvrissement du sol. En effet, les bois tendres provoquent un déficit de la terre en humus et rendent celle-ci de plus en plus acide. À long terme, il devient difficile de faire pousser d'autres espèces au même endroit.

LES BOIS TROPICAUX

Il n'y a pas que les bois tendres qui équipent nos habitations. C'est ainsi que l'Europe, l'Amérique du Nord et le Japon importent chaque année plusieurs millions de tonnes de bois durs dont une bonne partie sert à fabriquer des portes, des châssis de fenêtres et des meubles. La presque totalité de ce bois vient des forêts tropicales et équatoriales, les premiers pays exportateurs étant aujourd'hui les Philippines, la Malaisie et l'Indonésie. Ces forêts sont abattues pour laisser la place aux cultures et pour

AGISSEZ

Des matières naturelles au lieu de produits synthétiques

● **Tapis et moquettes**
Les tapis et moquettes synthétiques sont très répandus. Les articles comportant un matelas de polyuréthane dégagent un gaz irritant, le dibutyl hydroxytoluène. Lorsque vous changerez vos tapis et moquettes, choisissez des fibres naturelles.

● **Literie**
Une grande partie des articles de literie sont en acrylique ou autres fibres synthétiques. Les produits fabriqués avec des fibres naturelles comme la laine sont plus chers mais ils sont plus confortables et plus sains.

● **Vêtements**
Il n'est pas prouvé que les fibres synthétiques représentent un risque pour la santé. En tout cas, elles participent au problème général d'environnement posé par les plastiques. Dans la mesure du possible, achetez des vêtements en fibres naturelles.

● **Récipients alimentaires et emballages**
À l'exception des films plastique (Cf. page 67), il n'est pas prouvé que les récipients alimentaires en plastique soient dangereux pour la santé. Cela dit, des matériaux naturels comme le carton ou le papier paraffiné sont biodégradables, ce qui est une bonne raison pour les préférer.

approvisionner les pays développés qui ont déjà anéanti leurs propres forêts.

Or, la fourniture de ce bois n'est pas infinie. Déjà, les plantations d'Afrique de l'Ouest, à l'exception de celles du Cameroun et du Zaïre, sont épuisées. Certains ébénistes, comme Chippendale, avaient suscité en Europe un engouement pour l'acajou. Pour satisfaire cette demande, on a sacrifié des superficies gigantesques de forêts africaines. Certains scientifiques ont même avancé l'idée que la déforestation en Afrique de l'Ouest aurait entraîné une dessiccation de l'air, permettant ainsi au Sahara de reculer ses limites vers le Sud.

Pour fabriquer nos chassis de fenêtres, nous sommes en train de détruire les forêts les plus luxuriantes de la planète, dont certaines ne contiennent pas moins de quatre cents espèces différentes à l'hectare.

La récolte de ce bois engendre un véritable gâchis. Afin de faciliter l'accès aux forêts, on y pratique des tranchées. Grâce aux tronçonneuses modernes, il suffit de peu de temps pour se frayer un chemin au milieu d'arbres de cinquante mètres de haut qui entraîneront dans leur chute les arbres environnants auxquels ils sont reliés par un réseau de lianes.

Or, dans les forêts tropicales et équatoriales, on ne compte que 10 % des arbres qui appartiennent à une espèce ayant une « valeur marchande ». Le reste est tout simplement laissé sur le lieu du massacre. Les bulldozers n'emportent que les arbres choisis en tassant le sol et en endommageant les racines. On charge ensuite les troncs sur des grumiers qui les emportent soit à la scierie, soit aux ports d'embarquement.

COMMENT EXPLOITER LE BOIS

Dans sa forme actuelle, ce commerce constitue une atteinte à l'environnement ; les choses doivent changer, quels que soient les pays d'exploitation et les essences concernées. Le bois est une ressource naturelle qu'il convient de gérer correctement, ce qui implique que l'on replante après abattage.

Selon le précepte de la préférence locale, c'est avec les arbres qui poussent sous nos propres climats que nous devrions trouver le bois dont nous avons besoin. Ce n'est pas en faisant pousser une seule variété d'arbres au détriment des autres que l'on pratique une bonne sylviculture. Il faut, au contraire, planter à la fois des arbres à bois tendre et à croissance rapide et des arbres à croissance beaucoup plus longue qui fourniront les bois durs. En général, les bois tropicaux qui sont exportés proviennent de régions tempérées. Il faut cependant commencer à planter en Europe et en Amérique du Nord beaucoup plus de bois durs qu'aujourd'hui.

La plupart des pays subventionnent la plantation de feuillus, mais on en abat, hélas, plus qu'on n'en replante. Il faut donc augmenter le stock mondial d'arbres durs au lieu de l'épuiser, moyennant la contribution financière des pouvoirs publics. Mais n'oublions pas que les forêts ne sont pas uniquement des endroits à exploiter : elles protègent le sol de l'érosion, particulièrement sur les pentes impropres à l'agriculture. Elles nous offrent leur agrément, filtrent notre air et abritent une faune qui ne survivrait pas en rase campagne.

À CHACUN SON BOIS

En plantant plus de bois durs dans les régions tempérées, on finira par faire chuter la demande en bois tropicaux. Mais, à court terme, que peut-on faire pour préserver la forêt tropicale qui abrite, ne l'oublions pas, environ les deux tiers des espèces animales et végétales ?

D'abord, nous pouvons boycotter les produits fabriqués avec des bois tropicaux. On peut parfaitement faire des portes et des chassis de fenêtres avec des bois tendres plutôt qu'avec des bois exotiques.

Cependant, les pays tropicaux ont besoin de devises et le bois leur en apporte. Aussi longtemps qu'ils le vendront, ils trouveront preneur. Comment préserver l'environnement dans ce contexte économique ?

La réponse est la même que pour nos propres forêts : l'exploitation rationnelle et le reboisement. Il ne s'agit pas de replanter des conifères et des eucalyptus en Amazonie, mais de replanter les essences locales. La forêt vierge ne peut pas nous approvisionner indéfiniment et ce n'est qu'en rationalisant les plantations que nous pourrons nous assurer une manne pratiquement inépuisable.

Il est certain que l'exploitation de bois durs demande beaucoup de temps avant de devenir rentable ; pourtant, dans certains pays, des espaces inexploités ont été réservés à ces nouvelles plantations. En achetant ce bois de préférence aux bois tropicaux, nous encourageons cette initiative.

Exportation du bois
Les bois tropicaux qui sont exportés proviennent de réserves qui s'amenuisent à un rythme effrayant. En 1950, la forêt tropicale couvrait 15 % des terres émergées. Ce pourcentage pourrait chuter à 7 % à la fin du millénaire du fait de la déforestation qui profite à l'agriculture et au commerce du bois.

Ainsi, en Grande-Bretagne, les Amis de la Terre et la Fédération des bois tropicaux ont conclu un accord provisoire sur la production et le traitement du bois. Grâce à cela, les acheteurs sauront comment ont été exploités les bois qui leur sont proposés. Si les clients choisissent massivement le bois exploité rationnellement, on peut espérer ralentir ou même stopper le massacre de la forêt tropicale, et par là même éviter l'une des plus grandes catastrophes écologiques.

Au niveau européen, une convention sur les bois tropicaux a également été signée. En France, il n'existe pas encore de texte, mais des pétitions visant à faire avancer les choses en ce domaine sont recueillies au siège de l'ONU.

JARDINER SANS PRODUITS CHIMIQUES

Le côté positif des « espèces nuisibles »
Comment restaurer l'équilibre naturel
Les dangers des produits chimiques de jardinage
Le jardin biologique et ses atouts
Se servir des plantes pour contrôler les parasites
Recycler les déchets du jardinage

Un beau jardin fertile, c'est un microcosme de l'environnement tel que nous aimerions qu'il soit et la parfaite illustration d'une association féconde entre l'intelligence humaine et la nature. Cet environnement, nous pouvons partiellement le maîtriser et, si nous exerçons ce contrôle pour le bien des autres formes de vie, nous nous rapprochons du jardin de nos rêves.

Imaginons une femme en robe d'été fleurie, un chapeau de paille sur la tête, avec des gants de jardinage, sortant de sa maison d'un pas léger pour s'occuper de son jardin et appelons-la Mme Dupont. Comment le soigne-t-elle aujourd'hui ?

Elle commence par désherber à l'aide d'un herbicide contenant une substance appelée acide trichloro-phénoxyacétique ou 2, 4, 5-T. Mélangé avec le 2,4-D, il devient *l'Agent orange* que les forces américaines ont utilisé comme défoliant sur de vastes superficies de jungle, lors de la guerre du Vietnam. Des milliers d'enfants sont nés difformes à cause de lui. Il contient aussi de la dioxine qui semble apparemment indispensable à sa fabrication.

Mme Dupont en répand une bonne dose sur le sol, entre ses légumes, et les « mauvaises » herbes se flétrissent. Une demi-heure de désherbage avec une binette aurait le même résultat, mais pourquoi se fatiguer alors qu'on a à sa disposition des produits aussi efficaces ?

Puis elle jette un coup d'œil sur ses roses. Des pucerons ! Elle retourne dans son appentis et en ressort avec un pulvérisateur aérosol contenant un poison mortel, commercialisé depuis quelques années à peine. Après des tests menés sans enthousiasme par la société qui le fabrique, ce produit a reçu le droit de sévir dans les jardins. Comme beaucoup de ceux qui l'ont précédé, il sera probablement interdit dans quelques années, parce qu'on aura découvert qu'il n'est pas d'une totale innocuité pour l'homme. Sur les talons de Mme Dupont trottine son fils de trois ans dont la santé ne donne, pour le moment, aucun souci.

Elle pulvérise donc l'insecticide sur les pucerons indésirables et les foudroie. Une petite bouffée aurait suffi à les détruire, mais elle les en inonde. Pour faire bonne mesure, elle traite tous ses rosiers, qu'il y ait des pucerons ou non. Les fines gouttelettes emportées par le vent dérivent jusqu'sur ses laitues ou celles du voisin, ainsi que sur son petit garçon. Elle ne s'en inquiète pas, sûre que ce produit est inoffensif ; « on » ne lui aurait pas vendu quelque chose de dangereux, n'est-ce pas ? Ce produit a détruit non seulement les pucerons, mais les larves de coccinelles, de bombylidés et d'*Anthocoris*, qui tous se nourrissent de pucerons. Une autre génération de parasites naîtra et il n'y

aura pas de prédateurs pour en contrôler le nombre.

Si elle avait pulvérisé du savon noir et de l'eau sur ses rosiers, elle aurait tué cette génération de pucerons sans causer de tort aux insectes utiles.

Maintenant, Mme Dupont va chercher une boîte de chlordane. De nombreux pays ont interdit cet insecticide cancérigène, mais elle ne le sait pas. Elle en répand sur sa pelouse, pour éliminer les vers de terre dont elle ne peut supporter les déjections. Personne ne lui a jamais dit que les lombrics aéraient la terre. Elle empoisonne ses meilleurs alliés. Quelques coups de balai de bouleau sur sa pelouse auraient éparpillé ces excréments qui sont un bon engrais. Elle fera passer le scarificateur par son mari pour aérer la terre. Il ne lui est pas venu à l'idée que les vers de terre faisaient cela bien mieux.

Mme Dupont a lu des publicités et regardé à la télévision toutes les émissions sur le jardinage. Elle en a tiré l'enseignement qu'il y avait toujours un pesticide pour résoudre un problème donné.

Puis, Mme Dupont va s'occuper de ses carottes. Elles se portent bien, mais Mme Dupont a entendu parler à la radio d'une bestiole appelée psile, dont la

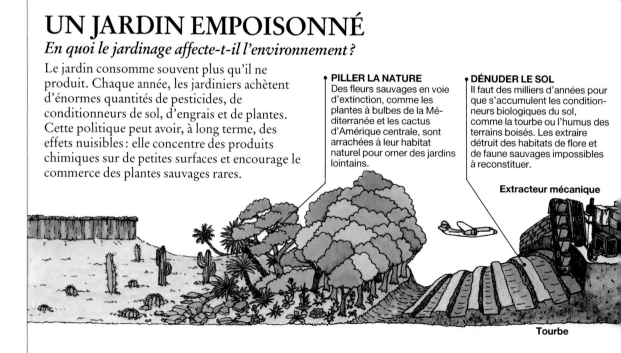

UN JARDIN EMPOISONNÉ
En quoi le jardinage affecte-t-il l'environnement ?

Le jardin consomme souvent plus qu'il ne produit. Chaque année, les jardiniers achètent d'énormes quantités de pesticides, de conditionneurs de sol, d'engrais et de plantes. Cette politique peut avoir, à long terme, des effets nuisibles : elle concentre des produits chimiques sur de petites surfaces et encourage le commerce des plantes sauvages rares.

PILLER LA NATURE
Des fleurs sauvages en voie d'extinction, comme les plantes à bulbes de la Méditerranée et les cactus d'Amérique centrale, sont arrachées à leur habitat naturel pour orner des jardins lointains.

DÉNUDER LE SOL
Il faut des milliers d'années pour que s'accumulent les conditionneurs biologiques du sol, comme la tourbe ou l'humus des terrains boisés. Les extraire détruit des habitats de flore et de faune sauvages impossibles à reconstituer.

Extracteur mécanique

Tourbe

larve ronge la racine des carottes. Se remémorant ce que l'on a dit, elle prend une substance appropriée contenant du diazinon. C'est un poison stable organophosphoré qui agit par contact et on le soupçonne de plus en plus d'être tératogène, c'est-à-dire d'accroître le taux des malformations congénitales. Son emploi est encore légal dans certains pays. Mme Dupont en pulvérise donc généreusement ses carottes.

POURQUOI LES PRÉDATEURS SONT-ILS IMPORTANTS

Beaucoup d'entre nous agissent encore comme Mme Dupont. Pourtant, il n'est absolument pas nécessaire de s'efforcer de détruire tous les nuisibles d'un jardin. Nul besoin de s'affoler dès que l'on voit un puceron ou un thrips (insecte de petite taille qui s'attaque à la vigne, aux céréales et à certaines fleurs). Dans un jardin en bonne santé, il y a forcément des prédateurs.

L'attitude actuelle consiste à dire: «Les insectes sont mes ennemis. Certains sont peut-être inoffensifs, mais je ne peux pas leur laisser le bénéfice du doute. Je n'ai pas le temps de les étudier. Je vais donc appliquer le poison le plus actif que je possède et les tuer tous.»

Personne n'a envie de voir ses choux mis en pièces par les chenilles, ses oignons détruits par les ortalidés ou ses pommes de terre décimées par le mildiou. Mais si nous ne voulons pas transformer nos jardins paradisiaques en potagers empoisonnés, il faut envisager le problème d'une tout autre manière.

L'humanité a été à l'origine de la disparition de nombreuses espèces animales, mais jusqu'à maintenant, elle n'a réussi à annihiler aucune espèce d'insecte nuisible. Le DDT a presque éliminé les anophèles du Sri Lanka, mais quand on s'est aperçu que cet insecticide faisait plus de mal aux êtres humains qu'aux moustiques, on a cessé de s'en servir. Ces derniers sont revenus en force, et avec eux la malaria. En dépit de quarante années de guerre chimique sur toute l'étendue de la planète, les insectes nuisibles posent plus de problèmes qu'avant l'invention de l'insecticide.

LA STRATÉGIE VAUT MIEUX QUE LE PILONNAGE

Le jardinage biologique est basé sur l'idée que les êtres humains doivent coexister avec les autres formes de vie de la planète. Tous les êtres vivants sont interdépendants. Nous n'éliminerons jamais complètement les parasites, mais nous pouvons les

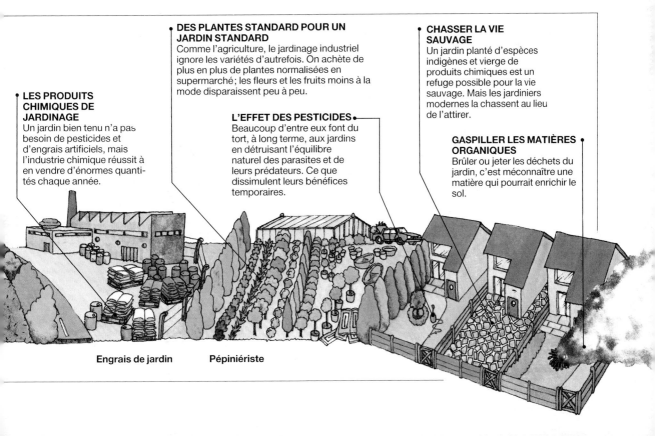

DES PLANTES STANDARD POUR UN JARDIN STANDARD
Comme l'agriculture, le jardinage industriel ignore les variétés d'autrefois. On achète de plus en plus de plantes normalisées en supermarché; les fleurs et les fruits moins à la mode disparaissent peu à peu.

CHASSER LA VIE SAUVAGE
Un jardin planté d'espèces indigènes et vierge de produits chimiques est un refuge possible pour la vie sauvage. Mais les jardiniers modernes la chassent au lieu de l'attirer.

LES PRODUITS CHIMIQUES DE JARDINAGE
Un jardin bien tenu n'a pas besoin de pesticides et d'engrais artificiels, mais l'industrie chimique réussit à en vendre d'énormes quantités chaque année.

L'EFFET DES PESTICIDES
Beaucoup d'entre eux font du tort, à long terme, aux jardins en détruisant l'équilibre naturel des parasites et de leurs prédateurs. Ce que dissimulent leurs bénéfices temporaires.

GASPILLER LES MATIÈRES ORGANIQUES
Brûler ou jeter les déchets du jardin, c'est méconnaître une matière qui pourrait enrichir le sol.

Engrais de jardin   Pépiniériste

LE JARDIN DU BÉTON ET LES PRODUITS CHIMIQUES

Un jardin, c'est un écosystème que l'on peut améliorer ou détruire. Dans un jardin bien tenu, la nature et les besoins du jardinier s'équilibrent. Dans un jardin mal tenu comme celui-ci, la nature est battue en brèche au profit d'une absurde quête de propreté et de netteté.

ARBRES HYBRIDES À FEUILLES PERSISTANTES
Les arbres à feuilles persistantes et à croissance rapide, avec leurs aiguilles et leurs graines non comestibles, sont presque totalement inutiles à la vie sauvage.

LA SERRE
Jardiner sous abri est une activité très fructueuse. Mais remplir une serre de fumigations et autres poisons superflus sape le bénéfice qu'elle peut apporter.

LES MATIÈRES ORGANIQUES À LA POUBELLE
Les feuilles, les brindilles et les restes d'aliments crus sont de précieux déchets organiques. Il faut en faire du compost et non les livrer aux éboueurs.

DES FLEURS SÉLECTIONNÉES
De nombreuses plantes sont sélectionnées pour produire des couleurs ou des parfums anormalement développés. Dépourvues de nectar, elles n'apportent rien aux papillons et aux abeilles.

UN SOL CONDAMNÉ
Quand la terre est bétonnée, ses substances nutritives sont mises sous clef. La faune et la flore du sol dépérissent rapidement.

LA RÉSERVE DE PRODUITS CHIMIQUES
On entrepose souvent sans aucune précaution les produits chimiques de jardinage. Les outils peuvent être contaminés par eux lorsque les conteneurs se désagrègent.

AGISSEZ

Pour notre bien et celui de la vie sauvage

- **Encouragez les prédateurs et les pollinisateurs**
  Plantez des fleurs des champs qui attireront les abeilles, bienfaitrices pour vos fruits, et les bombylidés qui se nourriront de pucerons.
- **Plantez les arbres et les arbustes de votre région**
  Préférez les plantes originaires de votre région à celles qui sont importées. Elles résisteront mieux aux oiseaux et aux insectes.
- **Donnez la préférence à la variété**
  Des plantes variées attireront plus d'insectes, ce qui diminuera le nombre de parasites. N'ayez jamais de trop nombreux pieds d'une même espèce trop proches les uns des autres.
- **Créez une mare**
  Un petit plan d'eau attirera dans votre jardin les grenouilles et les crapauds, prédateurs de nombreux insectes.
- **Évitez d'utiliser des pesticides artificiels**
  Si vous avez des problèmes avec les parasites, essayez d'utiliser des pesticides naturels (voir p.135) ou des plantes qui les contrôlent naturellement (voir p.137).
- **Recyclez les déchets organiques**
  Ne jetez pas la matière organique, et ne la brûlez pas — faites-en un tas de compost. Si votre sol est pauvre, servez-vous d'engrais biologique fait de fumier ou de matière végétale (voir p.136). N'utilisez jamais de produits de synthèse.

DES RANGÉES DE LÉGUMES
Un carré rempli de plantes identiques et sans taches est le signe d'une contamination chimique et non d'une récolte saine.

EMPOISONNÉ PAR UN PESTICIDE
Tout animal tué par un pesticide le concentre dans son corps et le passe au reste de la chaîne alimentaire. Les oiseaux qui mangent des limaces et des escargots empoisonnés sont souvent victimes des pesticides.

contrôler lorsqu'ils pullulent. Pour ce faire, il faut les étudier et agir à bon escient.

Le jardinier d'aujourd'hui réagit souvent avec trop de violence, avant d'avoir été réellement agressé. S'il patientait un peu, les prédateurs naturels feraient souvent le travail pour lui.

Après tout, est-ce si grave que quelques pieds soient, de temps à autre, légèrement abîmés par un insecte « nuisible » ?

Bien sûr, quand un parasite ou une maladie met en danger toute une récolte, il faut faire quelque chose. Il existe un grand nombre d'actions possibles, qui n'utilisent pas les pesticides.

Par exemple, si vous semez vos fèves à l'automne et non au printemps, elles arriveront à maturité avant que l'inévitable puceron noir ne s'y attaque, au début de l'été. Si vous en coupez les extrémités (vous pouvez les manger ou les mettre sur votre tas de compost), cela stimulera la formation des cosses et dissuadera les pucerons.

Si vous attirez les oiseaux, surtout les mésanges, dans votre jardin, vous éliminerez beaucoup d'insectes nuisibles car ils sont friands de leurs œufs et de leurs larves. Si vous alternez vos cultures, vous rendrez la vie plus difficile aux parasites.

LES CULTURES ASSOCIÉES

C'est une technique qui se sert de la nature pour contrôler les parasites. Les caractéristiques naturelles d'un certain nombre de plantes dissuadent les mammifères et les insectes nuisibles spécifiques. Par exemple, planter de la sarriette près des haricots vous protégera des petits rongeurs. Le mélange des carottes et des oignons éloignera les parasites car chaque plante « brouille » l'odeur de l'autre, ce qui désoriente les insectes (voir p.137) comme les petits rongeurs.

Certaines fleurs, comme les capucines et les volubilis, attirent les bombylidés qui détruisent beaucoup de parasites. Les bombylidés, les ichneumonidés, les braconidés et les chalcididés tuent les chenilles, les pucerons et d'autres insectes. Les coccinelles quant à elles dévorent les pucerons. Elles pondent leurs œufs jaunes et plats sur les feuilles de choux, souvent juste à côté des œufs jaunes des chenilles. Quand vous pulvérisez aveuglément des insecticides, vous anéantissez les deux espèces, ces produits étant rarement sélectifs.

Détruire les parasites « à la main » est une activité qui a son efficacité. Examinez soigneusement les feuilles des brassicacées (la famille des choux), par exemple, et écrasez les œufs jaunes, agglutinés, des chenilles. Vous pouvez aussi tuer les chenilles adultes, attraper et détruire les piérides du chou, même si vos enfants ne sont pas d'accord. En France, avant-guerre, on ramassait bien le terrible doryphore à la main sur les feuilles de pomme de terre.

LES PESTICIDES TRAVAILLENT CONTRE LE JARDINIER

Avant l'ère des pesticides, il y avait de magnifiques jardins. Tout jardinier de plus de soixante ans se souvient de superbes récoltes de fruits et de légumes, et de jardins — à la fois potagers et d'agrément — luxuriants et fertiles. *Aucun* des pesticides organochlorés ou organophosphatés n'existait alors. Certains jardiniers utilisaient, modérément, le soufre : ils savaient protéger les pommes de terre ou les raisins du mildiou avec un mélange de sulfate de cuivre et de chaux (ou mieux, certaines décoctions comme celle de la prêle, par exemple). On se servait de temps à autre de la nicotine, de la roténone ou du pyrèthre, mais ces substances n'étaient pas tenaces et très souvent, elles épargnaient les prédateurs en ne tuant que l'espèce visée. Beaucoup de jardiniers ne traitaient pour ainsi dire jamais. Il y avait parfois « une mauvaise année » pour ceci ou pour cela, mais l'équilibre naturel se rétablissait tout seul et la récolte était généralement bien suffisante.

Aujourd'hui, les jardiniers, comme les agriculteurs et les éleveurs (voir pp.44-6) sont pris dans un engrenage qui leur fait utiliser de plus en plus de pesticides. Citons le cas de la tétranyque, ou araignée rouge, qui ravage les pommiers de Normandie.

Depuis que les pommiers étaient implantés dans cette région, l'araignée rouge vivait sur eux en se nourrissant surtout des algues et du lichen qui poussaient sur les troncs. Les dommages qu'elle causait aux arbres étaient négligeables. Puis, au début du siècle, on se mit à badigeonner ceux-ci de goudron, ce qui tua les algues et le lichen sans détruire l'araignée rouge. Aussi celle-ci dut-elle se rabattre sur les feuilles du pommier pour vivre, et devint nuisible. Après la Seconde Guerre mondiale, on utilisa le DDT qui annihila tous les prédateurs de notre acarien. Le problème ne fit qu'empirer. Maintenant, l'araignée rouge est un grand nuisible, devenu résistant aux organo-

LES ALLIÉS DU JARDINIER

Beaucoup d'animaux et d'insectes que nous essayons, à grand renfort de temps et d'argent, d'éliminer de notre jardin en sont les bienfaiteurs. Ils maintiennent son équilibre naturel. Ce tableau énumère certains animaux qui, loin d'être des parasites, nous aident à les éliminer.

LES INSECTIVORES

Les animaux de ce groupe, dont les musaraignes, les taupes et les hérissons, mangent de grandes quantités de parasites invertébrés tels les cloportes, les myriapodes, les larves de taupin et les limaces.

LES OISEAUX

Beaucoup d'espèces d'oiseaux se nourrissent de larves, de chenilles, de limaces et de pucerons ; la grive consomme énormément d'escargots.

LES GRENOUILLES ET LES CRAPAUDS

Ce sont les prédateurs des limaces, des cloportes et d'autres petits insectes. Ils sont souvent dans l'herbe mouillée, aussi faut-il faire attention quand on la coupe.

LES INSECTES

Les libellules et leurs larves, celles des bombylidés et des demoiselles, sont les prédateurs des pucerons.

LES INVERTÉBRÉS TERRESTRES

Les jardinières et les scolopendres se nourrissent d'anguillules, d'agrotis, de larves de tipules et d'autres insectes. Les araignées dévorent les insectes nuisibles.

LES VERS DE TERRE

Ils aèrent le sol et le drainent. Ils améliorent aussi sa fertilité en entraînant les matières organiques en profondeur.

Contrôle naturel des pucerons
Si vous regardez attentivement une colonie de pucerons, vous verrez probablement des prédateurs comme la coccinelle (à gauche) et la larve d'un bombylidé (à l'extrême gauche) en train de les dévorer. Souvenez-vous que le savon noir détruira ces pucerons sans faire aucun mal à leurs prédateurs, comme c'est le cas pour les pesticides.

chlorés et aux organophosphatés, et toutes les tentatives pour la détruire ont échoué. Heureusement, l'un de ses prédateurs, le *Typhlodromus,* a commencé lui aussi à développer une résistance aux pesticides, si bien qu'un équilibre devrait se rétablir — non *grâce* aux insecticides, mais *en dépit* d'eux.

Les jardiniers, comme les agriculteurs, commettent l'erreur de s'occuper de chaque problème isolément. Lorsqu'on a affaire à des êtres vivants, les réponses simplistes ne sont jamais les bonnes. Il ne faut pas soigner les symptômes, mais chercher la cause.

Traiter les récoltes à grand renfort de nitrates et d'engrais artificiels les débilite souvent (comme les enfants, les plantes peuvent s'affaiblir en grandissant trop vite). Faire pousser des cultures sur un sol dénué d'humus naturel diminue leur résistance aux maladies. On sélectionne les espèces uniquement pour leur rendement et leur apparence, en négligeant leur capacité à se défendra contre les affections qui les détruisent. Les cultivateurs de pommes de terre, par exemple, se servent depuis un siècle de produits chimiques pour protéger leur récolte du mildiou. Les variétés actuelles ont donc perdu toute résistance. Si on ne les avait pas surprotégées durant tout ce temps, la sélection naturelle aurait opéré et l'on ne serait pas obligé de traiter les pommes de terre. La même chose est en train de se produire avec toutes les plantes cultivées.

Inonder les plantes de pesticides chimiques ne fait pas qu'aider les parasites à développer leur résistance naturelle. Cela débilite aussi la terre. Les pulvérisations ou les poudres destinées à votre rosier ou à vos choux pénètrent dans le sol, soit directement, soit par l'intermédiaire de la plante. L'équilibre des bactéries est détruit et avec lui disparaît une abondante source de sels minéraux, indispensables à la croissance des végétaux. Votre terre étant ainsi affaiblie, vous allez utiliser d'autres produits chimiques pour essayer de la revivifier. Mais ils ne feront qu'aggraver la situation.

LES PESTICIDES MENACENT VOTRE SANTÉ

Depuis ces dernières années, la controverse fait rage au sujet des effets que les pesticides peuvent avoir sur notre santé. Mais les résultats des recherches engagées n'ont guère apporté de changements. Néanmoins, la preuve est faite : les pesticides ne sont pas seulement toxiques pour les organismes nuisibles, mais aussi pour l'homme. Ils sont cancérigènes et tératogènes. Les organophosphatés affaiblissent la capacité qu'a le foie de purifier le sang, et les carbamates lèsent sérieusement le système nerveux. Cependant, plus nous utilisons de produits chimiques, plus nous dépendons d'eux, si bien que nous finissons par en utiliser *de plus en plus.* C'est peut-être bon pour l'industrie chimique, mais très mauvais pour nos enfants et nos petits-enfants.

UN JARDIN BIOLOGIQUE

Jusqu'ici, vous avez jardiné avec des produits chimiques ; or, vous souhaitez le faire maintenant biologiquement. Comment vous y prendre ?

La première chose, la plus évidente, c'est de cesser d'utiliser des produits chimiques de synthèse — aussi bien les biocides que les engrais artificiels. Ce qui n'exclut pas les pesticides naturels, suffisamment nombreux. En dépit de votre vigilance, ou à cause de votre négligence, l'ennemi peut faire une percée et vous aurez besoin de traiter.

Aucun des produits chimiques naturels cités ci-dessous ne reste dans les tissus de la plante. La plupart agiront sur le nuisible sans trop affecter ses prédateurs.

La partie la plus importante d'un jardin, c'est le potager, pour la bonne raison que vous mettrez ses produits dans votre assiette. Les vrais jardiniers biologiques n'utilisent pas d'herbicides sur les plantes comestibles, évitant ainsi que des produits chimiques dangereux ne s'incorporent à la nourriture — et à l'organisme — de ceux qui la consomment.

Lorsque vous aurez cessé d'utiliser des produits chimiques dangereux, vous devrez améliorer la fertilité du sol.

RENDRE AU SOL SA FERTILITÉ

Il faut du temps pour qu'un sol traité aux produits chimiques retrouve la santé ; et cela pour trois raisons. Tout d'abord, sa teneur en matières organiques est très basse. Ensuite, le nombre de bactéries qui fixent l'a-zote y est insuffisant. Enfin, il n'y a pas assez de prédateurs. Ces trois problèmes seront résolus si vous épandez du compost sur le sol. Il lui apportera des matières organiques, augmentera la quantité de bactéries qui fixent l'azote, et les prédateurs reviendront peu à peu dans cette terre vierge de pollution chimique.

UN TAS DE COMPOST

Le jardinier qui utilise des moyens biologiques doit faire son compost, c'est-à-dire un tas, soigneusement édifié, de matières organiques. L'idéal est de l'édifier entre des murs de briques ou des blocs de béton, ou de l'entourer d'une palissade avec des trous d'aération. On met au fond des brindilles ou tout autre matériau grossier qui laisse circuler l'air. Presque tous les déchets végétaux du jardin peuvent être disposés en couches à l'intérieur de cette construction. Il faut mêler un matériau plus grossier à l'herbe tondue afin qu'elle pourrisse mieux.

On peut incorporer au compost les déchets alimentaires — y compris les têtes de poissons et les restes de viande (n'écoutez pas ceux qui vous disent le contraire), à condition de les mettre au cœur du tas et de les enfouir profondément, afin que les chiens et les chats ne les déterrent pas ; attention il est nécessaire de

Tenue de tueur
Curieux costume pour jardiner, mais les maraîchers et les professionnels de l'horticulture doivent porter un vêtement de protection. Les pesticides et les herbicides sont nocifs et sont reconnus comme un risque du métier. Cependant, les dangers encourus par les usagers non professionnels ne sont pas expliqués clairement.

les laisser se décomposer totalement avant d'utiliser le compost.

Une solution astucieuse est d'édifier un second tas à côté du premier, de façon à avoir en permanence un compost bon à utiliser.

La fertilité luxuriante d'un vrai jardin biologique fournira tous les matériaux nécessaires à votre tas. On trouve aussi, bien sûr, des matières organiques un peu partout : le terreau de feuilles prélevé dans le parc ou les bois avoisinants, les algues ramenées d'une promenade au bord de la mer, les feuilles balayées dans les rues en automne, les légumes abîmés que les marchands jettent chaque jour, le crottin de cheval du manège le plus proche. Tout vrai jardinier « biologique » a l'œil pour ce genre de choses et ferait des trouvailles, pour son tas de compost, jusque dans le Sahara.

AUGMENTER LE NOMBRE DES BACTÉRIES

Lorsque le tas de compost est décomposé, il est riche en azote extrait de l'air par les bactéries contenues dans les matières organiques. Avant que ce processus de fixation de l'azote ne commence, le jardinier doit « activer » le tas afin que le pourrissement s'amorce : il faut que le compost soit très chaud. Cette chaleur tuera les graines, ainsi que les micro-organismes nui-

Jardinage biologique Aux yeux d'un jardinier partisan des produits chimiques, un jardin biologique paraîtra mal tenu et improductif. En fait, cette croissance luxuriante est un signe de bonne santé et d'une vie naturelle exubérante.

AGISSEZ
Engrais et pesticides naturels

ENGRAIS NATURELS

- **Le fumier**
  C'est le plus traditionnel des engrais ; il ne faut pas l'utiliser frais car il absorberait d'abord l'azote contenu dans le sol.
- **La fumure végétale liquide**
  On peut mettre des feuilles de consoude dans un tonneau plein d'eau. Au bout d'un mois, on obtient un liquide très nourrissant (bien que nauséabond).
- **L'engrais de cendres d'os**
  Cet engrais biologique, commercialisé, est riche en phosphates qui sont lentement libérés dans le sol.
- **Les cornes et sabots**
  Autre engrais biologique commercialisé qui contient autant d'azote que les engrais de synthèse.
- **La cendre de bois**
  C'est la meilleure source de potasse, aussi efficace que les engrais fabriqués à partir de la potasse extraite des mines.

PESTICIDES NATURELS

- **Le savon noir**
  Ce savon semi-liquide dissout la couche de cire qui protège le corps des pucerons ; ils meurent alors de dessiccation.
- **La nicotine**
  Cet insecticide naturel, *très toxique,* tue les pucerons, les cochenilles et les chenilles, mais ni les coccinelles, ni les bombylidés. Il se dégrade naturellement après usage.
- **Le quassia**
  L'écorce de cet arbre tropical est un insecticide naturel. Elle est vendue en poudre que l'on dissout dans l'eau et que l'on pulvérise.
- **Le savon au potassium**
  Encore un insecticide naturel qu'on dissout dans l'eau et qu'on pulvérise contre les pucerons.
- **Le derris au pyrèthre**
  Cet insecticide est toxique pour presque tous les insectes. Il faut l'utiliser avec précaution.

sibles et indésirables. Les jeunes pousses vertes contiennent assez d'azote pour atteindre cette température, mais les matières sèches, comme la paille, n'y parviennent pas seules.

Il faut donc ajouter de l'azote. Aspergez votre tas avec n'importe quelle substance riche en azote — un bon saupoudrage sur quinze à vingt centimètres de matières végétales. Les puristes préconisent l'emploi de l'azote organique, comme le poisson, la viande saignante, l'urine ou les excréments animaux ou humains. Mais n'ayez aucun scrupule à utiliser un engrais riche en azote que vous achèterez chez votre pépiniériste ou, moins cher, chez un marchand de produits agricoles du moment que vous avez l'assurance qu'aucun traitement biologique n'y a laissé de traces.

L'ENGRAIS VERT

C'est un autre moyen d'enrichir votre sol. Les plantes de la famille du pois font un excellent «engrais vert». On peut les associer à d'autres cultures, les enterrer ou les labourer. On les arrache et on les met dans le tas de compost lorsqu'elles sont en fleur, encore vertes et pleines d'azote.

La moutarde constitue aussi un engrais très efficace. Elle ne fixe pas l'azote, mais fournit rapidement un feuillage abondant. Le seigle hongrois est une couverture hivernale d'une valeur inestimable. À la fin de l'automne, on peut semer le mélilot, le trèfle incarnat, les luzernes et les vesces, qui résisteront à la saison froide. On peut aussi enterrer ces plantes pendant l'hiver.

Deux règles essentielles pour garder un sol sain : le mélange des cultures et leur rotation. Cette dernière consiste à ne pas faire pousser la même plante sur le même sol deux années de suite, ce qui fatiguerait la terre et entraînerait l'utilisation de produits chimiques.

JARDINEZ POUR VOS PETITS-ENFANTS

Il faudrait tout un livre pour décrire les multiples techniques du jardinage biologique et leurs mérites ! Une fois que vous aurez maîtrisé ses principes et que vous jardinerez avec le respect dû à la nature et aux êtres humains, vous serez peut-être épuisé d'avoir travaillé dur, au grand air ; vous aurez sans doute un peu mal au dos, ou quelques ampoules aux mains, mais vous n'aurez pas utilisé de produits chimiques qui mettent en danger l'avenir de notre planète. Vous n'aurez pas bouleversé l'équilibre naturel des espèces nuisibles et des plantes.

Votre jardin deviendra, sinon le paradis, du moins une enclave préservée des poisons qui imprègnent le reste de la Terre. Les produits chimiques artificiels

RECYCLER LES DÉCHETS

Au lieu de se servir d'engrais artificiels pour améliorer la qualité du sol, le bon jardinier fera un compost avec toutes les matières organiques à sa disposition. Ce schéma montre les sept étapes de la fabrication d'un tas de compost.

1 RASSEMBLEZ LES MATÉRIAUX

Tissus en fibres naturelles

Copeaux

Coquilles

Feuilles

Déchets alimentaires

Journaux

Plus la matière organique contient d'eau, plus vite elle se décomposera.

2 LAISSEZ L'AIR CIRCULER

Dans un tas formé de couches, l'air circule. Commencez par des branches et des brindilles, puis alternez différents ingrédients en couches.

3 AJOUTEZ DE L'AZOTE

Saupoudrez le tas d'une substance riche en azote, comme du fumier en poudre ou de la farine de sabots et de cornes.

gâchent la qualité de la vie sur notre planète et font craindre, pour elle, un avenir qui n'a rien d'agréable. Rejeter l'usage des pesticides, des herbicides, des fongicides et des engrais artificiels ne va pas résoudre instantanément les problèmes de la pollution à l'échelle mondiale. Mais cette attitude permettra d'engendrer une petite faille dans la puissance du marché des produits chimiques, ainsi que, et ce n'est pas le moins important, un lopin de terre sain pour votre plaisir et celui de vos enfants.

AGISSEZ

Comment se servir des plantes

Beaucoup de plantes ont des défenses chimiques naturelles contre les espèces nuisibles et les maladies. En les cultivant à des endroits stratégiques, ou en les associant à d'autres plantes, vous pouvez, sans produits chimiques, diminuer la quantité d'herbes folles et de parasites dans votre jardin.

- **Les herbes**
  Le parfum de beaucoup d'herbes, comme la sauge, le romarin, le thym et la menthe éloignera la piéride du chou et les limaces. La lavande déplaît aux fourmis et protège les roses contre les pucerons.

- **L'armoise**
  Son odeur déplaît à beaucoup d'insectes. Connue aussi sous le nom d'absinthe, on la plante traditionnellement près des groseilliers pour les protéger

des parasites.

- **L'oeillet d'Inde**
  Cette belle fleur éloigne beaucoup d'insectes. Essayez d'en planter entre les choux et les tomates.

- **L'ail**
  Les propriétés germicides et fongicides de l'ail sont aussi efficaces dans le jardin que dans l'organisme humain. Planter de l'ail entre les fraisiers, près des rosiers et sous les arbres fruitiers les protégera des champignons nuisibles.

- **L'oignon**
  Comme l'ail, il a des propriétés fongicides et l'on peut le planter entre les fraisiers, contre les champignons. Il protège aussi les carottes des psiles.

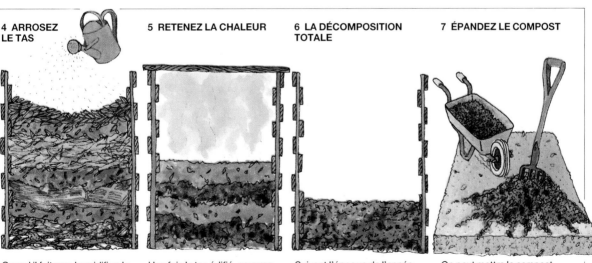

4 ARROSEZ LE TAS

Quand il fait sec, humidifiez-le en l'aspergeant légèrement d'eau. Faites cela couche par couche si les matériaux sont très secs.

5 RETENEZ LA CHALEUR

Une fois le tas édifié, couvrez-le d'une couche de terre et d'un couvercle quelconque qui garde la chaleur et accélère le pourrissement.

6 LA DÉCOMPOSITION TOTALE

Suivant l'époque de l'année et le temps qu'il fait, un tas d'un mètre et demi de haut mettra 3 à 6 mois pour se décomposer.

7 ÉPANDEZ LE COMPOST

On peut mettre le compost sur le sol ou l'enterrer, suivant la saison.

LES ÉCONOMIES D'ÉNERGIE

**L'énergie : utilisation et gaspillage
La pollution par les centrales
Les pluies acides
Des solutions pour économiser l'énergie
Les énergies douces
Propositions pour l'avenir**

Il n'y a rien de tel que la publicité télévisée pour déclencher une réaction en chaîne dans le système de distribution de l'énergie. C'est le moment que choisissent les téléspectateurs pour satisfaire un besoin naturel ou faire chauffer de l'eau pour un café, et ces simples gestes, répétés dans de nombreux foyers, se traduisent au total par un nombre ahurissant de kilowatts/heure.

La demande augmentant, il faut que les générateurs produisent plus et il faut donc plus de vapeur. Pour produire cette vapeur, il faut que les chaudières travaillent davantage ce qui exige plus de charbon, de pétrole ou de gaz. La quantité de fumée et de gaz toxiques augmente. Dans les centrales nucléaires, on pousse les milliers de tiges de contrôle qui couvrent les réacteurs afin que la réaction nucléraire s'effectue mieux.

Qui, en actionnant un interrupteur, se doute de toutes ces conséquences ? Et plus simplement, qui sait comment est produite l'électricité et comment elle est acheminée ? Une petite minorité seulement. Nous y sommes tellement habitués que nous ne nous posons pas de question.

L'ILLUSION DE L'ÉNERGIE PROPRE

On a souvent dit que l'électricité était une « énergie propre » : elle ne produit ni fumée ni gaz sulfurique, et les villes ne sont plus noircies comme à la grande époque du charbon.

Il est vrai que l'électricité est une énergie propre *à*

consommer; en revanche, sa production implique que les centrales recrachent de la fumée dans l'atmosphère, jour et nuit, douze mois sur douze.

Les cheminées des centrales mesurent trois cents mètres de haut, comme la Tour Eiffel. Elles sont aussi hautes parce que les ingénieurs pensaient que les fumées seraient ainsi dispersées en altitude et s'étaleraient sur une vaste superficie, perdant leur toxicité.

A l'évidence, ils se sont lourdement trompés sur ce dernier point: par les cheminées s'échappent bel et bien des substances qui provoquent des dégâts considérables, et dans des proportions jamais égalées.

LES PLUIES ACIDES ET LA CONSOMMATION D'ÉNERGIE DOMESTIQUE

La combustion du charbon dégage de l'anhydride sulfureux. Il s'agit d'un produit âcre et piquant qui n'est peut-être pas très dangereux, mais qui fait quand même pleurer lorsque le vent rabat la fumée d'une cheminée. Or ce gaz est libéré par toutes les centrales,

---

L'ÉNERGIE
1. Sa production

La plupart des pays industrialisés pratiquent une politique de centralisation de leur production énergétique. Les lieux de production et de consommation peuvent donc être très éloignés les uns des autres. La pollution provoquée par les centrales affecte aussi bien l'air que la terre ou la mer.

LÉGENDE
Gaz naturel   Électricité   Fuel domestique   Charbon

LA POLLUTION PAR LES COMBUSTIBLES FOSSILES
En brûlant, les combustibles fossiles — charbon, pétrole et gaz naturel — dégagent les oxydes de soufre et d'azote. Ceux-ci sont libérés dans l'atmosphère et contribuent à la formation de pluies acides.

LE GAZ NATUREL
Il couvrait environ 21 % des besoins mondiaux en énergie en 1987. Il a presque totalement supplanté le gaz de houille dont la production était très importante.

Centrale thermique classique

Raffinerie de pétrole

LE PÉTROLE
Il couvre actuellement environ les 2/3 des besoins mondiaux en énergie, ce qui représente une consommation de 3 milliards de tonnes par an en 1988. Mais dans le même temps, 6 millions de tonnes de pétrole sont déversées dans la mer, soit par nettoyage des cuves, soit par accident.

LE RAFFINAGE DU PÉTROLE
Les raffineries permettent, à partir du pétrole brut, d'obtenir différentes qualités de produits. Au cours de l'opération, il est impossible d'éviter que des résidus d'hydrocarbures se retrouvent dans l'air et l'eau.

LA POLLUTION THERMIQUE
La plupart des centrales utilisent l'eau comme produit de refroidissement. Cette eau chauffée ne sera pas exploitée; en revanche, elle est déversée dans les cours d'eau et le choc thermique bouleverse la flore et la faune aquatiques.

qu'elles fonctionnent au charbon, au pétrole ou au gaz. Au total, 100 millions de tonnes d'anhydride sulfureux sont libérées par an. La moyenne par mètre cube d'air rejeté par les centrales s'établit entre cinq et quinze microgrammes. C'est le plus grand danger pour l'environnement qui soit provoqué par l'homme, après, bien sûr, les déchets radioactifs.

Les hautes cheminées des centrales électriques dispersent leurs fumées empoisonnées sur de très vastes superficies, sans souci des frontières. Les vents domi-

nants les entraînent au-dessus des terres et des mers. A proximité des centrales, des particules sèches se déposent. Dans le même temps, sur des centaines de kilomètres, l'anhydride sulfureux se dissout dans la vapeur d'eau contenue dans l'atmosphère pour former de l'acide sulfurique, qui retombera sur le sol en pluies acides.

Ce furent les Scandinaves qui, les premiers, attirèrent l'attention de l'opinion publique européenne sur ces pluies acides. C'était en 1972, lors d'une confé-

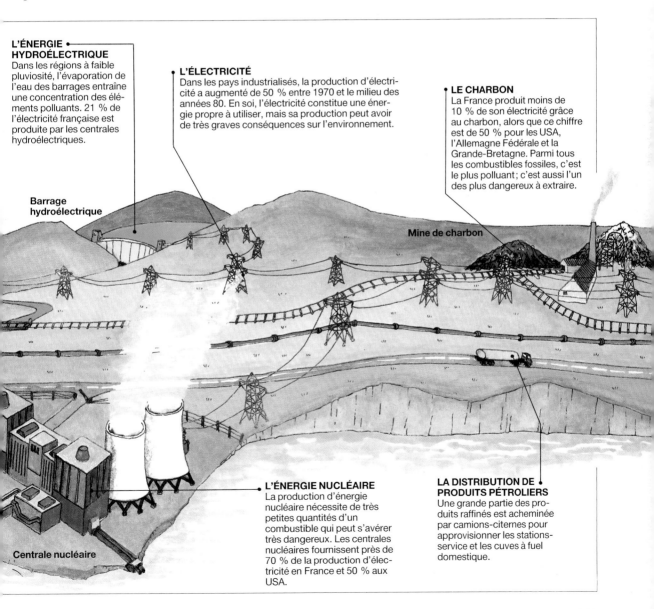

L'ÉNERGIE HYDROÉLECTRIQUE
Dans les régions à faible pluviosité, l'évaporation de l'eau des barrages entraîne une concentration des éléments polluants. 21 % de l'électricité française est produite par les centrales hydroélectriques.

Barrage hydroélectrique

L'ÉLECTRICITÉ
Dans les pays industrialisés, la production d'électricité a augmenté de 50 % entre 1970 et le milieu des années 80. En soi, l'électricité constitue une énergie propre à utiliser, mais sa production peut avoir de très graves conséquences sur l'environnement.

LE CHARBON
La France produit moins de 10 % de son électricité grâce au charbon, alors que ce chiffre est de 50 % pour les USA, l'Allemagne Fédérale et la Grande-Bretagne. Parmi tous les combustibles fossiles, c'est le plus polluant; c'est aussi l'un des plus dangereux à extraire.

Mine de charbon

Centrale nucléaire

L'ÉNERGIE NUCLÉAIRE
La production d'énergie nucléaire nécessite de très petites quantités d'un combustible qui peut s'avérer très dangereux. Les centrales nucléaires fournissent près de 70 % de la production d'électricité en France et 50 % aux USA.

LA DISTRIBUTION DE PRODUITS PÉTROLIERS
Une grande partie des produits raffinés est acheminée par camions-citernes pour approvisionner les stations-service et les cuves à fuel domestique.

rence des Nations Unies. Les savants suédois provoquèrent l'incrédulité quand, dans un compte rendu initial, ils avancèrent l'hypothèse que les émissions de soufre provenant des usines et centrales électriques anglaises et allemandes provoquaient jusqu'en Scandinavie de très gros dégâts à l'environnement : les poissons des lacs étaient décimés et, dans certains endroits, l'eau était impropre à la consommation. Dans les pays incriminés, la presse accueillit cette communication avec scepticisme.

Aujourd'hui, le doute n'est plus possible : en Suède, cette acidification a causé la mort biologique de plus de vingt mille lacs. La Norvège a souffert encore davantage, et le phénomène a également affecté les lacs écossais et canadiens. Dans l'hémisphère nord, ce sont les forêts qui ont été les secondes victimes de cette acidification. Si vous circulez en Europe, vous serez effrayés par les dégâts causés, car partout les arbres sont malades. Des espèces végétales sont même menacées dans certains endroits, comme en Alle-

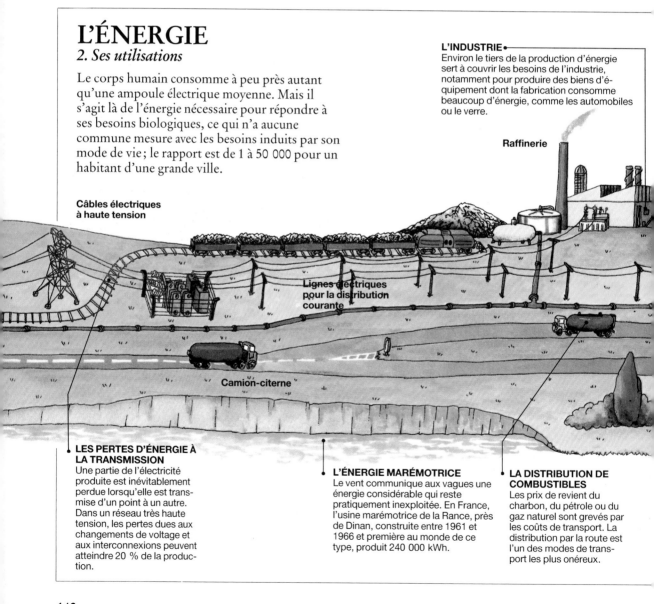

L'ÉNERGIE
2. Ses utilisations

Le corps humain consomme à peu près autant qu'une ampoule électrique moyenne. Mais il s'agit là de l'énergie nécessaire pour répondre à ses besoins biologiques, ce qui n'a aucune commune mesure avec les besoins induits par son mode de vie ; le rapport est de 1 à 50 000 pour un habitant d'une grande ville.

L'INDUSTRIE
Environ le tiers de la production d'énergie sert à couvrir les besoins de l'industrie, notamment pour produire des biens d'équipement dont la fabrication consomme beaucoup d'énergie, comme les automobiles ou le verre.

Raffinerie

Câbles électriques à haute tension

Lignes électriques pour la distribution courante

Camion-citerne

LES PERTES D'ÉNERGIE À LA TRANSMISSION
Une partie de l'électricité produite est inévitablement perdue lorsqu'elle est transmise d'un point à un autre. Dans un réseau très haute tension, les pertes dues aux changements de voltage et aux interconnexions peuvent atteindre 20 % de la production.

L'ÉNERGIE MARÉMOTRICE
Le vent communique aux vagues une énergie considérable qui reste pratiquement inexploitée. En France, l'usine marémotrice de la Rance, près de Dinan, construite entre 1961 et 1966 et première au monde de ce type, produit 240 000 kWh.

LA DISTRIBUTION DE COMBUSTIBLES
Les prix de revient du charbon, du pétrole ou du gaz naturel sont grevés par les coûts de transport. La distribution par la route est l'un des modes de transport les plus onéreux.

magne les sapins de la Forêt Noire, de Bavière ou du massif du Harz. Les arbres d'Alsace-Lorraine et des Alpes sont atteints. Ceux qui ont réussi à survivre ont des cimes aplaties et des branches raréfiées à la base du tronc. Partout en Europe, les épicéas perdent leurs aiguilles et leurs rameaux pendent lamentablement. La Grande-Bretagne est elle aussi touchée, de l'Écosse aux côtes de Cornouailles et du Pays de Galles à la mer du Nord : les hêtres n'ont plus de branches ; les ifs perdent leurs aiguilles et il est assez effrayant de

comparer des photographies anciennes et récentes du même site.

Dès 1986, la moitié de la forêt allemande était atteinte de « Waldsterben », une maladie dont on observa pour la première fois les manifestations au début des années 80. Le dépérissement des forêts gagne la Suisse, L'Autriche, la Suède, la Tchécoslovaquie, la Pologne, le Canada, et des signes avant-coureurs se manifestent dans un certains nombre de pays limitrophes. Il y a même eu un jour, en Écosse, une tem-

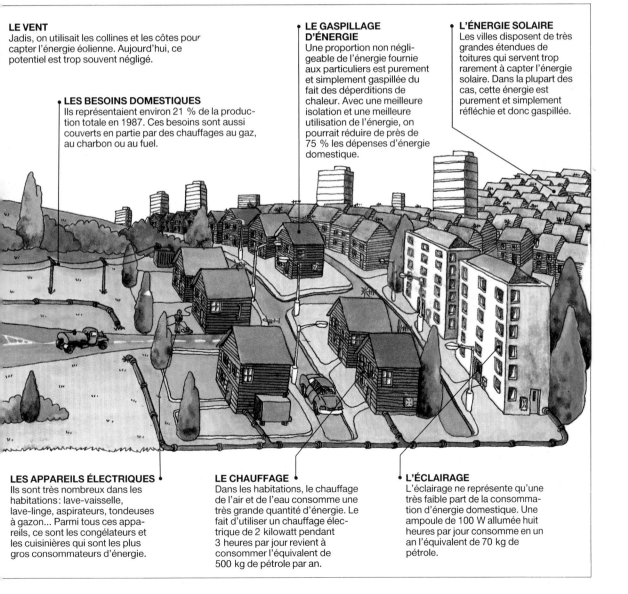

LE VENT
Jadis, on utilisait les collines et les côtes pour capter l'énergie éolienne. Aujourd'hui, ce potentiel est trop souvent négligé.

LE GASPILLAGE D'ÉNERGIE
Une proportion non négligeable de l'énergie fournie aux particuliers est purement et simplement gaspillée du fait des déperditions de chaleur. Avec une meilleure isolation et une meilleure utilisation de l'énergie, on pourrait réduire de près de 75 % les dépenses d'énergie domestique.

L'ÉNERGIE SOLAIRE
Les villes disposent de très grandes étendues de toitures qui servent trop rarement à capter l'énergie solaire. Dans la plupart des cas, cette énergie est purement et simplement réfléchie et donc gaspillée.

LES BESOINS DOMESTIQUES
Ils représentaient environ 21 % de la production totale en 1987. Ces besoins sont aussi couverts en partie par des chauffages au gaz, au charbon ou au fuel.

LES APPAREILS ÉLECTRIQUES
Ils sont très nombreux dans les habitations : lave-vaisselle, lave-linge, aspirateurs, tondeuses à gazon... Parmi tous ces appareils, ce sont les congélateurs et les cuisinières qui sont les plus gros consommateurs d'énergie.

LE CHAUFFAGE
Dans les habitations, le chauffage de l'air et de l'eau consomme une très grande quantité d'énergie. Le fait d'utiliser un chauffage électrique de 2 kilowatt pendant 3 heures par jour revient à consommer l'équivalent de 500 kg de pétrole par an.

L'ÉCLAIRAGE
L'éclairage ne représente qu'une très faible part de la consommation d'énergie domestique. Une ampoule de 100 W allumée huit heures par jour consomme en un an l'équivalent de 70 kg de pétrole.

LES PLUIES ACIDES ET LA MORT DES FORÊTS

Le mécanisme exact de destruction des arbres par la pollution atmosphérique est très complexe. En tout cas, la plupart des spécialistes considèrent que ce phénomène est imputable à la teneur toujours plus importante de substances polluantes que l'homme déverse dans l'atmosphère. Nous avons illustré ici certains facteurs de pollution atmosphérique et leurs conséquences sur les forêts.

LES PLUIES ACIDES
Dans l'atmosphère, les oxydes d'azote et le dioxyde de soufre se dissolvent dans l'humidité ambiante pour former de l'anhydride sulfureux et de l'acide nitrique. Les nuages sont alors fortement chargés en acides.

LES FEUILLES MALADES
Lorsque des pluies acides arrosent les arbres, l'ozone contenu dans l'atmosphère ralentit le processus de photosynthèse. L'acidité détruit les éléments nutritifs contenus dans les feuilles et entraîne une défoliation.

LES FEUILLES SAINES
Lorsqu'un arbre est sain, la chlorophylle contenue dans les feuilles capte l'énergie lumineuse : c'est le mécanisme de la photosynthèse. Un arbre bien vert est un arbre sain.

Nuages acidifiés

LE COCKTAIL TOXIQUE
Les fumées provenant des centrales thermiques et des véhicules montent très haut dans l'atmosphère. Au cours de cette ascension, les oxydes d'azote peuvent réagir avec des hydrocarbures (qui proviennent, par exemple, de l'évaporation d'essence) et donner de l'ozone, un gaz corrosif.

L'ACIDIFICATION DES SOLS
Pour peu que les pluies soient très acides, le sol peut à son tour être acidifié sur plus d'un mètre de profondeur. Un certain nombre de réactions chimiques libèrent de l'aluminium dans le sol, ce qui peut empoisonner les racines. Les pluies acides peuvent également dissoudre les éléments nutritifs et entraîner ceux-ci hors de portée des racines.

Arbre malade

Circulation automobile

Arbre sain

LES CENTRALES THERMIQUES
L'utilisation de carburants fossiles entraîne la formation de dioxyde de soufre qui est libéré dans l'atmosphère, à raison de 50 kg par habitant et par an dans les pays industrialisés qui utilisent encore le charbon, à l'exception de la France où ce chiffre n'est plus que de 27 kg.

Sol acidifié

LES RACINES MALADES
Les pluies acides, en pénétrant le sol, détruisent les poils absorbants des radicelles. Les racines les plus profondes dépérissent et l'arbre risque d'être déraciné en cas de vents violents.

LA CIRCULATION AUTOMOBILE
Le trafic routier est le principal responsable de la production d'oxydes d'azote. Ceux-ci peuvent rester jusqu'à deux mois dans l'atmosphère.

LES RACINES SAINES
Les racines d'un arbre sain plongent à plusieurs mètres en profondeur. Les poils absorbants des radicelles puisent l'eau et les sels minéraux nécessaires à l'arbre.

Les pluies acides et leurs ravages
Les pluies acides s'attaquent aux règnes animal et végétal, mais leur effets vont bien au-delà : témoin cette statue très érodée située en Pennsylvanie (ci-dessus).

Partout en Europe, les pluies acides détruisent les arbres (ci-contre). En Suède (ci-dessous), on tente désespérément de préserver la vie aquatique en déversant de la chaux dans les lacs.

pête dont la pluie avait un pH aussi acide que celui du vinaigre.

L'anhydride sulfureux n'est pas le seul gaz libéré dans notre atmosphère : plus de trois mille gaz différents s'échappent des usines, des centrales électriques et des pots d'échappement. Certains ne s'y trouvent qu'en quantités infimes, mais il est établi qu'ils peuvent participer dangereusement à cette mixture atmosphérique.

Effectivement, les recherches les plus récentes sur la mort des arbres concluent que celle-ci n'est pas imputable à un seul gaz, mais résulte de la combinaison de centaines de produits chimiques. Ainsi, en 1987, les émissions de souffre des centrales thermiques utilisant le charbon se sont élevées à 85 000 tonnes. D'après EDF, le recours au nucléaire a permis d'éviter ces

dix dernières années le rejet de 9 millions de tonnes de souffre, 3,5 millions de tonnes d'oxyde d'azote, 1 milliard de tonnes de gaz carbonique et 0,64 million de tonnes de poussière.

Quelles que soient les substances responsables, l'acidification des pluies et des lacs et le dépérissement des arbres sont les conséquences de deux facteurs : l'automobile, sujet que nous aborderons au prochain chapitre, ensuite et surtout l'énergie, notamment l'électricité, que nous consommons dans notre vie professionnelle ou privée. En somme, le mythe de l'« énergie propre » n'est qu'un leurre.

L'ÉPURATION DES FUMÉES DES CENTRALES ÉLECTRIQUES

C'est un Anglais, F. Goodfellow, qui a mis au point et présenté un dispositif permettant d'éliminer l'anhydride sulfureux des fumées des centrales électriques. Ne croyez pas que cela remonte à quelques années : cela se passait en 1880. M. Goodfellow était préoccupé par les conséquences des fumées acides dans la très industrielle ville de Manchester. Il avait décidé de s'y attaquer, mais son invention fit long feu. Les industriels de l'époque, qui n'avaient pas sa clairvoyance, continuèrent à rejeter sans discernement dans l'atmosphère tout ce qui les encombrait. Un siècle plus tard, nous payons cette négligence et il est grand temps de s'attaquer à ce problème.

Fort heureusement, il existe des solutions pour faire cesser cette pollution. Mais le seul moyen de les faire adopter, c'est que l'opinion publique pèse de tout son poids en leur faveur. Le soufre qui s'échappe des cheminées pourrait être exploité; on en extrait d'ailleurs chaque année d'énormes quantités pour les besoins de l'industrie. Telle est bien l'absurdité de la situation actuelle.

Il existe en Allemagne fédérale, à Wilhelmshaven sur la mer du Nord, une centrale électrique qui exploite ce soufre. Au début des années 70, les dirigeants de cette centrale prévoyaient d'augmenter la production pour répondre à l'augmentation du nombre des usines. Mais entre-temps, la menace des pluies acides avait été révélée et le projet d'extension de la centrale provoqua des manifestations de la part des habitants.

C'est grâce à cette action de masse que naquit une centrale thermique de régulation équipée d'un dispositif de désulfuration, première du genre en Europe alors qu'aucune disposition légale ne l'y contraignait. Elle fut mise en service en 1977 et l'on commença à tester des méthodes destinées à éliminer des fumées certains autres gaz : ces procédés ont depuis été appliqués dans différentes centrales.

Aujourd'hui, la centrale de Wilhelmshaven produit de l'électricité, mais aussi du gypse : il suffit de pulvériser de la chaux sur les fumées. Ce gypse est revendu aux cimenteries qui l'utilisent pour fabriquer du béton. Bel exemple de valorisation d'une substance qui, autrement, aurait empoisonné l'atmosphère ...

A Wilhelmshaven, plus de 90 % du soufre est recueilli. L'opération augmente le prix de revient de l'électricité de 10 % ; c'est un surcoût dérisoire qui peut d'ailleurs être compensé par des appareils de meilleur rendement et un moindre gaspillage de l'électricité. En somme, le prix à payer est bien modique !

COMMENT AMÉLIORER
LA COMBUSTION DU CHARBON

Parmi les combustibles que nous utilisons, c'est probablement le charbon qui produit la fumée la plus polluante. Or, on peut parfaitement prévenir une grosse partie de cette pollution bien avant que la fumée ne s'engage dans le conduit de cheminée.

Tout d'abord, la plus grande partie du soufre (toujours lui), que contient le charbon peut être extrait par un simple rinçage. Bien sûr, ce traitement est onéreux. Aujourd'hui, une bonne proportion du charbon est rincée. Si l'on consacrait plus d'argent à cette opération, on constaterait immédiatement une amélioration de la situation.

Par ailleurs, on peut augmenter le rendement du charbon en le réduisant en poudre. Le procédé est actuellement au stade expérimental dans un certain nombre de pays. Il offre aussi l'avantage de dégager moins de gaz toxiques car les chaudières atteignent des températures moins élevées. A tonnage de charbon égal, on pourra donc produire plus d'électricité et moins de gaz toxiques, ce qui représente une étape intéressante ... en attendant mieux.

L'ÉNERGIE NUCLÉAIRE, «L'AUTRE SOLUTION»

Il n'y a pas si longtemps, l'un des patrons américains de la production d'électricité annonçait en privé que bientôt l'énergie nucléaire reléguerait les compteurs électriques au rayon des antiquités, car elle offrirait à chacun une électricité aussi abondante que l'eau qui nous est distribuée.

Il se trompait lourdement ... L'énergie nucléaire n'est pas devenue si bon marché. Au moins, pouvait-on dire que c'était une énergie propre ... jusqu'en 1986. Il est exact que les centrales nucléaires ne rejettent pas dans l'atmosphère d'anhydride sulfureux, d'oxyde d'azote ou de gaz carbonique. Quant aux déchets radioactifs, leur gestion n'était pas une mince affaire, mais on avait pris l'habitude d'escamoter le problème.

Malgré la catastrophe évitée de justesse à Three Mile Island (U.S.A.) en 1979, ou la fuite de sodium d'un réacteur de la centrale Super Phénix de Creys-Malville en France en avril 1987, les spécialistes ne s'étaient pas départis de leur superbe. En effet, cet accident n'avait pas fait de victimes et les dommages étaient limités.

On n'avait jamais prouvé que l'énergie nucléaire avait tué une seule personne, alors que l'extraction de charbon faisait chaque année un grand nombre de victimes. Tout cela se disait, bien sûr, avant 1986.

La catastrophe de Tchernobyl a tout bouleversé en confirmant soudain que les pires craintes pouvaient être justifiées. Un ennemi invisible était lâché, et pendant des jours, les bulletins météo, sauf en France, ne parlèrent que du trajet des radiations.

L'incertitude rendait encore plus terrifiant le nuage nucléaire qui se déployait au-dessus de l'Europe : quel mal nous apporterait-il ? Pouvait-on rester dehors ? Les enfants pouvaient-ils boire du lait ?

La plupart des questions que nous nous sommes alors posées sont restées sans réponse. Des « experts » ont, d'autorité, communiqué leurs conclusions. Mais comment peut-on être expert dans une matière inédite ?

Rappelons que, d'après les « experts » français, les poussières radioactives de Tchernobyl se seraient miraculeusement arrêtées à nos frontières, touchant nos voisins mais nous épargnant...

On a vu les répercussions que pouvait avoir, à des milliers de kilomètres, une catastrophe nucléaire : risque pour la santé, contamination des sols, bétail impropre à la consommation. Et si une pareille catastrophe arrivait près de chez nous ?

LA PRODUCTION D'ÉNERGIE : LA FACE CACHÉE

La production d'énergie n'est jamais complètement sûre : tous les procédés utilisés pour produire de grandes quantités d'énergie sont dangereux pour l'environnement. Il n'y a guère que l'énergie hydroélectrique qui provoque des dégâts limités, et encore n'est-elle pas concevable partout.

Méthode	Risques pour l'environnement	Risques pour la faune	Risques pour l'homme
Centrale nucléaire	Éléments radioactifs dans l'air, le sol et l'eau. Stockage des déchets et vieillissement des installations : risques encore inconnus.	Destruction de la faune par des radiations échappées accidentellement. Risques à long terme du fait des déchets nucléaires.	Cancers chez les personnes exposées aux radiations de faible activité provenant des déchets. Catastrophes nucléaires : risques imprévisibles.
Centrale au fuel	Pollution accidentelle par le fuel. Pollution et acidification de l'atmosphère du fait des gaz émanant des chaudières.	Destruction très importante de la faune aquatique (plancton, poissons, oiseaux) à cause du pétrole déversé dans l'eau.	Explosions dans les unités de stockage du fuel. Pollution atmosphérique.
Centrale au charbon	Dégradation des sites, surtout dans les cas de mines à ciel ouvert. Importante pollution atmosphérique et acidification par les résidus.	Empoisonnement de la végétation par les résidus. Atteinte de la vie aquatique par l'intermédiaire de l'eau.	Dangers indirects par la pollution (dioxyde de soufre). Maladies professionnelles.
Centrale au gaz	Pollution atmosphérique relativement faible au brûlage.	Destruction de biotopes par la présence de pipe-lines. Les autres risques sont peu importants.	Explosions. Les autres risques sont minimes.
Centrale hydroélectrique	Terres immergées ; risques minimes de glissements de terrain. Pas de risque de pollution.	Destruction de biotopes par submersion. Perturbation de la vie aquatique du fait de la modification du débit des cours d'eau.	Rupture de barrage (faibles probabilités).

Avec le temps, on mesure mieux les effets de ce drame, et l'on sait maintenant que les pluies acides sont finalement peu de chose si on les compare aux pluies radioactives. Le prix à payer est décidément bien lourd...

LES DANGERS DE L'ÉNERGIE NUCLÉAIRE AU QUOTIDIEN

Il se confirme que l'énergie nucléaire peut présenter de graves dangers même dans des conditions de fonctionnement normales. Elle produit en effet des déchets qui nécessitent un retraitement. Il est aujourd'hui établi que les usines de retraitement des déchets nucléaires, comme celle de Sellafield (Grande-Bretagne) ou le «Super Phénix» de Creys-Malville par le procédé de surgénérateur qu'il utilise, font peser une grave menace sur les habitants et l'environnement de leurs régions d'implantation. Depuis sa mise en service à la fin des années cinquante, l'usine de Sellafield a rejeté dans la mer d'Irlande deux cent cinquante kilos de plutonium, le poison le plus dangereux qu'ait inventé l'homme. Une telle quantité serait suffisante pour provoquer un cancer du poumon chez tous les Européens sans exception si ce poison se trouvait dans l'atmosphère. Les statistiques concernant les leucémies accusent d'ailleurs ce genre de site. Cela n'a pas empêché la construction d'une usine similaire à La Hague, dans le Cotentin, et celle d'une autre unité à Wackersdorf, en Allemagne fédérale.

Personne ne peut affirmer avec certitude que ces usines ne seront jamais à l'origine d'une contamination radioactive.

Notons au passage que ces établissements sont également conçus pour produire du plutonium destiné à des usages militaires, ce qu'on se garde bien d'ébruiter.

Il est insensé de prétendre que l'énergie nucléaire représente une option raisonnable. Deux pays, l'Autriche et la Suède, ont organisé des référendums au sujet de la construction de nouvelles centrales. A chaque fois, les habitants ont répondu «non». Aujourd'hui, la seule centrale atomique qui existe en Autriche n'a jamais été mise en service: la Suède, quant à elle, attendra que ses douze usines nucléaires soient désaffectées l'une après l'autre pour des raisons d'ancienneté. Aux U.S.A., aucune centrale n'a reçu d'agrément depuis l'accident de Three Mile Island.

Confiance mal placée
Pêcheurs à la ligne (ci-dessus) installés à proximité du réacteur nucléaire de Sizewell, en Grande-Bretagne. Ils ne sont pas conscients du danger!

Avant la catastrophe
Le hall du réacteur de Tchernobyl (ci-dessous), deux mois avant la catastrophe: il semble, comme dans toutes les centrales, inoffensif ...

Dans la plupart des pays qui ont recours à l'énergie nucléaire, l'opinion publique manifeste elle aussi son hostilité, sauf en France qui possède pourtant en 1988 cinquante-trois réacteurs nucléaires en service, ce qui la place loin derrière les États-Unis mais tout près de l'URSS, en troisième position mondiale.

Les Soviétiques ne communiqueront probablement jamais le prix exact qu'ils auront payé pour Tchernobyl ; peut-être d'ailleurs ne le sauront-ils pas eux non plus, car les répercussions sont très nombreuses. Mais en savons-nous finalement plus sur les risques quotidiens que font peser sur nous nos propres centrales ?

LES MAISONS QUI ÉCONOMISENT L'ÉNERGIE

On a raison d'accuser les centrales et les distributeurs d'être des pollueurs. Mais il est facile à leurs responsables de rétorquer qu'après tout, ils ne font que répondre à nos besoins. Effectivement, en Europe et en Amérique du Nord, les ménages consomment 45 % de l'énergie produite.

Il se trouve que les architectes de l'après-guerre se souciaient comme d'une guigne des économies d'énergie. Jusqu'au choc pétrolier de 1973, l'énergie et le verre étaient bon marché, et l'on a construit des maisons qui avaient des murs très minces, de grandes fenêtres et des greniers non isolés. Il s'agissait en fait d'habitations qui se situaient à l'opposé des constructions traditionnelles.

Aujourd'hui, nous payons le prix de cette légèreté puisque, dans certaines de ces maisons, 50 % de l'énergie sont gaspillés. Dans une maison mal isolée, 1/3 de l'énergie gaspillée s'échappe par la toiture, 1/4 par les murs, plus d'1/5 par le sol et 1/10 dans des courants d'air. Il est inutile de prétendre limiter la pollution des centrales s'il y a un tel gaspillage en aval.

COMMENT ÉCONOMISER L'ÉNERGIE CHEZ SOI

Les trois quarts de notre consommation d'énergie sont consacrés au chauffage ou au refroidissement. Le gaspillage est colossal, ce qui veut dire que les économies peuvent l'être aussi, grâce à une bonne isolation de la toiture, des murs et du sol, la pose de doubles ou même de triples vitrages et un bon calfeutrage.

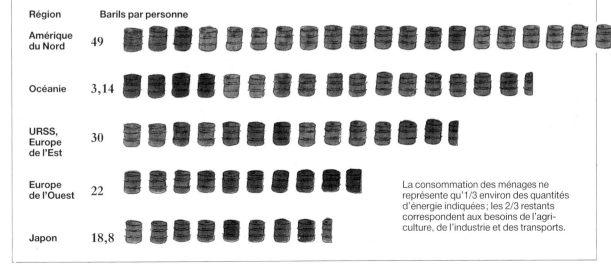

COMBIEN D'ÉNERGIE CONSOMMEZ-VOUS PAR AN ?

Cela dépend de l'endroit où vous habitez...
La consommation d'énergie (qu'elle fasse appel au pétrole, au charbon, au gaz, à l'énergie nucléaire ou hydroélectrique) s'exprime en «équivalent pé-trole». Nous avons schématisé ici la consommation annuelle par personne en 1987 dans cinq différentes parties du monde industrialisé, exprimée en équivalent-pétrole (1 baril = 159 litres).

Région	Barils par personne
Amérique du Nord	49
Océanie	3,14
URSS, Europe de l'Est	30
Europe de l'Ouest	22
Japon	18,8

La consommation des ménages ne représente qu'1/3 environ des quantités d'énergie indiquées ; les 2/3 restants correspondent aux besoins de l'agriculture, de l'industrie et des transports.

En matière d'utilisation optimale de l'énergie, il existe pour l'instant peu de réalisations mais surtout des prototypes; parfaitement isolés, ceux-ci présentent souvent des systèmes de ventilation intégrale et de recyclage de chaleur. L'eau est chauffée par un collecteur solaire «actif» installé sur le toit, tandis que des collecteurs «passifs» fixés sur la façade sud permettent de chauffer l'air. Une maison ainsi équipée consomme, même pendant un hiver rigoureux, très peu d'énergie, laquelle peut d'ailleurs être fournie par une petite chaudière.

Les équipements domestiques ont, eux aussi, fait l'objet d'une sélection rigoureuse. Le réfrigérateur et le congélateur sont bien isolés, comme le four de la cuisinière; le lave-linge consomme peu d'électricité, de même que les ampoules électriques.

Le chauffage électrique constitue une grande source de gaspillage; le rendement de l'énergie utilisée pour produire l'électricité est en effet d'au plus 42 %. Le reste est purement et simplement perdu à la production ou durant la transmission. Les fourneaux des centrales atteignent une température d'environ 600 °C alors que la température moyenne chez nous est inférieure à 20 °C. Ce décalage entre une température très forte à la production et une température normale à la consommation illustre bien une mauvaise utilisation des ressources, ce qui n'a pas empêché le chauffage électrique de progresser au cours des quarante dernières années.

Les systèmes d'accumulation d'électricité de nuit sont encore trop peu efficaces et ne résolvent aucun des problèmes de pollution que nous avons abordés. Ils ont malgré tout le mérite d'être pratiques et peu onéreux. En fait, ils ne se justifient vraiment que si l'électricité est produite à partir d'énergies renouvelables, comme c'est le cas en Norvège où les cours d'eau sont exploités à cet effet.

LES ÉNERGIES RENOUVELABLES

Les énergies renouvelables n'ont pas la faveur de ceux qui contrôlent actuellement la distribution d'électricité. Pour eux, il vaut mieux s'en tenir à une ou deux sources de production pour répondre aux besoins croissants de la population; savoir ci celles-ci sont propres ou non, dangereuses ou non, épuisables ou non n'est pas leur préoccupation principale.

Or, dix ans de recherches, menées par des orga-

LA MAISON «ÉNERGIVORE»

La plupart des maisons récentes sont bien isolées et le rendement énergétique de leurs installations est bon. En revanche, certaines maisons plus anciennes sont des gouffres car les déperditions d'énergie y sont très importantes. La plus grosse partie de ces déperditions peut être combattue grâce à une meilleure isolation. La réduction du budget chauffage joue en effet un rôle important dans la diminution de la pollution.

AGISSEZ

Six règles d'or si vous aménagez une maison ancienne

- **Isolez le grenier**
  C'est le moyen le plus simple et le plus rapide d'économiser l'énergie. Dans une maison de taille moyenne, une isolation de 100 mm s'amortit en trois ans.

- **Faites installer des doubles vitrages**
  Ce procédé d'isolation est un peu coûteux si vous choisissez des fenêtres à double vitrage prêtes à poser. On peut poser un second vitrage sur une fenêtre existante, solution moins onéreuse et aussi efficace.

- **Isolez les murs creux**
  Vous réaliserez de très importantés économies d'énergie. Attention toutefois à choisir les bons matériaux (voir p. 117).

- **Calfeutrez portes et fenêtres**
  En moyenne, le calfeutrage est amorti en deux ans. Mais attention si vous avez une chaudière au fuel sans conduit: elle exige en permanence une bonne ventilation.

- **Isolez cuves et tuyaux**
  En adaptant une gaine de 10 cm d'épaisseur autour d'un tuyau d'eau chaude, on évite une bonne partie des déperditions d'énergie.

- **Installez des thermostats**
  On augmente le rendement d'un radiateur en installant un thermostat et en collant du papier d'aluminium derrière le radiateur afin de réfléchir la chaleur.

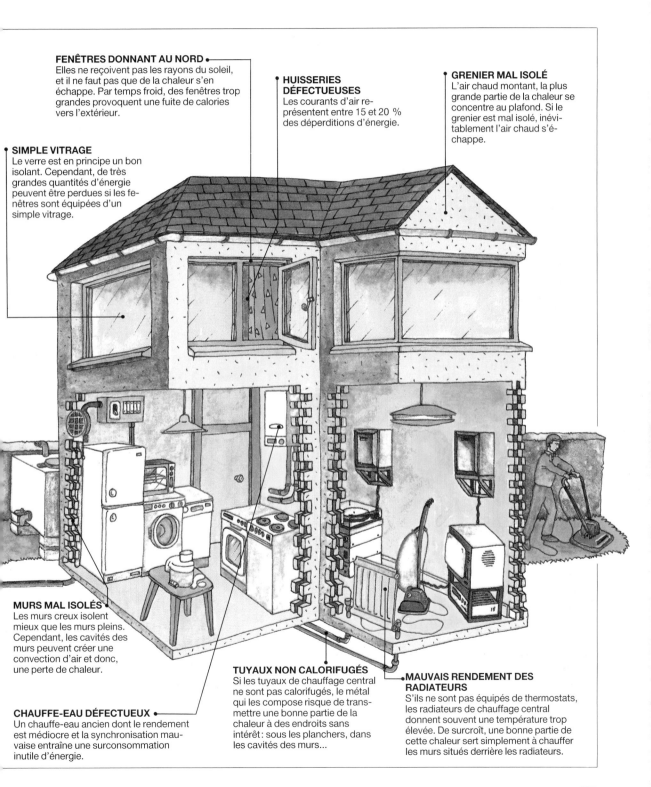

FENÊTRES DONNANT AU NORD •
Elles ne reçoivent pas les rayons du soleil,
et il ne faut pas que de la chaleur s'en
échappe. Par temps froid, des fenêtres trop
grandes provoquent une fuite de calories
vers l'extérieur.

SIMPLE VITRAGE
Le verre est en principe un bon
isolant. Cependant, de très
grandes quantités d'énergie
peuvent être perdues si les fenêtres sont équipées d'un
simple vitrage.

• **HUISSERIES
DÉFECTUEUSES**
Les courants d'air re-
présentent entre 15 et 20 %
des déperditions d'énergie.

GRENIER MAL ISOLÉ
L'air chaud montant, la plus
grande partie de la chaleur se
concentre au plafond. Si le
grenier est mal isolé, inévitablement l'air chaud s'é-
chappe.

MURS MAL ISOLÉS •
Les murs creux isolent
mieux que les murs pleins.
Cependant, les cavités des
murs peuvent créer une
convection d'air et donc,
une perte de chaleur.

CHAUFFE-EAU DÉFECTUEUX •
Un chauffe-eau ancien dont le rendement
est médiocre et la synchronisation mauvaise entraîne une surconsommation
inutile d'énergie.

TUYAUX NON CALORIFUGÉS
Si les tuyaux de chauffage central
ne sont pas calorifugés, le métal
qui les compose risque de trans-
mettre une bonne partie de la
chaleur à des endroits sans
intérêt : sous les planchers, dans
les cavités des murs...

**MAUVAIS RENDEMENT DES
RADIATEURS**
S'ils ne sont pas équipés de thermostats,
les radiateurs de chauffage central
donnent souvent une température trop
élevée. De surcroît, une bonne partie de
cette chaleur sert simplement à chauffer
les murs situés derrière les radiateurs.

nismes officiels, des chercheurs et des entreprises, ont permis de mettre au point des techniques qui ne polluent pas l'atmosphère et font appel à des énergies renouvelables. Certaines de ces techniques peuvent trouver leur application dans des maisons individuelles, d'autres sont destinées à des unités plus importantes qui distribueraient ensuite l'énergie produite. Le soleil étant la source d'énergie dont tout dépend sur notre planète, il est logique de l'utiliser à chaque fois que c'est possible.

L'ÉNERGIE SOLAIRE

L'énergie solaire est le moyen le plus simple et le plus propre de se procurer de l'énergie. Ainsi, le principe du collecteur à capteur plan est enfantin : le capteur, en métal noir mat, capte l'énergie solaire qui est transmise à de l'eau. Il est possible de faire circuler cette eau par pompage, mais on peut aussi laisser la gravité faire le travail. L'eau chaude monte et est alors remplacée par de l'eau froide. Une couverture transparente en verre de serre, placée au-dessus du dispositif, retient la chaleur et permet à la température du liquide de s'élever rapidement. Celui-ci est alors acheminé vers un échangeur de chaleur où s'effectue le transfert des calories au profit de l'eau qui sera utilisée. C'est aussi simple que ça...

Dans les régions où les hivers sont froids et secs, comme au Nouveau-Mexique, les panneaux solaires sont efficaces même au plus fort de l'hiver. Sous de tels climats, on utilise un liquide antigel que l'on mélange à l'eau caloporteuse.

On pourrait croire que le climat des pays tempérés comme les Pays-Bas, l'Allemagne, la Grande-Bretagne ou la France ne se prête pas à l'énergie solaire. C'est une idée fausse, car le maître-mot en matière d'énergies renouvelables est la multiplicité. Il suffit donc, dans ces régions, d'installer un plus grand nombre de panneaux solaires ; cela peut permettre d'économiser environ un tiers du budget chauffage. Il existe ainsi des maisons solaires en Normandie, région peu réputée pour son ensoleillement. La meilleure façon d'exploiter l'énergie solaire est d'équiper le bâtiment de multiples capteurs. Des systèmes passifs de chauffage solaire peuvent être aménagés dans des habitations existantes : ainsi, on peut installer des serres sur la façade sud et peindre en noir le côté exposé au midi. Il existe un autre système plus sophistiqué, le mur Trombe, dans lequel de l'air emprisonné entre un mur noir et un vitrage est réchauffé par le soleil. L'air chaud ainsi obtenu est ensuite envoyé entre les parois des murs. Ce système peut être adapté aux maisons neuves ou anciennes.

Les dispositifs solaires passifs fonctionnent avec toutes les surfaces susceptibles d'absorber la chaleur. On peut ainsi utiliser le mur d'une façade sud, des lits de cailloux ou même des bidons remplis d'eau. En Israël, certaines maisons sont chauffées par l'énergie solaire captée dans des colonnes d'abode (briques séchées au soleil) qui sont installées derrière un vitrage exposé au sud et qu'on fait tourner pour permettre à la chaleur captée d'être envoyée à l'intérieur.

Les maisons équipées d'un dispositif solaire passif sont légèrement plus coûteuses qu'une maison « normale » : le surcoût est de 5 à 10 % pour une maison bien isolée, mais cela permet de réaliser une économie de 50 à 75 % sur le budget chauffage.

L'ÉNERGIE SOLAIRE À GRANDE ÉCHELLE

En 1982, le coût de production de l'électricité à partir de l'énergie solaire avait suffisamment baissé pour que le procédé soit applicable pour les satellites spatiaux et les calculatrices électroniques, mais également pour les télécommunications dans les pays à fort ensoleillement. C'est ainsi qu'en Espagne, des villages reculés ont été reliés au monde grâce à des piles solaires, beaucoup moins onéreuses en l'occurence qu'un système par câbles.

Les photopiles sont des appareils ultra-plats qui, par effet photovoltaïque, transforment directement l'énergie solaire en électricité. Dans peu de temps, leur prix sera compétitif par rapport à celui des sources d'électricité classiques. À l'Université de Stanford, Californie, des ingénieurs ont mis au point un nouveau type de pile qui permettrait un rendement de 33 %, performance inimaginable il y a quelques années. Ces photopiles de la nouvelle génération seraient concurrentes des centrales traditionnelles et pourraient être prochainement utilisées pour couvrir les besoins en électricité de la Californie.

L'ÉNERGIE ÉOLIENNE

Nous avons mis bien longtemps à redécouvrir que le vent était une source d'énergie gratuite. La machine à vapeur alimentée au charbon avait en effet entraîné la désaffection des moulins. Peut-être retrouveront-

LA MAISON SOLAIRE

À l'heure actuelle, l'énergie solaire ne représente qu'une part infime de la consommation d'énergie : 10 000 fois moins que les quantités distribuées par les centrales au fuel. Et pourtant, c'est une source d'énergie qui peut facilement s'adapter à une maison. Notre illustration montre que l'énergie solaire autorise un budget chauffage limité, même sous des latitudes tempérées.

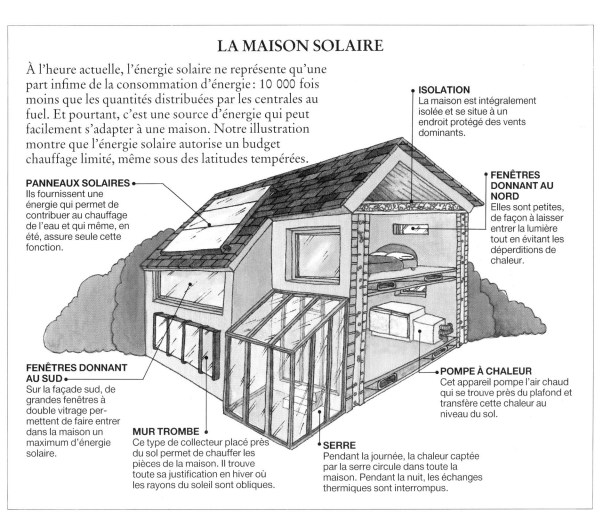

ISOLATION
La maison est intégralement isolée et se situe à un endroit protégé des vents dominants.

FENÊTRES DONNANT AU NORD
Elles sont petites, de façon à laisser entrer la lumière tout en évitant les déperditions de chaleur.

PANNEAUX SOLAIRES
Ils fournissent une énergie qui permet de contribuer au chauffage de l'eau et qui même, en été, assure seule cette fonction.

POMPE À CHALEUR
Cet appareil pompe l'air chaud qui se trouve près du plafond et transfère cette chaleur au niveau du sol.

FENÊTRES DONNANT AU SUD
Sur la façade sud, de grandes fenêtres à double vitrage permettent de faire entrer dans la maison un maximum d'énergie solaire.

MUR TROMBE
Ce type de collecteur placé près du sol permet de chauffer les pièces de la maison. Il trouve toute sa justification en hiver où les rayons du soleil sont obliques.

SERRE
Pendant la journée, la chaleur captée par la serre circule dans toute la maison. Pendant la nuit, les échanges thermiques sont interrompus.

La plus grande centrale solaire du monde
La centrale solaire Solar One est située en Californie, dans le Désert Mohave. Grâce à ses 1 800 héliostats, elle produit 10 megawatts, ce qui couvre les besoins en énergie d'environ 2 000 habitations. Les miroirs concentriques renvoient la chaleur du soleil vers une chaudière ; celle-ci permet la transformation de l'eau en vapeur qui actionne une turbine.

Ferme éolienne à Altamont
Cette gigantesque ferme éolienne (à gauche) est située en Californie. Les moulins sont de conception classique, à rotation horizontale. Ce type de moulin doit être installé face au vent et ne fonctionne que si sa vitesse atteint un certain seuil.

Un rotor Darrieus
Ce type de moulin (à droite) tourne à tous les vents. Il permet un rendement plus régulier, car la rotation des pales n'est pas freinée par la gravité.

ils notre faveur à cause précisément de la pollution causée par le charbon ?

Il fut un temps où l'énergie éolienne était systématiquement recueillie, dans les plaines où le vent n'était pas arrêté, mais aussi sur des hauteurs où des turbulences se créaient. On en trouve en Crète un magnifique exemple : six mille voiles blanches y sont actionnées par le vent du Plateau de Lasithi, et transmettent l'énergie éolienne à des pompes d'irrigation. Ce système a été conçu par les Vénitiens vers 1460 et fonctionne encore de nos jours.

Étant donné la hauteur de nos habitations, la force du vent ne peut pas aujourd'hui nous apporter une part significative de l'énergie dont nous avons besoin, sauf peut-être dans les campagnes. Mais cela n'est pas une raison pour ne pas chercher à l'exploiter.

À la fin de 1985, plus de dix mille moulins produisaient de l'électricité aux U.S.A., fournissant au total autant qu'une centrale thermique classique. 90 % de ces moulins se trouvent en Californie et la plupart sont regroupés en immenses fermes éoliennes. Ainsi, plusieurs milliers d'entre eux sont concentrés à Altamont Pass où les vents sont très puissants. Ce sont des moulins de taille moyenne qui produisent une électricité dont le prix de revient est de 6 à 8 cents par kilowatt, ce qui est comparable à celui d'une grande centrale classique.

En Californie, les particuliers qui s'équipent de moulins sont autorisés à revendre leur production aux distributeurs, amortissant ainsi rapidement leur installation. En France, la situation de monopole d'EDF interdit cette pratique ou la décourage par la politique de tarif.

En 1985, la première unité de production au large a été mise en service au Danemark, dans le prolongement de la péninsule de Mols, dans le Jutland. Sur une jetée de huit cents mètres de long, seize moulins produisent 10 % des besoins en électricité d'Ebeltoft, une ville de quatre mille habitants. Ces moulins seront amortis en cinq ou six ans. Non loin de là, en Frise du Nord (R.F.A.), les autorités locales ont autorisé la construction d'une unité de production de trois mille moulins sur les côtes de la mer du Nord. À bien des égards, le soleil et le vent sont complémentaires : là où le soleil est rare, il y a souvent du vent pour compenser. À Burgar Hill, dans les Îles Orcades, au nord de l'Écosse (l'un des endroits les plus ventés du monde), on teste actuellement une turbine de soixante mètres d'envergure.

L'ÉNERGIE MARÉMOTRICE

Il suffit d'avoir un jour été plaqué par une vague pour se faire une idée de la force de la mer. Si une partie de cette énergie, fût-elle infime, pouvait être transformée, un certain nombre de centrales classiques et nucléaires disparaîtraient.

L'exploitation de l'énergie marémotrice en est encore au stade expérimental. Des dizaines de projets ont été testés, à qui il ne manquait en fait que le soutien de ceux qui détiennent le pouvoir.

À Tostestallen, sur les côtes norvégiennes, on a mis en service un générateur de Wells qui s'est révélé financièrement viable. Ce dispositif exploite l'énergie des vagues grâce à une colonne d'eau qui monte et descend à l'intérieur d'un cylindre, créant une pression qui entraîne une turbine. Ce système est actuellement commercialisé par une entreprise norvégienne.

Les générateurs d'énergie marémotrice n'ont pas besoin d'être à la surface de l'eau, ils peuvent aussi se trouver immergés. Non loin de la tristement célèbre centrale nucléaire de Sellafield, une entreprise d'ingénierie a mis au point une turbine au principe très simple. Celle-ci consiste en un tube d'acier de 23 000 tonnes et de quatre-vingts mètres de long qu'on dépose au fond de la mer. On introduit de l'air comprimé dans la turbine grâce aux mouvements de l'eau, ce qui actionne un générateur. En généralisant un tel système, on pourrait construire des centrales sous-marines, invisibles et non polluantes.

Il est normal de se demander pourquoi ces centrales n'existent pas encore. C'est tout simplement parce qu'elles ne sont pas tout à fait compétitives par rapport aux centrales classiques. Autrement dit, on privilégie l'argument financier au détriment de la réduction des pluies acides ou de la radioactivité. La France fut pourtant une pionnière en construisant, à partir de 1961, la première usine marémotrice du monde sur l'estuaire de la Rance entre Dinard et Saint-Malo. Mise en service en 1966, cette usine produit 240 000 kWh en utilisant l'énergie des marées par l'intermédiaire d'un immense bassin de retenue.

L'usine marémotrice de la Rance produit 550 millions de kWh par an. Or, une tranche de 900 mégawatts d'une centrale nucléaire produit annuellement 4 milliards de kWh. La Rance produit donc 1/8 de la puissance développée par une tranche de centrale nucléaire.

Les centrales françaises possèdent de 4 à 9 tranches de 900 mégawatts chacune. Ces tranches ne sont pas mises en service en même temps, mais en fonction de la demande.

DES PROJETS POUR L'AVENIR

Aujourd'hui, la Suède est le seul pays au monde où les préceptes de diversité et de régionalisme ont dicté les choix énergétiques. Les Suédois ont en effet élaboré en la matière une politique cohérente qui a pour objectifs la réduction de la pollution, une moindre dépendance énergétique et l'arrêt de l'aventure nucléaire.

En 1979, la Suède détenait le record mondial de l'importation de pétrole par habitant. Mais en 1981, le Parlement vota un projet destiné à réduire de moitié la consommation de pétrole en y substituant les énergies locales ; il décida aussi qu'à l'avenir, les techniques de production d'énergie devraient prendre en compte la protection de l'environnement.

Ces décisions entraînèrent une modification complète de la production et de la consommation d'énergie. Ainsi, la Suède produit actuellement une grande partie de son électricité grâce à l'énergie hydroélectrique, mais celle-ci ne sera pas encouragée : la population s'oppose en effet à la construction de nouveaux barrages. De même, les énergies fossiles ne sont pas interdites, mais elles doivent offrir un meilleur rendement et être moins polluantes.

L'une des originalités de ce projet réside dans le souci constant d'éviter la déperdition de chaleur. Ainsi, la municipalité de Stockholm a commandé deux centrales thermiques à charbon en lit fluidifié. La chaleur dégagée par ces centrales ne sera pas perdue, mais servira au chauffage. Ce cycle n'entraînera pratiquement aucune pollution. De même, la chaleur provenant des usines et de l'incinération des ordures sera récupérée dans des conduits de chauffage.

En isolant correctement les bâtiments et en utilisant les énergies alternatives, on peut considérablement réduire notre dépendance par rapport au pétrole. Déjà, certaines habitations de la ville de Lund utilisent l'énergie géothermique qu'on puise dans du grès aquifère situé entre cinq cents et huit cents mètres de profondeur. D'ici à 1990, le tiers au moins des besoins en chauffage de la ville seront couverts par l'énergie géothermique. Le système de chauffage urbain que la Suède a installé il y a plus de vingt ans permet en effet de changer à loisir de source d'énergie.

La Suède, malgré son climat, est très intéressée par l'énergie solaire : ainsi, près d'Uppsala, on a construit plus de cinq cents maisons individuelles qui sont intégralement chauffées grâce à des capteurs solaires. Ceux-ci chauffent pendant l'été de l'eau qui avait été stockée en profondeur, et cette eau est envoyée l'hiver dans les radiateurs.

Toujours dans la perspective de ce plan énergétique, des saules à croissance rapide ont été plantés dans un terrain expérimental de soixante-dix hectares. La coupe s'effectuera tous les trois ou quatre ans et fournira du bois de chauffage.

Il est bien évident que ce plan ne peut pas s'appliquer in extenso dans tous les autres pays. En revanche, c'est un état d'esprit, une sensibilisation à tous les niveaux qu'il serait intéressant de transposer. Bien des pays auraient des leçons à recevoir de la Suède.

Les énergies « naturelles » coûtent peut-être un peu plus cher et nous devrons apprendre à restreindre notre consommation. Mais, ce qui est sûr, c'est que nous ne pouvons pas polluer plus longtemps l'air. Nous sommes responsables de ce que nous rejetons par les cheminées aujourd'hui et il faut mettre un terme à cette pollution, de même que doit cesser la production de déchets radioactifs qui s'entassent dans des cuves, que l'on rejette dans la mer, qui se dispersent au vent ou s'infiltrent dans le sol.

LA POLLUTION
AUTOMOBILE :
DES SOLUTIONS

L'automobile et l'environnement
Comment conduire en polluant moins
Les pots catalytiques et les moteurs à mélange pauvre
Les carburants végétaux et l'énergie solaire
La diminution du trafic routier
Les transports en commun

Chaque année, on fabrique dans le monde environ 48 millions de voitures qui assurent une parfaite mobilité à leurs propriétaires moyennant 3 tonnes de carburant par an ; mais le prix à payer comprend aussi la pollution de l'atmosphère, la destruction de la faune et les accidents.

À l'époque des voitures à chevaux, la grand-rue servait aussi bien de terrain de jeux et de lieu de rencontres que de passage pour les voyageurs. À l'époque, on avait à portée de main tout ce qui était nécessaire à la vie quotidienne et on n'avait guère besoin de se déplacer. Tout cela a bien changé depuis : aujourd'hui, il est difficile de se passer de sa voiture. La vitesse fait partie de notre vie et nous sommes devenus dépendants de l'automobile. Faire un trajet de cent cinquante kilomètres pour aller voir des amis ne nous gêne pas ; nous acceptons que notre lieu de travail et notre domicile soient éloignés l'un de l'autre et que les supermarchés où nous nous ravitaillons ne soient accessibles qu'en voiture. Et le nombre de cylindres de notre automobile nous positionne dans l'échelle sociale.

En tant que moyen de transport, l'automobile est à la fois un bien et un mal. Nous devons compter avec elle tout en essayant d'en juguler les effets les plus nocifs.

MAIS OÙ EST LA «CRISE DU PÉTROLE»?

Le Vénézuélien Perez Alfonso a créé l'OPEP parce qu'il s'inquiétait du rythme effréné auquel les réserves de pétrole s'épuisaient. Il considérait l'automobile comme un fléau et se déplaçait à bicyclette le plus souvent possible. Il possédait lui-même une voiture, un modèle ancien qui était en permanence garé dans son jardin et servait plutôt de support à la végétation. Perez Alfonso avait compris qu'il fallait économiser le pétrole.

Au cours des années 70, on a beaucoup discuté des réserves pétrolières, de leur raréfaction et des moyens de les économiser. Mais le public s'est lassé de ce dé-

bat. Aujourd'hui, l'essence paraît abondante et le prix à la pompe est stabilisé, à tel point qu'on pourrait presque penser que ces discussions étaient sans objet.

Pourtant, nous vivons dans un bonheur illusoire, si tant est que le bonheur soit compatible avec l'asphyxie. Que le prix de l'essence baisse ou augmente, nos réserves, elles, ne font que fondre. Lorsque l'essence ne coûte pas trop cher, la consommation augmente peu à peu, ce qui dilapide d'autant plus vite les réserves. Il n'est pas besoin d'avoir fait des études

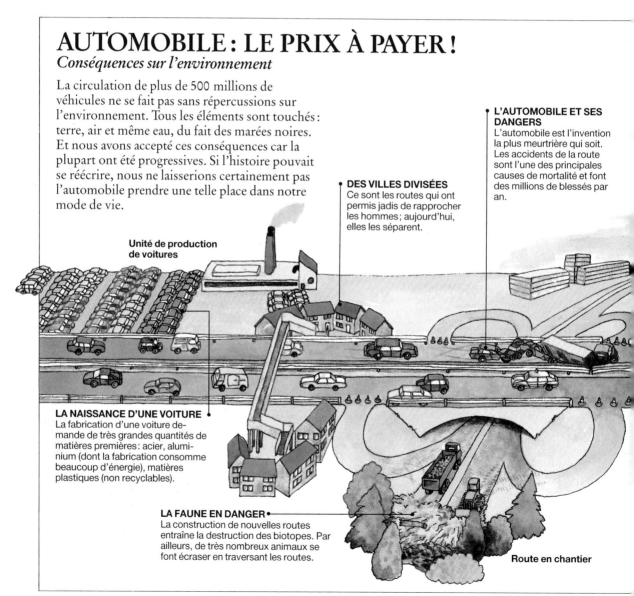

AUTOMOBILE : LE PRIX À PAYER !
Conséquences sur l'environnement

La circulation de plus de 500 millions de véhicules ne se fait pas sans répercussions sur l'environnement. Tous les éléments sont touchés : terre, air et même eau, du fait des marées noires. Et nous avons accepté ces conséquences car la plupart ont été progressives. Si l'histoire pouvait se réécrire, nous ne laisserions certainement pas l'automobile prendre une telle place dans notre mode de vie.

L'AUTOMOBILE ET SES DANGERS
L'automobile est l'invention la plus meurtrière qui soit. Les accidents de la route sont l'une des principales causes de mortalité et font des millions de blessés par an.

DES VILLES DIVISÉES
Ce sont les routes qui ont permis jadis de rapprocher les hommes ; aujourd'hui, elles les séparent.

Unité de production de voitures

LA NAISSANCE D'UNE VOITURE
La fabrication d'une voiture demande de très grandes quantités de matières premières : acier, aluminium (dont la fabrication consomme beaucoup d'énergie), matières plastiques (non recyclables).

LA FAUNE EN DANGER
La construction de nouvelles routes entraîne la destruction des biotopes. Par ailleurs, de très nombreux animaux se font écraser en traversant les routes.

Route en chantier

poussées pour deviner que le prix du pétrole montera en flèche lorsqu'il n'en restera presque plus.

Pourtant, nous continuons à gaspiller le pétrole comme si rien n'allait changer. Chaque année, nous en consommons près de 3 milliards de tonnes. La moitié de ce tonnage est consacrée au transport sous toutes ses formes, tandis qu'un tiers environ sert à alimenter les moteurs des voitures et des camions.

Les gisements ont mis des centaines de millions d'années à se constituer dans l'écorce terrestre. Or, au rythme actuel de notre consommation, les réserves mondiales seront complètement épuisées dans quelques dizaines d'années. L'échéance dépend en grande partie des fluctuations de la demande, de l'évolution des techniques d'extraction et de la découverte de nouveaux gisements. Mais, en tout état de cause, la plupart des spécialistes considèrent que les gisements les plus importants ont été exploités avant 1980 et que toutes les réserves découvertes après cette date seront vidées en quarante ans environ. Autrement dit,

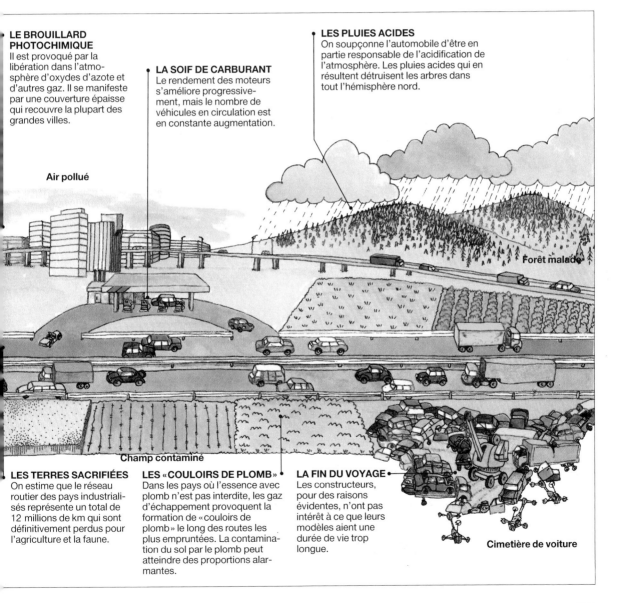

LE BROUILLARD PHOTOCHIMIQUE
Il est provoqué par la libération dans l'atmosphère d'oxydes d'azote et d'autres gaz. Il se manifeste par une couverture épaisse qui recouvre la plupart des grandes villes.

LA SOIF DE CARBURANT
Le rendement des moteurs s'améliore progressivement, mais le nombre de véhicules en circulation est en constante augmentation.

LES PLUIES ACIDES
On soupçonne l'automobile d'être en partie responsable de l'acidification de l'atmosphère. Les pluies acides qui en résultent détruisent les arbres dans tout l'hémisphère nord.

Air pollué

Forêt malade

LES TERRES SACRIFIÉES
On estime que le réseau routier des pays industrialisés représente un total de 12 millions de km qui sont définitivement perdus pour l'agriculture et la faune.

Champ contaminé

LES «COULOIRS DE PLOMB»
Dans les pays où l'essence avec plomb n'est pas interdite, les gaz d'échappement provoquent la formation de «couloirs de plomb» le long des routes les plus empruntées. La contamination du sol par le plomb peut atteindre des proportions alarmantes.

LA FIN DU VOYAGE
Les constructeurs, pour des raisons évidentes, n'ont pas intérêt à ce que leurs modèles aient une durée de vie trop longue.

Cimetière de voiture

lorsque les enfants d'aujourd'hui seront adultes, la plus grande partie du pétrole sera épuisée.

Mais pourquoi prendre des mesures draconiennes pour économiser le pétrole s'il doit être inéluctablement épuisé, et quel est l'intérêt de prolonger ces réserves de quelques années ? La réponse est la suivante : en gaspillant le pétrole, nous avançons la date à laquelle les réserves seront épuisées, et nous détériorons toujours plus l'environnement. En réduisant cette consommation, on atténue les effets de la pollution et on accorde un délai supplémentaire aux chercheurs pour mettre au point des techniques « propres » destinées à remplacer le moteur à combustion interne.

LE PARC AUTOMOBILE

Dans les pays industrialisés, le taux d'équipement en voitures particulières augmente rapidement. Le tableau ci-dessous indique le parc automobile de quelques pays et le rapport population/parc automobile correspondant (chiffres de 1988).

	Parc (en millions de voitures)	Rapport population/ parc
U.S.A.	139,041	1,7
Canada	11,500	2,3
Nouvelle Zélande	1,555	2,1
Australie	7,072	2,3
R.F.A.	28,304	2,1
Suisse	2,732	2,4
France	21,950	2,5
Suède	3,366	2,5
Italie	22,500	2,5
Norvège	1,623	2,6
Pays-Bas	5,117	2,9
Belgique	3,497	2,8
Finlande	1,700	2,9
Royaume Uni	20,605	2,7
Danemark	1,587	3,2
Espagne	9,760	4,1
Japon	29,478	4,2

L'AMOUR DE LA VITESSE

Pour la plupart des gens, l'apprentissage de la modération s'est fait au moment du bouleversement que constitua la série de hausses de prix du pétrole ; c'était au début des années 70. Les pays occidentaux, en économisant un peu sur tout, réduisirent d'environ 10 % leur consommation entre 1973 et 1983.

Ce médiocre résultat fut atteint principalement par la réglementation du trafic routier ; en effet, la plupart des pays instaurèrent des limitations de vitesse, comme les U.S.A. où l'augmentation rapide de la consommation de pétrole commençait à avoir des répercussions inquiétantes sur la balance des paiements. Par ailleurs, on prit des mesures destinées à abaisser la consommation des moteurs. Le temps des « gouffres à essence » était révolu. En 1985, les U.S.A. avaient réussi à obtenir de l'essence un rendement deux fois supérieur, donc une dépense de carburant deux fois moindre à vitesse égale. En Europe, les résultats étaient encore plus intéressants.

Cependant, l'idée qu'il existe une corrélation entre la vitesse, le gaspillage d'essence et la pollution ne fit guère son chemin dans l'esprit du public. Recommander aux conducteurs d'aller moins vite est une chose, obtenir des résultats en est une autre. La plupart des voitures ont d'ailleurs une puissance qui excède nettement les besoins d'un conducteur ; elles sont conçues pour aller toujours plus vite, ce qui aggrave le problème de la pollution automobile. La vitesse a encore de trop nombreux adeptes.

POLLUONS MOINS, RALENTISSONS

Aujourd'hui, il circule dans le monde 515 millions de voitures particulières qui produisent par an 14 500 milliards de mètres cubes de gaz d'échappement. On a calculé que les 30 millions de véhicules qui constituent le parc automobile ouest-allemand produisaient sur l'ensemble de ce pays une couche de fumées toxiques de deux mètres de haut qui anéantirait toute vie si, par malheur, la plus grande partie de celle-ci ne montait pas dans l'atmosphère.

La conduite à grande vitesse produit une quantité de gaz toxiques plus élevée qu'une conduite à vitesse raisonnable. C'est ainsi que la production d'oxyde d'azote, qu'on soupçonne fortement d'attaquer les arbres, augmente de 100 % lorsque la vitesse d'une voiture passe de 90 à 160 km/h. Dans le même temps, on constate aussi une forte augmentation de la production d'oxyde de carbone et d'hydrocarbures, ainsi que de la consommation de carburant.

Cet amour de la vitesse a également des incidences sur le nombre des accidents. Là où n'existent pas de limitations de vitesse, les statistiques ressemblent à des bulletins médicaux en période d'épidémies. Ainsi, en Allemagne fédérale, où la vitesse sur les autoroutes n'est pas limitée, il y a eu, en 1984, cent soixante-dix-neuf mille accidents qui ont causé dix mille morts. Dans cette seule année, 1 % de la population totale du pays a été blessé dans un accident de voiture.

La limitation de la vitesse sur les autoroutes, bien qu'elle soit trop peu respectée, permet de diminuer considérablement ces chiffres. En 1974, les U.S.A. ont limité à 55 miles/h (88,5 km/h) la vitesse sur l'ensemble de leur réseau. L'année précédente, alors que cette vitesse était limitée à 65 miles/h (104,5 km/h), la route avait tué cinquante-cinq mille personnes. Dix ans plus tard, bien qu'entre-temps le volume du trafic ait doublé, on ne recensait plus « que » quarante-quatre mille morts par an. La réduction de la vitesse est donc le moyen le plus simple de limiter la pollution, d'économiser le pétrole et de préserver nos vies.

HALTE AUX NOUVELLES ROUTES

On a pu constater un phénomène curieux : quelle que soit la quantité de bitume qu'on déverse sur la campagne pour résorber les encombrements, il se trouvera toujours un nombre suffisant de voitures pour créer d'autres encombrements.

La construction de nouvelles routes et surtout d'autoroutes défigure nos paysages. Pour dérouler ces rubans de béton, on coupe à travers champs, on abat des espaces boisés, on aplanit tout au bulldozer, on divise en deux des villages et des petites villes.

Le planificateur sacrifie systématiquement l'homme à la route. Pour gagner quelques petites minutes sur un trajet, on crée un axe qui obligera les riverains à vivre dans un vacarme toujours plus grand, ou à déménager. Les conséquences sur la faune sont également désastreuses ; chaque jour, des centaines de milliers d'oiseaux et de petits mammifères se font tuer par des voitures. Dans le cas de nouvelles routes, le tribut à payer est encore plus lourd car elles coupent souvent les sentiers que suivent les animaux.

De nombreux pays ont déjà sacrifié à l'automobile beaucoup trop de bonnes terres. N'aggravons plus la situation.

Entrelacs modernes
Notre civilisation a consacré la toute-puissance de l'automobile, et le sol lui est réservé en priorité. Pour éviter aux automobilistes d'attendre aux intersections et de voir baisser leur moyenne, on construit d'énormes échangeurs très sophistiqués. Ces infrastructures provoquent une pollution de l'air qui interdit les cultures aux alentours et un bruit qui chasse les habitants.

L'ESSENCE SANS PLOMB

Ne discutons pas : une fois pour toutes, le plomb EST dangereux pour l'homme. Déjà, les Romains s'empoisonnaient en utilisant des récipients en plomb pour leur vin. À l'époque où les canalisations étaient en plomb, on admettait qu'on pouvait s'empoisonner en puisant une eau qui avait séjourné longtemps dans les tuyauteries.

Autrefois, cet élément était fondu ; aujourd'hui, on le trouve en suspension dans l'air, ce qui lui permet de se diffuser dans toute l'atmosphère. Au Groenland, une terre pourtant non polluée, on a relevé une teneur en plomb de cinq cents à mille fois supérieure à celle qu'on trouvait aux temps préhistoriques, et c'est au cours des cent dernières années que l'augmentation a été la plus forte. Face à cette menace, l'essence sans plomb représente une solution radicale.

Le plomb constitue un très sérieux danger pour les enfants, dont il peut perturber le développement cérébral. Certains pays ont déjà admis l'importance de ce problème et effectuent des tests pour diminuer la teneur en plomb de l'atmosphère. Mais d'autres pays considèrent de telles mesures comme trop onéreuses. En fait, l'essence sans plomb n'est pas obligatoirement chère : il suffirait d'une incitation gouvernementale.

En Allemagne fédérale, depuis 1986, toutes les voitures neuves qui sont vendues doivent pouvoir rouler à l'essence sans plomb. Le résultat de cette mesure ne s'est pas fait attendre : en avril 1987 l'essence sans plomb représentait déjà le tiers des ventes de carburant pour parvenir à 45 % en 1988.

De son côté, le gouvernement français accorde depuis le 1er juillet 1989 une détaxe de 41 centimes par litre sur le super carburant sans plomb. Et ce, qu'il s'agisse de l'Eurosuper d'indice d'octane 95 ou du « Super Plus » d'indice 98, les mettant ainsi à un prix inférieur à celui du super carburant plombé. Cependant, seuls les nouveaux modèles appartenant au millésime 1990 et de plus de deux litres de cylindrée comme la Citroën XM et la Peugeot 605 sont soumis à l'obligation d'être équipés d'un pot catalytique entraînant l'utilisation exclusive de carburant sans plomb. Un carburant qui n'a représenté en 1988 que 3 % des ventes totales en France.

De tels changements peuvent déranger les compagnies pétrolières, les constructeurs automobiles et

LE POLLUEUR AU VOLANT : EXEMPLE TYPE

Une voiture fonctionnant à l'essence ou au gazole pollue forcément mais, selon votre façon de conduire, vous polluerez plus ou moins. Les conducteurs négligents aggravent la pollution ; ils réduisent aussi la durée de vie de leur véhicule et, parfois, ils écourtent leur propre vie. Les plus grands pollueurs sont souvent les propriétaires de vieilles voitures ; mais les fous de la vitesse sont tout aussi coupables.

AGISSEZ

Ne soyez pas un pollueur au volant

- **Faites le bon choix**
  Si vous achetez une voiture, faites des dispositifs anti-pollution le critère principal de votre choix. La mécanique de votre voiture doit présenter au moins une des caractéristiques qui sont mentionnées page 165.

- **Attention à votre conduite**
  Une conduite souple évite une trop grande pollution. Évitez les accélérations brutales qui augmentent considérablement l'émission de gaz d'échappement polluants. Sachez que vous gaspillez l'énergie fournie par le moteur si vous freinez trop brusquement et trop souvent.

- **Entretenez correctement votre voiture**
  Il vaut mieux prévenir la rouille que traiter la carrosserie avec des produits toxiques. Ne laissez pas la saleté s'accumuler, surtout en hiver où le sel risque de corroder le métal. Mettez si possible votre voiture dans un garage quand vous ne l'utilisez pas.

- **Faites régler régulièrement votre moteur**
  Il aura ainsi un meilleur rendement.

- **Ne changez pas trop souvent de voiture**
  Entretenez correctement votre voiture : du point de vue de la défense de l'environnement cela vaut mieux que d'en changer.

- **Laissez votre voiture chez vous**
  N'utilisez pas votre voiture si vous pouvez faire le trajet à pied ou à bicyclette, ou si le réseau de transports en commun permet un déplacement plus rapide.

UNE VOITURE MAL ENTRETENUE

La rouille qui apparaît sur la carrosserie finira par attaquer le châssis et la voiture sera bonne pour la casse. Au contraire, un entretien régulier prolonge la durée de vie d'une voiture.

Autrement dit, c'est une façon de retarder les dégâts qu'occasionne à l'environnement la construction de voitures neuves.

UN CONDUCTEUR, AUCUN PASSAGER

Le pollueur type aime être seul en voiture. Il ne rentabilise donc pas son véhicule et fait une mauvaise exploitation du carburant.

LE PLOMB DANS L'ESSENCE

Le pollueur au volant n'utilise pas d'essence sans plomb : soit il n'est pas au courant que le plomb est un élément qui pollue l'atmosphère, soit il pense que le problème ne mérite pas son attention.

UN MOTEUR MAL RÉGLÉ

Le pollueur type ne se soucie pas de faire régler régulièrement son moteur, ce qui se traduit par un mauvais rendement énergétique et des gaz d'échappement plus chargés en éléments polluants.

UNE MAUVAISE PÉNÉTRATION DANS L'AIR

Lorsque certains équipements, comme les galeries, sont laissés en permanence, on constate une très forte augmentation de la consommation, de l'ordre de 10 à 20 %, et donc de la pollution.

UNE CONDUITE «SPORTIVE»

Les amateurs de conduite sportive jouent beaucoup de l'accélérateur et du frein, ce qui augmente la pollution. Par ailleurs, ils usent prématurément leur voiture et, accessoirement, mettent leur existence en danger.

DES PNEUS SOUS-GONFLÉS

Des pneus sous-gonflés de 500 grammes entraînent une augmentation de la consommation de 3 à 4 % et donc une pollution plus importante.

PAS DE POT CATALYTIQUE

Lorsque le pot d'échappement ne comprend pas de dispositif de conversion catalytique, les gaz contiennent des oxydes d'azote, du gaz carbonique et de l'anhydride sulfureux. Tous ces gaz, libérés dans l'atmosphère, contribuent à aggraver la pollution.

leurs actionnaires. Mais le surcoût qu'entraînent la mise au point de ce carburant et l'adaptation des véhicules est tout à fait négligeable par rapport à ce qu'il faudrait dépenser pour la santé des enfants et la lutte pour la protection de l'environnement. Maintenant que cette solution est trouvée, il n'y a plus aucune raison pour qu'une voiture continue à répandre le poison notoire qu'est le plomb.

L'AUTOMOBILE ET LA FORÊT

Personne ne peut chiffrer aujourd'hui la part de responsabilité respective de l'automobile et des centrales électriques dans l'apparition des pluies acides (voir p. 147), mais on sait de façon quasi certaine que les gaz d'échappement tuent les arbres et s'attaquent peut-être à d'autres végétaux.

La Suisse, comme tout pays riche, fait un usage excessif de l'automobile. Elle accueille en outre un très grand nombre de touristes, qui viennent pour la plupart en voiture pour profiter des plaisirs du ski, de l'escalade et de la randonnée.

Or, ces dernières années, les forêts suisses ont commencé à donner des signes alarmants de détérioration.

Outre l'agrément qu'elles procurent à l'œil, ces forêts ont aussi le rôle essentiel de protéger des avalanches et des glissements de terrain les villages, les fermes et les routes qui se trouvent en aval. On a estimé que, si cette protection naturelle devait disparaître et être remplacée par des barrières, il en coûterait au pays des dizaines de milliards de francs. Or, cette éventualité n'est plus à exclure, compte tenu de la situation actuelle.

Bristen, une ville située dans les montagnes au sud de Lucerne, est représentative de ces agglomérations dont l'avenir est incertain. Les forêts qui surplombent cette ville sont malades. On doit abattre des arbres qui, affaiblis par la pollution, sont devenus la proie des parasites ; cela augmente encore le danger d'avalanches ou de glissements de terrain. Les grosses chutes de neige ne sont plus arrêtées par les arbres et la ville est menacée par cette neige et cette terre qui étaient autrefois retenues par la forêt.

En 1985, les habitants ont construit d'énormes terre-pleins pour se protéger des avalanches, mais nul ne sait si cette protection sera efficace. Ils ont également replanté de jeunes arbres, mais il n'est pas sûr que ceux-ci résistent à la pollution. Pour noircir en-

Le brouillard photochimique
Dans la plupart des grandes villes, les gaz d'échappement forment dans l'atmosphère une couverture chimique qui irrite les voies respiratoires et empoisonne la végétation.

La défoliation
Trop peu de voitures sont équipées de dispositifs permettant un traitement des gaz d'échappement avant que ceux-ci ne soient libérés dans l'atmosphère.

core ce sombre tableau, mentionnons que l'Office suisse des forêts estime que 10 % des forêts du pays subiront un sort analogue, ce qui mettrait en danger au moins cent cinquante mille personnes.

La pollution des arbres est également alarmante dans les plaines. Les racines des arbres forment en effet une sorte de treillis qui fixe le sol. Lorsque les arbres meurent et tombent, la terre est arrachée, ce qui produit une érosion des sols.

LES POTS CATALYTIQUES

Le problème de la pollution par l'automobile peut être en grande partie résolu par la solution très simple du pot d'échappement à conversion catalytique. Ce dispositif, qui se trouve intégré dans le système d'échappement, fait réagir les uns aux autres les gaz produits par le moteur. À l'issue de ce processus, les éléments nocifs sont neutralisés. Les gaz d'échappement passent en effet à travers une brique de céramique en nid d'abeille contenant du platine et d'autres métaux précieux, qui joue le rôle de catalyseur et active des réactions qui sans lui n'auraient pas lieu. Ce système

ne contient aucune pièce mobile et, une fois fabriqué, ne consomme plus d'énergie. Lorsqu'ils ont été mis au point, les pots catalytiques ont fait l'objet de tests intensifs. Les Européens étaient à l'époque les plus avancés dans cette technologie. Pourtant, lorsqu'en 1973 les prix du pétrole flambèrent, les gouvernements européens et les constructeurs automobiles hésitèrent à faire monter des pots catalytiques sur toutes les voitures, car cela aurait représenté une charge financière supplémentaire pour l'automobiliste.

L'Amérique ne connaît pas ce genre de scrupules. Ainsi, en 1975, une nouvelle réglementation a été imposée aux constructeurs afin de faire baisser de façon significative les émissions d'oxydes d'azote, de monoxyde de carbone et d'hydrocarbures sur tous les nouveaux véhicules. Aujourd'hui, la réglementation américaine (suivie de près par la Suisse et la Suède) est la plus stricte du monde et, parmi les États de l'Union, c'est la Californie qui a instauré les normes les plus drastiques. Grâce à celles-ci, les voitures y produisent en moyenne douze fois moins d'oxydes d'azote que celles qui circulent en Europe.

UN MOTEUR À ESSENCE PRESQUE PROPRE?

Le schéma ci-contre est théorique : il regroupe toutes les techniques actuelles permettant de réduire la pollution automobile. Dans la pratique, une seule voiture ne comporte pas tous ces dispositifs réunis. Ceux-ci ont pour objectif de limiter la pollution d'une manière ou d'une autre: les cylindres admettent un mélange pauvre en essence, ce qui permet une combustion plus complète. Le moteur fonctionne à l'essence sans plomb et offre un meilleur rendement. Le convertisseur catalytique permet, quant à lui, de neutraliser les gaz toxiques.

• LE MOTEUR À MÉLANGE PAUVRE
Dans ce moteur, le mélange air-essence contient une proportion d'oxygène plus importante que dans les moteurs classiques, ce qui permet de réduire la production d'oxyde d'azote et de gaz carbonique.

• L'ESSENCE SANS PLOMB
Le moteur est conçu pour fonctionner à l'essence sans plomb. Le tétraéthyle de plomb est en effet un antidétonant qui est l'un des principaux responsables de la pollution atmosphérique par le plomb.

Moteur

Réservoir

Échappement

• LA RECHERCHE DU RENDEMENT
Le rendement maximal d'un moteur passe par la réduction des frottements qui entraînent une perte d'énergie à la transmission. La conception des pièces qui subissent un frottement (coussinets, paliers) est donc primordiale.

LE POT À CONVERTISSEUR CATALYTIQUE •
Grâce à une grille de céramique en nid d'abeille comportant un catalyseur en platine et autres métaux précieux, il se produit une réaction entre les différents oxydes de carbone, de soufre et d'azote. À l'issue de cette réaction, tous ces gaz sont neutralisés.

POURQUOI LES POTS CATALYTIQUES NE SONT-ILS PAS UTILISÉS PARTOUT ?

Si les pots catalytiques sont si efficaces, pourquoi donc tous les pays ne les adoptent-ils pas ? Comme pour l'essence sans plomb, on en revient à un problème financier : combien le public est-il disposé à payer pour éviter de polluer ? Un pot catalytique occasionne un surcoût à l'achat de la voiture d'environ 5 % et augmente la consommation d'environ 5 % également. Notons que cette surconsommation peut aisément se compenser en conduisant tout simplement un peu moins vite. Par ailleurs, un pot catalytique exige de l'essence sans plomb et une légère modification dans la conception du moteur. Apparemment, certains pays considèrent que c'est un prix trop élevé pour préserver les forêts, particulièrement si ce ne sont pas leurs propres forêts qui sont les plus touchées. Certains constructeurs sont plus que réticents à l'égard des pots catalytiques, car ils misent plutôt sur l'évolution de la technologie des moteurs.

Un exemple de cette évolution est le moteur à mélange pauvre dans lequel le mélange air-essence a un meilleur rendement, ce qui entraîne une production moindre de gaz d'échappement. Ainsi, Peugeot qui travaille depuis cinq ans sur le « moteur propre » et a déjà investi plusieurs centaines de millions de francs dans ce programme de recherche. Mais, dans la plupart des cas, ce sont les considérations commerciales qui prévalent, le maintien du chiffre d'affaires passant avant la réduction de la pollution.

Face à cette inertie, le seul moyen de modifier cet état de choses est que les automobilistes fassent clairement savoir qu'ils acceptent de payer le surcoût qu'occasionne le pot catalytique. N'oublions pas qu'en achetant un véhicule dépourvu de pot catalytique, nous contribuons à chacun de nos trajets à détruire la nature ; c'est là un capital qui ne se mesure pas en francs.

LE MOTEUR DIESEL EST-IL MOINS POLLUANT ?

Le moteur Diesel jouit d'une faveur grandissante auprès des automobilistes, du fait du faible prix du carburant. Dans un moteur Diesel, la part de l'énergie potentielle transformée en chaleur et donc perdue est plus faible ; autrement dit, le rendement du moteur est meilleur. Cela tient à ce que le taux de compression du carburant dans les cylindres est beaucoup plus élevé que dans un moteur à essence. Le moteur Diesel présente par ailleurs l'avantage de mettre en jeu un nombre moindre de pièces mécaniques, ce qui le rend plus robuste et réduit les coûts d'entretien. Tous ces avantages vont dans le sens de l'économie d'énergie.

L'AUGMENTATION DU TRAFIC

Tous véhicules confondus (voitures particulières et véhicules industriels), le parc automobile mondial a doublé entre 1970 et 1985. Cette augmentation explique que les problèmes de pollution atmosphérique aient pris l'ampleur que l'on connaît. Malgré la récession économique, le nombre de véhicules en circulation n'a cessé de croître en raison de la conjonction de deux facteurs : la confirmation de la tendance à la voiture pour tous d'une part, et le développement du transport routier d'autre part.

Année	Nombre de véhicules en circulation	
1970	237 millions	
1975	302 millions	
1980	399 millions	
1985	470 millions	
1989	515 millions	
2000	800 millions ?	

Malheureusement, le moteur Diesel présente un certain nombre de défauts majeurs. En effet, il est susceptible de dégager des nuées de suie que l'on soupçonne d'être cancérigènes si elles sont inhalées régulièrement et en grandes quantités. Par ailleurs, la conception des moteurs Diesel des camions est un peu différente: afin d'obtenir un meilleur rendement du moteur, on injecte le gazole directement dans les chambres de combustion, ce qui entraîne une forte augmentation de la production de fumées nocives et de suie. En résumé, il est probable qu'une voiture pollue moins avec un moteur Diesel qu'avec un moteur à essence. D'autant que de nombreux constructeurs parmi lesquels Peugeot, premier fabricant mondial de moteurs Diesel, mais aussi Mercedes, BMW et Volkswagen travaillent sur des moteurs diesel n'émettant presque plus de particules de suie grâce à des réglages et une conception affinés. La possibilité d'adapter un catalyseur spécifique visant à détruire ces particules fait également partie des recherches de ces constructeurs. Pour sa part, Peugeot a investi 5 milliards de francs entre 1981 et 1988 afin d'améliorer le rendement de ses moteurs Diesel et d'en réduire la pollution. En revanche, les camions à moteur Diesel sont des dangers pour l'environnement.

AVONS-NOUS VRAIMENT BESOIN DES POIDS LOURDS?

Malgré un parc nettement moins important, les camions représentent un facteur de pollution et de nuisances presque aussi important que les voitures particulières. On n'a pas besoin de statistiques fastidieuses pour constater que, dans tous les pays occidentaux, le volume de fret qui s'effectue par route est considérable.Or, une grande partie de ce trafic est superflu: on voit se croiser sur les autoroutes des produits identiques, tout simplement parce que l'organisation des affaires est telle que l'on

---

AGISSEZ
Faites diminuer le trafic routier

- **Jouez la carte du régionalisme**
  N'achetez pas des produits d'origine lointaine si votre région peut vous offrir des articles similaires.
- **Protestez contre l'extension du réseau routier**
  La plupart des aménagements routiers ont pour objectif de faciliter aux poids lourds l'accès aux voies de circulation. Vos protestations peuvent éviter que la pollution ne s'étende.
- **Veillez à ce que les poids lourds restent à l'écart**
  Le réseau routier principal devenant de plus en plus encombré, les chauffeurs de poids lourds cherchent des routes plus dégagées qui traversent des zones résidentielles. Si vous êtes témoin de ce genre de choses, plaignez-vous auprès du transporteur concerné.
- **Luttez contre les trajets «à vide»**
  Ils représentent un gaspillage considérable de carburant. Le transport de déchets à recycler (voir page 91) pourrait y mettre un terme.

---

va prendre des commandes à l'autre bout du pays. Il suffirait, pour limiter le trafic, d'appliquer le principe de préférence locale. En produisant à plus petite échelle et près des zones de consommation, on pourrait réduire d'environ 75 % le trafic routier par camion.

On objectera que cela mettrait au chômage les chauffeurs de ces camions. Mais l'argument ne tient pas, car la production locale compenserait largement la diminution de la main d'œuvre du transport. Une grande quantité de petites unités de production emploie plus de personnel que quelques usines énormes. En fait, l'autosuffisance de chaque région reviendrait à donner du travail à l'homme et non au camion.

Si le fret routier est de loin le mode de transport le

plus polluant, il permet de transporter la marchandise de porte à porte sans rupture de charges et n'est pas onéreux car il bénéficie souvent de subventions. Malgré ces avantages, il faudrait limiter le transport routier à la seule distribution locale. Il serait en effet possible d'utiliser des conteneurs, comme cela se pratique dans le fret maritime, qui seraient acheminés par chemin de fer ou voie d'eau ; le transport par route sera limité au début et à la fin du trajet, pour l'enlèvement et la livraison.

À l'appui de ce que nous proposons, rappelons que la plupart des marchandises transportées ne nécessitent pas un acheminement rapide ; il suffit que celui-ci soit régulier pour permettre la continuité de la chaîne économique.

LE CARBURANT VÉGÉTAL

Il est regrettable que nous soyons dépendants d'un carburant polluant alors que les carburants «propres» existent. Certains d'entre eux peuvent s'obtenir à partir de plantes. Ils constituent ce qu'on appelle «l'énergie verte» ; il s'agit d'alcools produits par fermentation d'une espèce végétale.

Lorsque le prix du pétrole flamba au début des années 70, le gouvernement brésilien décida d'encourager l'utilisation de carburant produit localement. Depuis lors, la fabrication d'éthanol est devenue au Brésil une activité à part entière. L'éthanol est de l'alcool primaire, produit à partir de canne à sucre, de manioc, de sorgho, de patates douces, de maïs ou de bois. L'immensité du territoire permet au pays d'exploiter au maximum le carburant végétal, puisque la production annuelle atteint aujourd'hui 4,2 milliards de litres et que les procédés de distillation permettent d'obtenir 70 litres d'alcool à partir d'une tonne de canne à sucre. Actuellement, environ la moitié des voitures circulant au Brésil fonctionne à l'alcool pur, dont une partie est d'ailleurs exportée.

Le gros avantage d'une voiture fonctionnant à l'alcool, c'est que l'on peut en respirer sans danger les gaz d'échappement. En effet, l'alcool pur ne contient que du carbone, de l'oxygène et de l'hydrogène, et sa combustion ne dégage que du gaz carbonique et de la vapeur d'eau, un mélange ayant la composition de ce que nous expirons nous-mêmes.

La production de carburant végétal est également possible sous d'autres climats que celui du Brésil. La Suède fait des expériences de production à partir de saules à croissance rapide et, aux U.S.A., on a utilisé le maïs qui sert habituellement à la nourriture du bétail. La plupart des pays utilisent le carburant végétal mélangé à de l'essence ; cela permet d'économiser le pétrole, d'éviter l'utilisation du plomb et de réduire la pollution.

Carburant : alcool
Cette station-service brésilienne ne vend pas de l'essence, mais de l'alcool. Ce carburant présente deux avantages : d'abord il provient de végétaux, donc c'est une source d'énergie renouvelable, à la différence du pétrole. D'autre part, il s'agit d'un carburant très pur chimiquement, qui ne produit pas de gaz d'échappement toxiques. Des expériences sont en cours dans certains pays tempérés : l'alcool pourrait jouer le rôle de carburant ou entrer dans la composition d'un carburant, même sous nos latitudes.

Le méthanol, ou alcool méthylique, est un autre produit qui peut être utilisé comme carburant. Il s'agit de l'esprit-de-bois, la terreur du distillateur, et on peut l'obtenir à partir du lignite, du bois, du gaz naturel ou du méthane produit par les bactéries (voir p. 30). Pour l'instant, le méthanol a un coût de production supérieur à celui de l'essence, mais de nouveaux procédés devraient permettre, dans un proche avenir, d'inverser la situation. En outre, le méthanol est lui aussi moins polluant que l'essence, avec laquelle il peut d'ailleurs être mélangé. Les moteurs fonctionnant au méthanol consomment beaucoup plus, mais c'est un carburant idéal pour les moteurs à mélange pauvre dans lesquels l'association air-carburant est meilleure. L'avenir est prometteur pour le méthanol fabriqué à partir du gaz naturel qui trouvera là une application bien plus intéressante que lorsqu'on l'utilise pour la fabrication d'engrais.

Le gaz naturel peut, lui aussi, servir de carburant pour les voitures et les camions. Aux Pays-Bas, il est depuis longtemps très répandu, en raison de son prix attractif par rapport à celui de l'essence, et de sa propreté. On peut recueillir un mélange de butane et de propane à partir du gaz naturel, et le gaz peut être pompé dans les puits de pétrole. Le gaz naturel peut aussi être utilisé dans les moteurs Diesel sous forme de mélange avec le gazole, ce qui diminue la pollution.

Les moteurs Diesel peuvent également fonctionner à l'huile végétale, extraite par exemple du tournesol, du soja ou de l'olive. Un champ de tournesol permet d'obtenir suffisamment d'huile pour permettre à un tracteur de labourer dix champs. Actuellement, le Brésil cherche à tirer des plantes 20 % de ses besoins en carburant pour moteurs Diesel.

En revanche, tous ces carburants végétaux présentent des défauts majeurs. C'est ainsi que la production d'éthanol nécessite des surfaces cultivées considérables et que le méthanol est pour l'instant très onéreux à fabriquer. Ces produits ne peuvent donc, à eux seuls, apporter une réponse au problème de la pollution automobile, mais ces expériences sont intéressantes.

L'EFFET DE SERRE

Depuis 1969, les données recueillies dans le monde sur les quantités d'ozone présentes à différentes altitudes dans l'atmosphère terrestre indiquent que celles-ci baissent singulièrement. Or, l'ozone que l'on trouve dans la stratosphère protège la terre du rayonnement des ultraviolets émis par le soleil. Au-delà d'un certain seuil, les ultraviolets se révèlent éminemment nocifs pour l'homme et les espèces animales. Tous les ans, une forte diminution de l'ozone (phénomène dit du «trou d'ozone») est enregistrée au mois d'octobre au-dessus de l'Antarctique. Cette diminution saisonnière, quantifiée depuis 1979, semble s'accentuer d'année en année (-15 % en 1988, -30 % en 1989). Les principaux produits accusés de participer à cette destruction sont le gaz carbonique ou oxyde de carbone (CO_2) pour 50 %, les chlorofluorocarbones (CFC) pour 25 %, le méthane ($CH4$) pour 10 % et le protoxyde d'azote ($N20$) pour 10 %.

La consommation d'énergie, toutes sources confondues (industries, besoins domestiques, circulation automobile, etc.), contribue pour 80 % à l'émission de CO_2 et la déforestation pour 20 %. Chaque année, l'humanité émet ainsi 5,5 milliards de tonnes de carbone dans l'atmosphère. Or l'accroissement de ces rejets de gaz provoque un renforcement de l'effet naturel de serre qui pourrait occasionner dans les décennies à venir un réchauffement sensible de la terre de l'ordre de 1,5 à 4,5° C à une échéance de cinquante ans.

Un tel réchauffement ne serait pas sans conséquences pour la planète. Ainsi, la fonte accélérée des glaces de l'Antarctique entraînerait une élévation du niveau des mers, comprise, selon la Fondation Cousteau, entre 0,50 m et 1,50 m. Dans le pire des cas, des villes comme Perpignan, Narbonne, Béziers, Montpellier, Nîmes et Arles auraient largement les pieds dans l'eau. Au niveau mondial, la Fondation Cousteau indique dans le même rapport (daté de 1989), que des villes comme Calcutta, Shangaï, Bangkok, Venise et Rotterdam connaîtraient également de sérieux problèmes.

Conscients de l'ampleur du phénomène, vingt-huit pays dont la France avaient, dès mars 1985, signé la Convention de Vienne pour la protection de l'ozone, suivie en septembre 1987 par le Protocole de Montréal relatif aux substances qui appauvrissent la couche d'ozone. Ce protocole prévoyait le «gel» puis la réduction de la consommation de CFC des pays signataires. Ceux-ci s'engageaient à ne pas augmenter leur consommation de CFC jusqu'en 1989 et à la réduire de moitié entre 1989 et 1999.

Les voitures solaires
La voiture solaire expérimentale qu'on voit ci-contre vient de Suisse. Elle fonctionne grâce aux piles solaires qui sont placées sur le capot.

Les véhicules électriques
Les recherches sur les véhicules électriques ont surtout porté sur la mise au point de batteries qui permettraient d'emmagasiner beaucoup d'énergie tout en étant légères. Cette solution, actuellement difficilement exploitable à grande échelle, se révèle intéressante pour des flottes captives comme celle d'EDF/GDF qui exploite aujourd'hui en France une quarantaine de véhicules de ce type.

En 1988, la moitié des 650 millions d'aérosols fabriqués en France contenait des CFC. Or, le Comité français d'aérosols annonçait en septembre 1989 qu'au 31 décembre 1990, sa fabrication d'aérosols à base de CFC serait réduite de 90 %. Une décision qui place la France en tête avec les Allemands dans cette bataille pour l'ozone. Viennent ensuite la Grande-Bretagne, l'Italie et l'Espagne. Mais en dehors des CFC, la pollution automobile n'est pas à prendre à la légère car elle a une très large part de responsabilité dans le phénomène de l'effet de serre. Ainsi les émissions de CO_2 dues aux voitures particulières et aux transports se montaient en France en 1988 à 114 215 tonnes.

LES ÉNERGIES RENOUVELABLES

Si nous continuons à gaspiller les combustibles carbonés dans des centrales électriques, des maisons mal isolées et des moteurs à faible rendement, la teneur en gaz carbonique dans l'atmosphère aura doublé d'ici à l'an 2050. Il est inutile de compter sur les biocarburants qui ne recycleront que le surplus d'anhydride carbonique. C'est pourquoi il faut remplacer autant que possible les énergies fossiles par l'énergie pure que nous procure le soleil.

C'est en Suisse qu'eut lieu le premier Grand Prix réservé aux voitures fonctionnant à l'énergie solaire. Cette course réunit presque cent véhicules qui couvrirent en six étapes la distance de quatre cents kilo-

LES RENDEMENTS : ÉTUDE COMPARATIVE

Les transports en commun offrent un excellent rapport consommation/ nombre de passagers/kilométrage parcouru. Voici six exemples et, pour chacun le rendement par litre utilisé.

Petite voiture

1 PASSAGER
Un passager seul dans une petite voiture obtient un rendement de 9 km pour un litre d'essence.

Petite voiture

4 PASSAGERS
4 passagers dans la même voiture portent alors le rendement à 35 km au total pour un litre d'essence.

Grosse voiture

1 PASSAGER
Un passager seul dans une grosse voiture obtient un rendement de 6 km pour un litre d'essence.

Grosse voiture

4 PASSAGERS
4 passagers dans la même voiture obtiennent au total un rendement de 24 km pour un litre d'essence.

Autobus

40 PASSAGERS
L'autobus permet de porter le rendement à 50 km par litre de gazole.

Train

300 PASSAGERS
Avec le train, le rendement passe à 55 km par litre de gazole.

dont l'eau contient d'immenses quantités. Cet élément peut être brûlé avec de l'oxygène pour fournir de l'énergie tout en ne rejetant que... de la vapeur d'eau ! Depuis 1984, plusieurs véhicules expérimentaux fonctionnant à l'hydrogène circulent ainsi dans les rues de Berlin et BMW vient de présenter un prototype très avancé sur base de berline série 5. Les constructeurs américains ont, eux aussi, réalisé des essais similaires.

Enfin, mais ce n'est aujourd'hui qu'une technique de laboratoire, on pourrait utiliser la photolyse pour, à partir de l'eau, produire de l'hydrogène grâce à l'énergie solaire.

LES TRANSPORTS EN COMMUN

Les énergies renouvelables ne sont pas encore utilisables ; en attendant que leurs applications soient au point, nous devons montrer un peu de sagesse dans notre consommation d'énergie.

Cela fait des années que dure la bataille opposant la voiture individuelle aux transports en commun. Partout où l'automobile apparaît, le rail, l'autobus et le tramway perdent du terrain.

Or, les transports en commun nécessitent beaucoup moins de carburant par passager et ne détériorent pas l'environnement comme le fait la voiture particulière.

Avant la généralisation de l'automobile, les transports en commun constituaient un moyen de se déplacer efficace et très utilisé. Il l'est moins depuis quelques décennies, mais la voiture risque d'être un jour victime de son propre succès. Dans la plupart des villes, la vitesse moyenne ne cesse de décroître. Les conducteurs passent de plus en plus de temps dans les embouteillages, à polluer sans avancer.

Les transports en commun, sans éviter la pollution, sont malgré tout moins destructeurs. Il offrent le meilleur rapport encombrement/prix. Dans les pays qui les privilégient, ils sont —et de loin— beaucoup moins coûteux, à la fois pour les passagers et pour l'environnement.

C'est dans les grandes villes qu'ils trouvent leur pleine justification, puisqu'ils permettent de concilier deux données : un nombre de voyageurs important et un espace disponible restreint. Mais, pour qu'ils soient véritablement performants, il faut que nous cessions de considérer l'automobile comme le seul moyen de se déplacer.

mètres. La voiture la plus rapide était un modèle à deux places truffé de piles solaires qui couvrit la distance à la vitesse moyenne de 48 km/h avec des pointes à près de 100 km/h. La plupart des véhicules étaient équipés de piles destinées à fournir de l'énergie aux moteurs électriques par temps couvert.

Ce genre de course peut aujourd'hui paraître farfelu. Il n'en reste pas moins que l'expérience a prouvé que l'énergie solaire, ça marche, ça peut faire rouler les voitures, et c'est une énergie renouvelable. Bien sûr, les piles solaires ne peuvent pas fonctionner par temps nuageux, mais on peut espérer qu'un jour soit mise au point une énergie renouvelable à partir de la simple lumière du jour. Il s'agit de l'hydrogène,

Imaginons que dans toutes les grandes métropoles du monde, la priorité soit donnée aux transports en commun. Les avantages que cela procurerait ont été exposés au cours de la campagne «La Ville aux citadins» qui fut lancée en 1986 par les Amis de la terre. Une telle mesure réduirait les nuisances sonores, la pollution, les embouteillages et le nombre d'accidents, préserverait les espaces verts et l'habitat, dégagerait les routes pour les véhicules prioritaires offrirait une chaussée plus sûre aux cyclistes.

Tout cela demande de l'imagination et un soutien légal; il faudrait, par exemple par des mesures fiscales, dissuader les gens de posséder plus d'une voiture; desservir, de jour comme de nuit, les théâtres, les restaurants et les stades; assurer des liaisons fréquentes entre les zones rurales et urbaines.

AGISSEZ
Privilégiez la bicyclette

- **Utilisez votre bicyclette pour aller travailler**
  Si l'éloignement de votre lieu de travail vous oblige à emprunter un moyen de transport, envisagez la bicyclette : c'est moins stressant et plus sain que la voiture.
- **N'employez votre voiture que pour les longs trajets**
  La bicyclette est idéale pour les petits trajets. Dans tous les cas, ne prenez votre voiture qu'en dernier recours, si aucun autre moyen de transport n'est possible.
- **Agissez pour obtenir des aménagements spéciaux**
  Si vous vivez dans un quartier dépourvu de pistes cyclables, encouragez la municipalité à en créer.

LA BICYLETTE

La bicyclette constitue un moyen de transport économique et non polluant, et de surcroît entretient la santé. L'énergie qu'elle consomme se trouve tout simplement dans un bon repas.

Selon une opinion erronée, la bicyclette ne peut être répandue que dans des régions plates. Il est certain que les Néerlandais sont privilégiés, mais imaginons simplement que les planificateurs se préoccupent des pistes cyclables autant qu'ils le font aujourd'hui pour les routes. Il n'y a en effet pas de raison pour que ce soit l'automobile qui profite de tous les investissements alors qu'elle crée tant de problèmes.

La construction de pistes cyclables dans les villes et les zones rurales réduirait les problèmes de pollution et d'encombrement. Les employeurs pourraient prévoir des aires de stationnement réservées aux bicyclettes, comme ils le font pour les voitures; pour assurer la sécurité des cyclistes, on pourrait créer dans les villes de vastes zones interdites aux automobilistes; enfin, on pourrait aménager des pistes cyclables couvertes, praticables par mauvais temps.

Se déplacer sans polluer
La bicyclette est un moyen de transport qui n'est absolument pas polluant. Il est regrettable que nos planificateurs n'y accordent pas plus d'attention.

SOYEZ PRÊT
À VOUS MOBILISER

Comment accélérer le changement
Actions curatives, actions préventives
Réconcilier les villes et la nature
Vivre autrement à la campagne
La protection de l'environnement, cause internationale
Agir pour les générations futures

Pour l'instant, nous n'avons abordé la protection de l'environnement qu'au niveau d'une action individuelle qui se traduit par des changements, modestes et pourtant essentiels, dans notre mode de vie.

Il se trouvera bien des esprits chagrins pour dire qu'il ne suffit pas de faire le nécessaire chez soi, et que des efforts aussi isolés ne réussiront pas à sauver la planète des dangers qui la menacent. À elle seule, notre humble action n'est en effet qu'une goutte d'eau dans l'océan, mais la mobilisation de chacun demeure importante.

Il est évident que la situation s'améliorera beaucoup plus rapidement si chacun arrive à étendre son influence au-delà de son univers personnel. Bien des chanteurs vedettes l'ont montré en mobilisant des millions de gens pour une cause internationale comme la faim dans le monde. Des opérations comme le soutien à l'Éthiopie ou au Sahel ont permis de recueillir des sommes considérables.

Chacun peut avoir une action importante au niveau local, national ou international, pour peu qu'il reste fidèle à ses idées.

Le seul moyen de renouveler les ressources vivantes de notre planète, c'est de porter à l'échelle internationale le problème de la défense de l'environnement. Nous devons apprendre à consommer moins et différemment, et persuader nos voisins d'en faire autant, si nous voulons que la Terre reste un endroit où il fait bon vivre.

DEUX TYPES D'ACTIONS POUR PRÉSERVER L'ENVIRONNEMENT

Si l'environnement est manifestement menacé, nous pouvons agir de deux façons : d'abord en protégeant la faune, en replantant des arbres, en produisant moins de déchets, en préservant la nature. Il s'agit là « d'opérations d'urgence » destinées à pallier des problèmes graves.

Ceux qui veulent aller plus loin peuvent adhérer à une association locale de défense de l'environnement : reportez-vous aux adresses listées à la page 185.

Mais cela n'est que le premier volet de votre action ; il importe également de mener des opérations de prévention. Il s'agit cette fois d'un investissement à long terme, mais il est nécessaire et rentable.

L'ACTION AU NIVEAU LOCAL

Nous avons longuement stigmatisé l'absurdité qui consiste à augmenter de plus en plus les distances

POUR UNE PLANÈTE VERTE !
1. Projet pour la campagne

Si la défense de l'environnement devenait réalité, nos conditions de vie seraient bien différentes. Nous avons synthétisé en deux illustrations les mesures à prendre, à la campagne et en ville. À la campagne, le principal changement serait l'abandon du système d'exploitation intensive, schématisé pages 40-41, au profit d'une agriculture naturelle. La monoculture serait remplacée par une polyculture qui fournirait, même avec des superficies réduites, une parfaite diversité de produits.

LE RECYCLAGE DES DÉCHETS ORGANIQUES
Le fumier est un engrais naturel tout à fait précieux.

Fumier

Élevage à la ferme

LA CULTURE PAR ASSOLEMENT
En cultivant une variété différente par champ et par année, on conserverait au sol sa fertilité et on limiterait les dégâts provoqués par les parasites.

LA CULTURE BIOLOGIQUE
L'utilisation des déchets organiques et la lutte contre les parasites par les méthodes naturelles éviterait l'emploi de produits chimiques toxiques.

L'ÉLEVAGE EN PLEIN AIR
Pour un investissement réduit au minimum, il fournit une quantité appréciable de viande. Il fertilise également le sol et permet d'éliminer les ordures ménagères d'origine organique.

entre les centres de production et les lieux de consommation d'eau, d'énergie et d'aliments. Notre environnement souffre de cette politique, or nous avons la possibilité de mener une action préventive : devant un produit, demandons-nous, bien sûr, de quoi il s'agit, mais ayons aussi le réflexe de nous renseigner sur sa provenance.

Cette préférence pour les produits locaux n'est pas une incitation à l'autarcie. Elle consiste simplement à utiliser en priorité ce qui est proche de chez soi.

Certains pays sont novateurs en la matière. Ainsi, le mouvement néerlandais «Kleine Aarde» (Petite Terre) encourage les petites entreprises, la production et la consommation d'aliments biologiques et organise la distribution de ces produits par un réseau de magasins répartis sur de nombreuses villes.

Nous n'en sommes pas encore là en France, même s'il existe depuis plusieurs dizaines d'années des chaînes de magasins comme «La Vie Claire» qui ne vendent que des produits biologiques. On assiste éga-

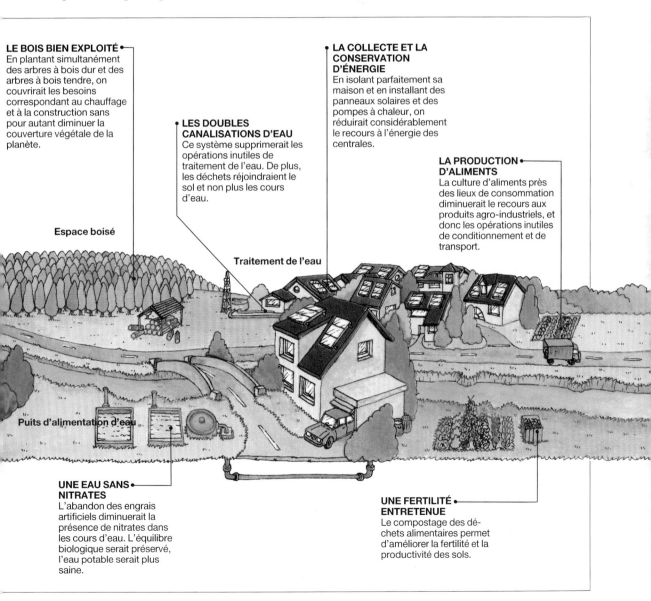

LE BOIS BIEN EXPLOITÉ
En plantant simultanément des arbres à bois dur et des arbres à bois tendre, on couvrirait les besoins correspondant au chauffage et à la construction sans pour autant diminuer la couverture végétale de la planète.

LES DOUBLES CANALISATIONS D'EAU
Ce système supprimerait les opérations inutiles de traitement de l'eau. De plus, les déchets réjoindraient le sol et non plus les cours d'eau.

LA COLLECTE ET LA CONSERVATION D'ÉNERGIE
En isolant parfaitement sa maison et en installant des panneaux solaires et des pompes à chaleur, on réduirait considérablement le recours à l'énergie des centrales.

LA PRODUCTION D'ALIMENTS
La culture d'aliments près des lieux de consommation diminuerait le recours aux produits agro-industriels, et donc les opérations inutiles de conditionnement et de transport.

Espace boisé

Traitement de l'eau

Puits d'alimentation d'eau

UNE EAU SANS NITRATES
L'abandon des engrais artificiels diminuerait la présence de nitrates dans les cours d'eau. L'équilibre biologique serait préservé, l'eau potable serait plus saine.

UNE FERTILITÉ ENTRETENUE
Le compostage des déchets alimentaires permet d'améliorer la fertilité et la productivité des sols.

lement, à Paris et dans la région parisienne, à une renaissance de marchés biologiques qui se tiennent sur les emplacements des marchés traditionnels mais à d'autres dates. On y trouve des plantes et des légumes cultivés sans l'apport d'aucun produit chimique, de la viande d'animaux ayant brouté sur des champs non traités, des pâtés sans conservateurs ni colorants, des eaux de toilette sans fixateur chimique, des pains, miels, confitures, fromages garantis naturels ; tous ces produits sont sévèrement contrôlés par l'association Nature et Progrès. En fait, chacun peut facilement participer à ce style de vie.

En s'associant, on peut très bien avoir des intérêts dans une exploitation agricole qui fournisse à chaque partenaire la plus grande partie de ses aliments, obtenus sans aucun engrais chimique.

DES VILLES VERTES

Dans les villes aussi, on peut contribuer à améliorer l'environnement. Or, cela est impossible si l'on est

POUR UNE PLANÈTE VERTE !
2. Projet pour la ville

Dans les villes, une politique de défense de l'environnement se traduirait par une diminution significative de la consommation d'énergie, de la pollution atmosphérique et de la production de déchets. À chaque fois que cela serait possible, on aurait recours aux énergies renouvelables, comme celles que procurent le vent ou la mer. Une diminution du nombre de voitures particulières serait bénéfique pour l'atmosphère, tandis que le recyclage systématique des déchets permettrait d'éviter un trop grand gaspillage.

Usine de recyclage

LA DISTRIBUTION D'EAU
Pour les besoins en eau des industries et des particuliers, à l'exception de la consommation personnelle, on utiliserait l'eau de cours d'eau non pollués dont la qualité ne demanderait ni addition de chlore ni traitement.

LE RECYCLAGE DES ORDURES
Tous les matériaux susceptibles de recyclage feraient l'objet d'un tri à la source et d'un dépôt dans des conteneurs spéciaux.

LES ENGRAIS NATURELS
Les déchets organiques serviraient d'engrais naturels aux terres cultivées.

DES VILLES VERTES
On planterait des arbres dans les parcs et les terrains en friche, ce qui purifierait l'air des villes et permettrait à la faune de subsister.

cerné par le béton et le bitume. Il faut aider la nature à se reconstituer là où on l'a supprimée, et en l'occurrence un petit mètre carré gagné vaut mieux que rien.

La Grande-Bretagne est l'un des premiers pays à avoir connu la révolution industrielle et, avec elle, l'urbanisation puis la désaffection des centres des villes. Des groupes de préservation de la nature y ont transformé en réserves des terrains laissés à l'abandon. C'est ainsi que le Parc écologique William Curtis,

dans le quartier des docks de Londres, permet aux citadins de voir la faune et la flore qui existaient le long de la Tamise avant que ses berges ne soient occupées par des routes, des entrepôts et des immeubles de bureaux. Dans le même ordre d'idée, un certain nombre de villes disposent de «fermes urbaines» qui permettent aux enfants des villes qui n'ont jamais vu une vache de découvrir ce que sont la culture et l'élevage : c'est important si l'on veut qu'en grandissant les jeunes prennent conscience de l'importance de la na-

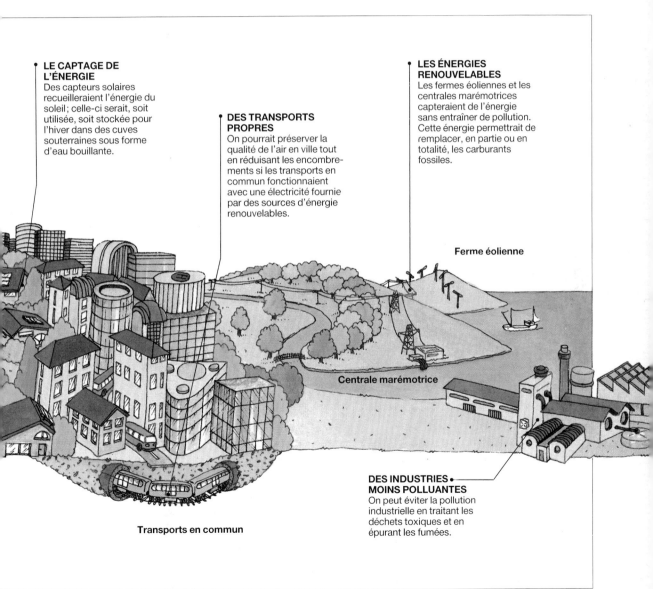

LE CAPTAGE DE L'ÉNERGIE
Des capteurs solaires recueilleraient l'énergie du soleil ; celle-ci serait, soit utilisée, soit stockée pour l'hiver dans des cuves souterraines sous forme d'eau bouillante.

DES TRANSPORTS PROPRES
On pourrait préserver la qualité de l'air en ville tout en réduisant les encombrements si les transports en commun fonctionnaient avec une électricité fournie par des sources d'énergie renouvelables.

LES ÉNERGIES RENOUVELABLES
Les fermes éoliennes et les centrales marémotrices capteraient de l'énergie sans entraîner de pollution. Cette énergie permettrait de remplacer, en partie ou en totalité, les carburants fossiles.

Ferme éolienne

Centrale marémotrice

Transports en commun

DES INDUSTRIES MOINS POLLUANTES
On peut éviter la pollution industrielle en traitant les déchets toxiques et en épurant les fumées.

ture. Il en existe également aux alentours de Paris. Ces fermes permettent aux enfants des écoles de passer des journées et parfois des semaines en «classe de nature».

La vie dans les villes changerait du tout au tout si chacun d'entre nous, à commencer bien sûr par nos urbanistes, privilégiait le contact quotidien avec la nature. On pourrait ainsi imaginer des «villes vertes»: les arbres formeraient des couloirs naturels qui relieraient les différents quartiers, des cours d'eau oubliés resurgiraient après avoir été si longtemps enfermés dans de profondes canalisations... Une réalisation qui va dans ce sens est en projet à Paris, avec la «Coulée verte» qui transformera d'anciennes voies de chemin de fer partant de la Bastille en un immense jardin de plus de deux kilomètres de long.

Les citadins peuvent d'ores et déjà œuvrer à cette évolution positive en protégeant la faune et surtout en luttant contre l'influence de l'automobile qui est le plus grand ennemi de la verdure. L'automobile enlaidit nos villes et entraîne une pollution très importante. Il est temps de contester sa toute-puissance; la situation évolue, à en juger par l'organisation de campagnes comme «La Ville aux Citadins» dont on a parlé dans le précédent chapitre. Quand nous serons suffisamment nombreux à réclamer qu'on fasse de l'automobile un usage intelligent, les «villes vertes» ne seront plus une utopie.

UN NOUVEAU MODE DE VIE À LA CAMPAGNE

À l'époque où vivre à la campagne voulait dire quelque chose, chacun, ou presque, avait son lopin de terre dont il tirait profit. On avait d'autres sources de revenus, mais au moins la terre rapportait. En Amérique et en Europe, se sont constitué des villages expérimentaux dont la philosophie consiste à revenir au bon vieux principe de vie qui voulait que le travail ne trouve pas sa contrepartie que dans l'argent.

Si vous vous installez à la campagne, cultiver soi-même ses légumes est un bon moyen d'améliorer l'environnement tout en travaillant de ses mains. Vous dépendrez moins de la production de masse tout en limitant la pollution et le gaspillage. Il est très difficile de vivre en auto-subsistance alimentaire intégrale, mais avec un petit lopin de terre et un peu de courage, chacun peut arriver à des résultats appréciables.

L'ACTION À L'ÉCHELLE INTERNATIONALE

Les cas que nous venons d'évoquer ne constituent qu'une illustration succinte de ce que vous pouvez faire afin d'améliorer votre environnement immédiat. L'étape suivante, autrement plus ambitieuse, concerne l'action à l'échelle nationale, voire même internationale.

Ainsi, un biologiste américain déclarait en 1988 que la plupart des grandes luttes pour l'environnement seraient gagnées ou perdues durant les années 90. Un sentiment partagé par des milliers de savants dans le monde. Et près de l'être par beaucoup d'hommes politiques parmi lesquels certains assez inattendus comme le ministre soviétique des Affaires étrangères Chevardnazé pour qui il apparaît vital de mettre au point une stratégie mondiale de l'environnement.

Il est vrai que même si les Soviétiques ont pris plus durement conscience que les autres des ravages causés à l'environnement par certaines catastrophes majeures comme l'accident de la centrale nucléaire de Tchernobyl, le temps qui nous manque ne peut plus laisser place à l'indifférence. C'est à nous d'agir, tant en réduisant au maximum notre pollution individuelle, qu'en se préoccupant des pollutions de tous ordres, qu'elles soient industrielles ou non. Pour se convaincre de cette urgence d'agir, il n'est qu'à lire le dernier rapport du Fonds de l'enfance des Nations Unies qui déclare que pour neuf cents millions de personnes, soit environ le sixième de l'humanité, la marche en avant des êtres humains est devenue un repli.

Effectivement, il est toujours possible de se boucher les yeux et les oreilles et de refuser de voir et d'entendre ce qui se passe autour de nous. Mais il est tout aussi possible de prendre le taureau par les cornes et de faire pression sur les élus du peuple, que ce soit au niveau local, régional, national ou même international. Les maires-adjoints ou conseillers municipaux sont tous sensibles aux demandes argumentées et raisonnées de ceux qui les élisent, même si la prise de conscience est parfois étroitement liée au nombre d'électeurs qui se montrent touchés par ces problèmes. Les conseils régionaux, les directions départementales, les préfectures sont autant de points de passage obligés pour celui qui se sent concerné et souhaite attirer l'attention des instances locales sur des problèmes d'environnement et de pollution dans sa ville, sa région, son département. Si cela ne suffit pas, il ne faut pas hésiter à s'adresser aux députés et aux sénateurs, sans oublier les ministres intéressés, tels que la

La défense de l'environnement en action
Le Parc écologique William Curtis (ci-contre) est situé dans Londres: il représente pour la faune un ballon d'oxygène dans un environnement qui n'a plus rien de naturel.
Les passages aménagés pour les animaux sauvages (ci-dessus) permettent à ceux-ci de survivre à l'extension toujours croissante du réseau routier.

Santé, l'Environnement ou l'Industrie. Les bulletins de vote ressemblent fort à des chèques en blanc que nous confions aux hommes politiques; il est parfois bon de leur rappeler que nous sommes les seuls à pouvoir les valider et que, de temps à autre, nous pouvons être amenés à vérifier l'utilisation qui en est faite.

Enfin, vous pourrez œuvrer utilement en apportant votre soutien à des mouvements de défense de l'environnement tels que Les Amis de la Terre.

L'ACTION AU PLAN MONDIAL

Les mouvements de lutte contre la pollution et de défense de l'environnement ont déjà enregistré des succès appréciables. Ainsi, en 1980, 200 millions de téléspectateurs ont contribué à éviter la disparition de l'une des plus grandes espèces animales, la baleine à bosse. L'émission qui lui était consacrée à la télévision et la musique d'accompagnement sont devenus l'un des symboles de la conservation de la nature. Les Amis de la Terre firent pression sur les hommes politiques de tous les pays concernés pour obtenir l'interdiction de la chasse à la baleine. Des membres de l'organisation *Greenpeace* suivirent les baleiniers sur des canots pneumatiques à moteur, et s'interposèrent

L'amélioration de l'environnement Les actions bénévoles menées par les organisations de protection de la faune sont indispensables si l'on ne veut pas que nos campagnes se dépeuplent à court terme de tous les animaux sauvages.

entre les navires et les baleines. Grâce à ces actions, le carnage put être évité.

Le cas de ces baleines nous fournit une illustration parfaite du pouvoir de la plume et de l'argent. En effet, la pétition en faveur des baleines recueillit de très nombreuses signatures. Les hommes politiques, qui avaient si longtemps atermoyé, se mirent tout à coup à agir, poussés par les millions de gens qui attendaient des mesures concrètes. Grâce au poids de l'opinion publique, en l'espace de quelques années, la plupart des pays ont interdit la pêche à la baleine ou l'on sévèrement réglementée.

Dans le même ordre d'idée, les actions à l'échelle internationale ont permis de donner un coup d'arrêt à la pollution. C'est ainsi que la campagne contre les déchets nucléaires a nettement sensibilisé à ce danger un certain nombre de dirigeants.

L'IMPORTANCE DE LA PROTECTION DE LA FAUNE

Aujourd'hui, il disparaît une espèce animale par jour, le plus souvent dans les régions tropicales, à cause de la déforestation galopante. Ce rythme va malheureusement s'accélérer, et si nous ne prenons pas les mesures qui s'imposent, à la fin de ce siècle une espèce disparaîtra, non plus par jour, mais par heure.

Certains peuvent se demander quel est l'intérêt de préserver toutes les espèces si elles ne nous sont pas utiles. Il y a, bien sûr, des considérations d'ordre esthétique et moral qui s'opposent à pareille destruction. Mais des raisons beaucoup plus concrètes ne sont pas à négliger. Les animaux traduisent l'état de leur environnement, car ils sont plus réceptifs que nous aux modifications du milieu. Par exemple, lorsque les oiseaux marins abandonnent tout à coup leurs lieux traditionnels d'accouplement, ou lorsque les mammifères prédateurs disparaissent tout aussi précipitamment, il y a gros à parier que l'on peut incriminer la pollution par l'homme et la destruction de l'environnement.

Or, l'animal et l'homme ont des destins tout à fait liés, comme l'illustre bien le cas du tigre du Bengale. Il s'agit de l'un des dossiers auquel s'est consacré le *World Wildlife Fund* (dénommé aujourd'hui le Worldwide Fund for Nature), fondé en 1961. En 1973, l'Inde ne comptait plus que deux mille tigres du Bengale (contre quarante mille en 1900). L'extinction de l'espèce aurait eu des conséquences pour

---

AGISSEZ

Participez à l'action internationale de lutte contre la pollution

- **Soutenez l'action des associations**
  La meilleure résolution que vous puissiez prendre est d'adhérer à l'une des principales associations de défense de l'environnement.
- **Protestez contre la pollution qui se produit lors du processus de fabrication**
  De nombreuses entreprises importent des produits comme l'aluminium, des biocides ou des matières plastiques. Ceux-ci entraînent une pollution considérable dans les pays où ils ont été fabriqués. Écrivez aux importateurs pour protester.
- **Participez à l'action contre l'internationalisation des déchets**
  Un certain nombre de pays traitent les déchets toxiques produits par d'autres pays. Le transport de ces substances est très dangereux. Si vous vivez à proximité d'un de ces sites, écrivez pour protester : celui qui produit des déchets toxiques doit gérer ceux-ci lui-même.
- **Agissez à l'étranger**
  Si vous êtes témoin d'une pollution à l'étranger, protestez. La pollution est un problème international, vous êtes donc en droit de le faire.

---

beaucoup d'autres animaux. Le tigre se situe en effet au dernier maillon de la chaîne alimentaire ; sa disparition aurait entraîné un désordre écologique complet dans les forêts qui n'auraient pas pu survivre, supprimant du même coup les ressources en bois de chauffage et le sol dont dépend toute vie.

Le « Projet Tigre » consista à créer quinze réserves qui préserveraient à la fois les animaux et la forêt des chasseurs, des agriculteurs et des bûcherons. Grâce à ces mesures, le nombre de tigres était remonté à quatre mille en 1983, avec un chiffre record dans les réserves, où la population avait quadruplé.

Ce n'est pas seulement le tigre qui a bénéficié de l'opération, mais l'environnement tout entier. Pour son vingt-cinquième anniversaire, le W.W.F. a publié un rapport mentionnant certains points marquants. Ainsi, « les fleuves qui ne coulaient que pendant la mousson se sont mis à avoir un débit quotidien et, par rapport aux autres fleuves des forêts avoisinantes, n'étaient pas envasés. La végétation a repris rapidement ses droits, ce qui a permis la formation d'humus et augmenté la quantité de végétaux dispo-

La résistance active
La résistance active est aujourd'hui une composante essentielle de la lutte contre la pollution. Ainsi, des membres de *Greenpeace* (ci-contre) cherchent à arrêter le déversement de résidus de mines en Méditerranée, au large des côtes espagnoles. La canalisation que l'on voit ici déverse chaque jour 7 000 tonnes de résidus riches en plomb et en zinc, ce qui détruit une très grande quantité de poissons. Ce type d'action s'est révélé très efficace pour sensibiliser le grand public à la pollution et pour attirer son attention sur les zones où la faune est en danger

nible pour les omnivores sauvages. Le nombre de cervidés, d'éléphants, de buffles et de rhinocéros a augmenté, de même que les autres espèces animales et végétales ».

En somme, le Projet Tigre a permis de sauver l'environnement tout entier.

DES INTÉRÊTS CONVERGENTS

Aujourd'hui, les réserves de tigres couvrent en Inde une superficie de vingt-cinq mille kilomètres carrés. Le Projet Tigre avait cependant chassé six mille villageois de leurs maisons ; à première vue, les intérêts de l'homme et de l'animal étaient contradictoires et, pour une fois, ce sont les intérêts des animaux qui ont prévalu. Mais en fait, l'opération a profité à l'un et à l'autre.

Il est certain que le Projet Tigre a obligé le gouvernement indien à indemniser les villageois expropriés. Mais il a surtout permis l'amélioration des méthodes d'agriculture et, ce qui est peut-être encore plus important, la construction d'unités de production de biogaz qui ont libéré les villageois de leurs besoins en bois de chauffage. Au total, grâce à un apport technologique approprié, les forêts ont pu être sauvées.

L'ACTION DES MOUVEMENTS ÉCOLOGIQUES

Nous avons vu que la défense de l'environnement comprenait à la fois les actions d'urgence et la prévention.

En effet, les mesures d'urgence, si elles témoignent d'intentions louables, ne suffisent pas à enrayer la détérioration de l'environnement. Sauver de l'extinction certaines espèces, marquer des points sur la pollution, maîtriser l'érosion des sols ou ralentir la déforestation, c'est bien. Mais il s'agit aussi de réparer les dégâts qui ont déjà été occasionnés.

Lors de la dernière période de l'ère glaciaire, les forêts occupaient 75 % des terres émergées ; elles n'en représentent plus que 25 %. Si cette diminution a permis à l'agriculture de se développer, elle a aussi favorisé la progression des déserts ou des terres stériles. Or la planète compte aujourd'hui cinq milliards d'hommes et nous serons probablement six milliards à la fin du millénaire.

L'écologie domestique appliquée à l'échelle de la planète est un art que nous ne maîtrisons pas encore. Mais la restauration de l'environnement par un changement de nos habitudes est notre plus bel espoir et notre tâche prioritaire.

Nous consacrons bon an mal an des sommes de plus en plus importantes à la défense nationale. Il existe une autre forme de défense tout aussi importante, qui est la défense de l'environnement. Celle-ci implique de vivre dans un milieu équilibré et préservé des poisons, de la déforestation ou de l'érosion des sols. Dans les pays industrialisés, cette défense de l'environnement est pratiquement embryonnaire. Mais dans la plupart des pays du tiers monde, elle est totalement inexistante. En versant chacun notre obole, nous pourrons recueillir suffisamment de fonds pour amorcer un changement dans ces pays.

La restauration de l'environnement peut être réalisée par une meilleure exploitation des sols. Le mouvement Greenbelt au Kenya en témoigne : il a non seulement mis un coup d'arrêt à la déforestation et à l'érosion des sols, mais il a aussi changé les habitudes locales, en replantant des rideaux d'arbres autour des fermes et sur les coteaux exposés. Les bénévoles du mouvement ont mis en place un système d'exploitation agro-forestière qui alterne plantations et cultures annuelles sans recours aux engrais artificiels, coûteux et dangereux.

Le système agro-forestier est très ancien mais, depuis des décennies et même des siècles, les experts européens cherchent à persuader les fermiers du tiers monde d'adopter des méthodes d'exploitation plus efficaces, qui impliquent dans tout les cas que les sols soient défrichés pour pouvoir être labourés. Il faut donc des tracteurs, du carburant et des pièces de rechange, qu'on importe à grands frais.

C'est ainsi qu'en Afrique, en Asie et en Amérique latine, l'alternance des forêts et des cultures a été abandonnée au profit de la « terre nue ». Or, il est certain que le système agro-forestier est la seule méthode d'exploitation possible dans la plupart des régions tropicales, car les sols dénudés ne supportent pas la chaleur intense ni la violence des pluies tropicales. Au contraire, il faut maintenir l'existence des arbres en alternant des bandes de culture, ce qui augmente la quantité d'humus et la fertilité des sols.

L'expérience kenyanne a inspiré un certain nombre d'autres pays africains. Mais le problème qui

---

AGISSEZ

Participez à l'action internationale de protection de la nature

- **Adhérez à une association**
  Cela ressort du bon sens et est très efficace : c'est la première chose à faire. Consultez les adresses page 185.
- **N'achetez pas de souvenirs d'origine animale**
  Les touristes peuvent inconsidérément être responsables de la destruction de la faune. L'achat de coquillages, de peaux, de fourrures, d'ivoires ou de coraux encourage cette destruction. Ne les achetez pas et dissuadez-en votre entourage.
- **N'achetez pas de plantes appartenant à des espèces menacées**
  En achetant des plantes d'importation, vous risquez sans le savoir de contribuer au saccage de la flore sauvage. Si vous achetez des plantes rares, importées des tropiques par exemple, assurez-vous qu'il s'agit de plantes cultivées et non sauvages.

---

se pose est que très souvent les populations qui vivent sur des sols stériles sont trop pauvres pour se lancer seules dans l'opération. Il faut de l'argent et des perspectives pour replanter, que ce soit dans des régions tempérées ou tropicales, car les bénéfices ne se font sentir qu'après un certain temps au cours duquel il faut pouvoir supporter le manque-à-gagner.

C'est à ce niveau que peuvent intervenir les habitants des pays développés, en permettant aux pays du tiers monde de redémarrer. Ainsi, les fonds collectés par des associations telles que les Amis de la Terre ou à l'occasion de manifestations telles que l'opération Sahel permettent de fournir aux populations du tiers monde des vivres et de l'argent ; grâce à cela, on enraye la famine et on empêche de véritables désastres écologiques.

Dans cet ouvrage, nous avons surtout abordé les dangers auxquels nous exposent les conditions de vie actuelles des pays industrialisés. Mais en réalité, les plus grandes catastrophes écologiques affectent le tiers monde, et si nous aidons ces régions à se réconcilier avec la nature, nous aurons agi pour l'humanité tout entière.

UN AVENIR PLUS VERT POUR UNE VIE EN ROSE

Le fait d'améliorer durablement l'état de notre planète ne se réduit pas à un problème financier ; il implique la mobilisation de toutes les ressources, quelle qu'en soit la nature. Il faut à tout prix revitaliser notre environnement qui a été ravagé, arrêter la pollution et le gaspillage et rétablir la couverture végétale, tout au moins en partie.

La tâche est importante et elle demande la participation de chacun d'entre nous. Indépendamment de ces actions d'ampleur à longue échéance, il faut sans tarder modifier nos modes de vie. Le temps passe vite et nos mémoires sont bien courtes : gageons que lorsque vous lirez ce livre, l'horreur de Tchernobyl aura rejoint celle de Bhopal dans les greniers de notre mémoire. À moins qu'entre-temps une nouvelle catastrophe ne soit venue faire la une des journaux...

Chacun d'entre nous est responsable des ressources de la planète : nous choisissons de les gaspiller, de les protéger, ou de les renouveler. Et c'est par notre mode de vie quotidien que nous pouvons peser sur l'avenir : transmettrons-nous à nos enfants une planète dévastée ou, au contraire, un monde où toutes les créatures vivantes auront leur place ? Ne nous voilons pas la face : si nous ne modifions pas notre mode de vie actuel, nous préparons aux générations à venir une piètre existence.

Déforestation, désertification, contamination, acidification ou érosion des sols, pollution des eaux, destruction des espèces animales et végétales : toutes ces agressions constituent un immense danger pour notre planète.

La restauration de notre milieu ne fait que commencer. Nous vivons une époque décisive, et cela doit guider notre réflexion et nos actions. Nous tenons entre nos mains le sort de toutes les espèces vivantes. Il nous appartient de décider s'il y aura ou non un avenir.

REMERCIEMENTS

John Seymour et **Herbert Girardet** remercient tous ceux dont les articles ou ouvrages leur ont été utiles dans la recherche d'informations spécifiques, ainsi que les nombreuses organisations engagées dans la lutte pour la préservation de l'environnement et qui leur ont si aimablement prêté leur concours. Des remerciements tout particuliers à Alfred Winter, Kay Morgan, Dr Charles Horth, Dr Lawrence Plaskett, Dr Bernhard Raininger, Dr Chris Gossp, José Lutzenberger et Richard Saint-George. Des remerciements également à David Burnie, Becky Abrams, Jane Owen et Ian Penney et, à travers eux, aux Éditions Dorling Kindersley.

Les Éditions Dorling Kindersley remercient Melanie Miller et Tim Lang de la « London Food Commission » pour leur aide ; Brian Price pour ses connaissances scientifiques ; Hester Abrams pour ses traductions ; Dr Saad Abdalla pour ses conseils médicaux ; James Mc Donald pour ses conseils en matière de nutrition ; Deidre McQuillan de « Here's Health ; Laura Thomas de « Clear » ; Arnold Bell et « Country Living » ; Keith Nightingale de la SMACMA ; Sylvia Beamish du « Anti-steroid Action Group » ; Fred et Cathy Gill, Hilary Bird et Chris Cope.

Les Éditions Hachette remercient Nicolas Le François pour son travail d'adaptation française ; Monique Lebailly et Olivier Le Goff pour leur traduction, ainsi que les services et organisations suivants pour leur avoir communiqué toutes les informations nécessaires :

Agence pour la qualité de l'air - Agence française pour la maîtrise de l'énergie (AFME) - Association de coordination technique agricole (ACTA) - Ambassade du Brésil - Ambassade des États-Unis - Ambassade de Suède - Les Amis de la Terre - L'argus de l'automobile - Caisse nationale d'assurance maladie - Centre national des jeunes agriculteurs (CNJA) - Centre national de la recherche scientifique (CNRS) - Comité français d'éducation pour la santé (CFES) - Direction générale de la concurrence, de la consommation et de la répression des fraudes (DGCCRF) - Électricité de France (EDF) - Équip'hôtel - Fédération française de la parfumerie - Fondation Cousteau - Greenpeace - Groupement économique de la consommation hors foyer (GRECO) - Institut national de la consommation (INC) - Institut national de la recherche agronomique (INRA) - Libre Service Actualité (LSA) - Ministère de l'Industrie et de l'Aménagement du territoire - Ministère de la Santé - Lyonnaise des Eaux - Organisation de coopération et de développement économique (OCDE) - Petroleo do Brazil - Procter et Gamble - Secrétariat d'État auprès du Ministre chargé de l'Environnement - Syndicat national de l'industrie pharmaceutique (SNIP) - Société anonyme de gestion des eaux de Paris (SAGEP) - Syndicat professionnel des savons et détergents - Syndicat de la restauration rapide - Organisation des Nations Unies pour l'éducation, la science et la culture (UNESCO).

ADRESSES UTILES

Agence française pour la maîtrise de l'énergie (AFME)
27, rue Louis Vicat — 75015 Paris

Agence pour la qualité de l'air
16, place Iris — 92082 Courbevoie

Assemblée permanente des chambres d'agriculture (APCA)
9, av George V — 75008 Paris

Association française pour l'étude des eaux
21-23 rue de Madrid — 75008 Paris
Branche française du Worldwide Fund for Nature, organisation internationale de conservation de la faune et de la flore sauvages.

Association pour la conservation des espèces végétales
Conservatoires botanique de l'île de Porquerolles 83400 Hyères

Bureau de recherches géologiques et minières
BP 6009 — 45060 Orléans Cedex 2

Fédération nationale d'agriculture biologique (FNAB)
9, rue Cels — 75014 Paris
Coordination des différents groupes régionaux ou départementaux de producteurs en agrobiologie.

Fonds mondial pour la nature
BP 8 — 95331 Domont Cédex

Fondation USHUAIA
26-27 passage d'Enfer — 75014 Paris

France Nature Environnement
57, rue Cuvier — 75231 Cédex 05
Fédération française des Sociétés de Protection de la Nature dont les actions vont de la sauvegarde des plantes et des animaux sauvages à l'intervention contre les équipements dangereux pour le milieu naturel.

Greenpeace
BP 36 — 60505 Chantilly Cédex
Antenne nationale d'une organisation internationale qui se consacre à la défense de l'environnement et de la faune par des actions militantes ponctuelles.

Les Amis de la Terre
15, rue Gambey — 75011 Paris
Réseau national de groupes locaux, apparenté à l'association internationale Friends of the Earth.

Ligue française des droits de l'animal
61, rue du Cherche-Midi — 75006 Paris

Ligue française pour la protection des oiseaux
La Corderie royale — BP 263 — 17305 Rochefort Cedex

Maison nationale des éleveurs
149, rue de Bercy — 75595 Paris Cedex 12
Peut fournir des renseignements sur les sociétés régionales de défense des espèces animales domestiques en péril.

Ministère de l'Agriculture
19, av du Maine — 75015 Paris

Ministère de l'Industrie et de l'Aménagement du territoire
101, rue de Grenelle — 75007 Paris

Ministère des Affaires sociales et de l'Emploi, direction générale de la Santé
1, place Fontenoy — 75007 Paris

Organisation de coordination et de développement économique (OCDE)
2, rue André-Pascal — 75018 Paris

Organisation des Nations-Unies pour l'éducation, la science et la culture (UNESCO)
9, place Fontenoy — 75007 Paris

Secrétariat d'État chargé de l'Environnement
14, bd du Général Leclerc — 92524 Neuilly-sur-Seine Cedex

Société nationale de protection de la nature
57, rue Cuvier — BP 405 — 75221 Paris Cedex 05
Elle crée et gère des réserves naturelles, publie des revues, lance des campagnes, propose du matériel éducatif, des sorties, des chantiers «nature», etc.

BIBLIOGRAPHIE

Agot P., *Histoire de l'écologie*, PUF, 1988.

Ces fous qui veulent sauver la terre, documents Nouvel Observateur, diffusion Hachette, 1989.

Commission des Nations-Unies pour l'Environnement et le Développement, *Notre avenir à tous*, Éditions du Fleuve, 1988.

Demarcq F, *« Le risque technologique majeur »*, *Problèmes politiques et sociaux*, N° 591, La Documentation Française, 1988.

Données économiques de l'environnement, Secrétariat d'État auprès du Premier Ministre chargé de l'Environnement, la Documentation Française, 1988.

Dumont R., *Un monde intolérable, Le libéralisme en question*, Éditions du Seuil, 1988.

État de l'environnement, Secrétariat d'État auprès du Premier Ministre chargé de l'Environnement, la Documentation Française, 1988.

Leclerc J. et Dun M., *L'ère nucléaire*, Le Chêne, 1966.

Lovelocj J., *La Terre est un être vivant. Pourquoi il faut sauver la Terre*, Éditions du Rocher, 1989.

« La nature menacée : une nouvelle marge de contestation », La Nouvelle Alternative, n° 4 et 5, 1986 et 1987.

« La ville que l'on tue », La Nouvelle Alternative, n° 10, 1988.

Les chiffres clés de l'énergie, ministère de l'Industrie et de l'Aménagement du Territoire, Observatoire de l'Énergie, Dunod, 1989.

Maesschalk A., De Sely G., *« Que faire des déchets toxiques ? Le cri d'alarme des pays poubelles »*, Le Monde diplomatique, n° 413, août 1988.

Manale M., *Contester ou s'intégrer ? « Les contradictions des Verts ouest-allemands »*, Le Monde diplomatique, décembre 1988.

Megie G., *L'ozone. L'équilibre rompu ?* Presses du CNRS, 1989.

Nicolet J-L., Carnino A. et Wanner J-C., *Catastrophes ? Non Merci ! La prévention des risques technologiques et humains*, Masson, 1989.

OCDE, *Glossaire de l'environnement*, 1981 et 1986.

OCDE, *Mouvements transfrontières de déchets dangereux*, 1985.

ORSTOM, *Connaissance du milieu amazonien*, 1987.

Pharabod J-P. et Schapiro J-P., *Les jeux de l'atome et du hasard*, Calmann-Lévy, 1988.

« Risques naturels et technologiques », La Recherche, supplément au n° 212, juillet 1989.

Roelants du Vivier F., *Les Vaisseaux du poison. La route des déchets toxiques*, Le Sang de la Terre, 1989.

Roqueplo Ph., *Pluies acides, menaces pour l'Europe*, Economica, 1988.

Terrasson F., *La Peur de la nature*, Sang de la Terre, 1988.

« Une planète mise à sac », Le Monde diplomatique, n° 415, octobre 1988.

Vie Le Sage R., *La Terre en otage*, Seuil, 1989.

INDEX

CRÉDITS PHOTOGRAPHIQUES

Abréviations
D : à droite, **G** : à gauche, **B** : en bas, **H** : en haut

11G Grant Heilman, Agricultural Photography; **11D** Heather Angel, Biofotos; **17** Laurie Sparham/ Network; **29** David Harding/Art Directors; **34** Vision International; **34B** Peter Stevenson/Seaphot, Planet Earth Pictures; **35** V. Janssen/Okapia; **37** Warren Williams/Seaphot, Planet Earth Pictures; **42** G. R. Roberts/Heather Angel, Biofotos; **49G & D** Nicholas Devore/Bruce Coleman; **52** Nick Rebbeck/ Soil Association; **53G & D** Paolo Koch/Vision International; **54** Vision International; **55** Roger Wilmshurst/Bruce Coleman; **63** Mike Abrahams/ Network; **71** Martin Dohrn/Science Photo Library; **73H** Pernam Buco/Hutchison; **73B** Richard Matthews/Seaphot, Planet Earth Pictures; **78** Paolo Koch/Vision International; **79** Topham; **82** Eric Bouvet/Frank Spooner, Gamma; **85** Vision International; **86H** James Stevenson/Science Photo Library; **86G** Gordon James/Seaphot, Planet Earth Pictures; **86D** Antony Joyce/Seaphot, Planet Earth Pictures; **89** Paolo Koch/Vision International; **99** Sally and Richard Greenhill/Photographers Photo Library; **107** Robert Isear/Science Photo Library; **119** Crispin Hughes/Photo Co-op; **124** H. Fristedt/Vision International; **126** Myers/Okapia; **133G** Heather Angel; **133D** Holt Studies; **134** Vision International; **135** Klaus Nielsen/Biofoto; **144G** Runk/Schoenberger/ Grant Heilman; **144D** C. Viojard/Frank Spooner, Gamma; **144B** Mats Segnestam/Naturfotografernas/ Bildbyra; **148H** John Sturrock/Network; **148B** Novosti/Frank Spooner, Gamma; **153** Topham; **154G** Tim Davis/Science Photo Library; **154D** Grant Heilman; **161** Paolo Koch/Vision International; **164** Hutchison Library; **164B** Bruce Mackie/Science Photo Library; **168** Tony Morrison/South American Pictures; **170** Alain Morvan/Frank Spooner, Gamma; **107B** Martin Bond/Science Photo Library; **170D** Saxon Donnelly/Science Photo Library; **172** Chris Boot/Photo Co-op; **179** Lorette Dorreboom/Greenpeace; **180G** Heather Angel, Biofotos; **180D** Ernest Neal/Seaphot, Planet Earth Pictures; **180B** Gerd Penner/Okapia.

Aubin Imprimeur
LIGUGÉ, POITIERS

Achevé d'imprimer en février 1990
Dépôt légal : 5057-02-1990 / N° d'impression P 34029
Imprimé en France

ISBN : 2-0101-5744-3
23-21-4556-01